A mente de Adolf
HITLER

WALTER C. LANGER

A mente de Adolf HITLER

O relatório secreto que investigou a psique do líder da Alemanha nazista

Tradução
Carlos Szlak

LeYa

Título original: *The Mind of Adolf Hitler: The Secret Wartime Report*

Editora responsável: Fernanda Cardoso
Gerente editorial: Maria Cristina Antonio Jeronimo
Produção editorial: Mariana Bard
Revisão de tradução: Juliana Alvim
Indexação e revisão: Jaciara Lima
Projeto gráfico de miolo: Leandro Liporage
Diagramação: Filigrana
Capa: Sérgio Campante
Foto de capa: Keystone-France | Getty Images
Fotos das demais páginas: Domínio público / Wikimedia Commons

Dados Internacionais de Catalogação na Publicação (CIP)
Angélica Ilacqua CRB-8/7057

Langer, Walter C., 1899-1981
A mente de Adolf Hitler : o relatório secreto que investigou a psique do líder da Alemanha Nazista / Walter C. Langer ; prefácio de Eurípedes Alcântara ; tradução de Carlos Szlak. -- São Paulo: LeYa Brasil, 2018.
272 p. : il.

Bibliografia
ISBN: 978-85-441-0735-5
Título original: The mind of Adolf Hitler: The secret wartime report

1. Hitler, Adolf, 1889-1945 2. Nazismo 3. Hitler, Adolf, 1889-1945 - Aspectos psicológicos 4. Alemanha - História I. Título II. Alcântara, Eurípedes III. Szlak, Carlos

18-1023 CDD 943.086092

Índices para catálogo sistemático:
1. Hitler, Adolf, 1889-1945

LeYa Brasil é um selo editorial da empresa Casa dos Mundos.

CASA DOS MUNDOS PRODUÇÃO EDITORIAL E GAMES LTDA.
Rua Frei Caneca, 91 | Sala 11 – Consolação
01307-001 – São Paulo – SP
www.leyabrasil.com.br

Sumário

Prefácio

Eurípedes Alcântara
Jornalista, ex-diretor de redação da revista *Veja* e atual diretor-presidente da Inner Voice Comunicação Empresarial

À primeira vista, encontra confirmação nos fatos históricos a frase frequentemente atribuída, mesmo sem evidências, a Victor Hugo, segundo a qual "nenhum poder terrestre pode deter uma ideia cuja hora tenha chegado". É inegável seu poder retórico. Mas talvez a força da expressão se limite à sua retumbância sonora. Quando se vê o filme de trás para a frente, um observador pode constatar o triunfo de certas ideias sobre outras, mas não é fácil discernir se isso ocorreu em razão de sua hora ter chegado, enquanto outras se estiolaram por terem surgido precoce ou tardiamente em relação ao seu pico de adequação ao meio. É um exercício intelectual mais rico examinar o alinhamento das circunstâncias individuais e coletivas que deram a vitória a determinado conjunto de pensamentos em detrimento de concepções teóricas rivais lançadas de maneira impiedosa à lata de lixo da história.

Este livro invulgar, produto de uma missão secreta levada a cabo durante a Segunda Guerra Mundial, realiza justamente esse tipo exaustivo e revelador de estudo. Seu objeto foram as dobras da mente de Adolf Hitler, onde ideias assombrosas se autoalimentaram por décadas antes de encontrarem ressonância no tecido social e tomarem de assalto o povo alemão, fatos que o levaram, primeiro, ao antagonismo com a civilização e, depois, à derrota militar, seguida do calvário moral pela expiação – ainda em curso atualmente, 73 anos depois do fim da guerra e dos crimes contra a humanidade.

Para melhor se localizar em relação às revelações deste livro, aconselha-se ao leitor suprimir, enquanto dure a leitura de suas 272 páginas, a validade da Lei de Godwin. Refiro-me aqui ao axioma proposto em 1990 pelo escritor e advogado norte-americano Mike Godwin, cuja formulação poderia ser a seguinte: "Em qualquer discurso, artigo ou discussão acirrada, a pessoa que comparar um adversário ou seus argumentos com Hitler ou com o nazismo perderá a razão e será considerada a perdedora." A proclamação de Godwin, muito adequada para decidir disputas nas redes on-line, mas também fora delas, estabelece que o *reductio ad Hitlerum* é fatal para quem faz uso desse recurso, pois nenhum mal se compara ao holocausto ou aos seus autores. Pela Lei de Godwin, comete suicídio retórico quem disser, por exemplo, que "se Donald Trump continuar nesse rumo, ele vai implantar o nazismo nos Estados Unidos", ou que "Hitler era vegetariano, e está explicado por que todo vegetariano tem uma índole totalitária". Sugiro, então, a supressão temporária da Lei de Godwin, pois em alguns casos será preciso cotejar Adolf Hitler e o nazismo com outros fenômenos de cegueira coletiva – até porque Walter Charles Langer, psicólogo norte-americano autor do estudo que resultou neste livro, trabalhou enquanto o líder alemão ainda estava no poder, e as feições aterradoras de sua personalidade, bem como as dimensões incomparáveis das matanças nazistas, só seriam integralmente reveladas depois da Segunda Guerra, quando ainda se podiam encontrar paralelos na história moderna.

Vencer a guerra contra a Alemanha o mais rápido possível era o único grande objetivo quando Walter C. Langer foi comissionado pelos Aliados, em 1943, para fazer um mergulho na mente de Adolf Hitler. Ele se desincumbiu com brilho da missão que lhe foi dada pelo Escritório de Serviços Estratégicos, a OSS, órgão de inteligência dos Estados Unidos antecessor à CIA. O também psicólogo William Langer, irmão do autor, avaliou que o "estudo psicológico de Hitler foi um esforço pioneiro de aplicação das descobertas da psicologia moderna não a uma figura histórica distante, mas a uma que estava muitíssimo viva e ativamente empenhada em fazer história".

Walter Langer foi contratado pessoalmente pelo chefe da OSS, o general William Donovan, que nutria especial interesse pelas potencialidades do uso bélico da psicologia. Ele ganhou o apelido de "Billie Maluco", quase certo em decorrência de dois projetos estapafúrdios. O primeiro consistia em embeber de gasolina uma colônia de morcegos, incendiar os animais e soltá-los à noite sobre cidades alemãs de modo a semear o terror. O segundo plano, menos espetacular, mas igualmente impraticável, previa envenenar ou dopar Hitler contaminando com substâncias químicas a terra dos canteiros de onde eram colhidos os legumes e outros vegetais servidos nas refeições do Führer.

Donovan podia ser excêntrico, mas não era estúpido. Isso fica demonstrado com o sucesso do comissionamento de Walter Langer para "ler a mente de Hitler" e, dois anos mais tarde, com a insistência do general em submeter a testes psicológicos os integrantes do alto-comando nazista acusados de crimes contra a humanidade no Julgamento de Nuremberg. Realizado entre 20 de novembro de 1945 e 1º de outubro de 1946, o tribunal jugou 24 líderes políticos e militares de alta patente do Terceiro Reich. Doze foram condenados à morte por enforcamento. Três receberam pena de confinamento perpétuo, e quatro, penas entre vinte e dez anos de prisão. Três foram absolvidos. Dois tiveram seus julgamentos cancelados: Gustav Krupp foi dispensado por motivos de saúde, e Robert Ley, encarregado de organizar o trabalho escravo nas fábricas nazistas, se suicidou antes de o processo chegar à fase do sentenciamento.

Dos doze condenados à morte, dez foram executados em Nuremberg. O poderoso secretário particular de Hitler, Martin Bormann, foi condenado à morte *in absentia*. Bormann havia cometido suicídio em Berlim em maio de 1945. Seu corpo só seria encontrado em 1973, mas a identificação positiva pela comparação de DNA viria apenas em 1998.

O paciente mais interessante entre os acusados em Nuremberg foi, sem dúvida, Hermann Göring, comandante da *Luftwaffe* (Força Aérea alemã), que Hitler considerava a única componente de sua *Wehrmacht** "verdadeiramente nazista", pois via a Marinha e o Exército sempre com

* A *Wehrmacht* era o conjunto das Forças Armadas da Alemanha nazista durante o Terceiro Reich, entre 1935 e 1945, tendo substituído a *Reichswehr*. (N. E.)

desconfiança. Göring foi condenado à morte por enforcamento, mas, para enorme desconforto de seus captores, se suicidou na cela um dia antes da execução mastigando uma cápsula de cianureto. Ao contrário de Walter Langer, que trabalhou sem amarras, os psicólogos e psiquiatras encarregados de analisar os acusados em Nuremberg sofreram forte pressão para não classificarem nenhum paciente como louco. Para efeito de propaganda, seria um desastre os Aliados terem derrotado um hospício, e não uma fria, cruel e eficiente máquina de guerra. Göring ajudou muito nesse ponto em particular. Cínico, altamente inteligente, elitista (tentou obter um julgamento à parte dos "peixes pequenos"), se amargurou quando descobriu que o Palace Hotel, um spa de luxo em Luxemburgo onde ficaria alguns dias antes de ser levado a Nuremberg, fora transformado em prisão. Göring chegou ao Palace Hotel carregando na bagagem dezesseis malas gravadas com suas iniciais. Dentro delas havia um chapéu vermelho, vidros de esmalte da mesma cor e 20 mil pílulas de paracodeína, opioide sintetizado originalmente na Alemanha no começo do século XX. "Não sou um moralista, mas tenho meu Código de Cavalheiro", disse Göring durante uma das sessões com psicólogos e psiquiatras. "Se acreditasse que matar os judeus significava vencer a guerra, eu não teria me importado com isso, mas [matar os judeus] foi algo insignificante [para o esforço de guerra] e não fez bem a ninguém, servindo apenas para dar à Alemanha uma má reputação."

Quando Walter Langer morreu, em 1981, o quadro mental que pintou de Hitler já havia se tornado um clássico da abordagem psicológica – e também um testemunho de seus limites quando o paciente não pode ser analisado pessoalmente no divã. Langer conversou com quase uma dezena de pessoas fora da Alemanha que, antes, haviam convivido com Hitler em diversas fases de sua vida. No diagnóstico feito por Langer, o "Führer" é descrito como "provavelmente psicopata neurótico, beirando a esquizofrenia".

A análise de Walter Langer foi avaliada pelo comando Aliado como fonte valiosa de informações para que se pudesse tentar antecipar ações do líder nazista, especialmente quando ele se encontrava sob forte pressão dos acontecimentos. Atribui-se ao estudo do psicólogo o acerto na previsão Aliada de que a mente neurótica de Hitler o conduziria ao isolamento crescente na medida em que a maré da guerra se voltasse contra a Alemanha e por fim ao suicídio, o que de fato ocorreu. Langer anteviu que generais profissionalmente mais capazes e menos ideológicos, portanto, potencialmente mais críticos de Hitler, seriam afastados das decisões militares e que não seria surpresa se tentassem articular um golpe contra ele. Em 20 de julho de 1944, o general Claus von Stauffenberg conseguiu detonar uma bomba na sala de guerra do *Wolfsschanze*, uma das "tocas do lobo", nome-código dos refúgios secretos do alto-comando nazista, na antiga Prússia Oriental, hoje parte da Polônia. Protegido pelo espesso tampo de madeira da mesa sob a qual Von Stauffenberg deixou sua pasta de mão com a bomba e o detonador por tempo, o Führer teve apenas o tímpano direito perfurado, sobrevivendo sem maiores sequelas às ondas de choque da explosão.

É bem documentada a utilidade estratégica que os estudos de Langer tiveram para os comandantes Aliados empenhados em prever os lances de Hitler nos anos derradeiros da Segunda Guerra Mundial. Muito se discute, no entanto, se ainda seriam igualmente proveitosos outros mergulhos analíticos na mente de mandatários totalitários e de políticos com pendor para iludir as massas. O próprio Langer tinha certeza de que sim. Na introdução ao livro da edição original, ele escreveu: "Posso ser ingênuo em questões diplomáticas, mas gosto de acreditar que se o estudo de Hitler tivesse sido feito anos antes, com menos tensão e com mais oportunidade de reunir informações em primeira mão, poderia não ter havido Munique." Langer se refere ao episódio que ficou conhecido como o Putsch da Cervejaria ou Putsch de Munique, a bizarra e frustrada tentativa do Partido Nazista em 8 de novembro de 1923 de tomar o poder regional na Baviera. Hitler foi preso e condenado a cinco anos de reclusão. Cumpriu apenas nove meses. O julgamento e a pena pelo Putsch da Cervejaria deram visibilidade nacional a Hitler e ao seu partido, ao mesmo tempo convencendo-os do poder da propaganda política na busca do poder absoluto, não mais pela força, mas pelo caminho democrático. Continuou

Langer: "Um estudo similar de [Josef] Stálin poderia ter produzido uma Yalta diferente; um de [Fidel] Castro poderia ter evitado a situação cubana; e um de [Ngo Dinh] Diem poderia ter evitado nosso profundo envolvimento no Vietnã."

Os críticos de Walter C. Langer são parcimoniosos em concordar integralmente com essas proposições. Segunda das três conferências entre os líderes das principais nações Aliadas na Segunda Guerra Mundial, o encontro em Yalta, na Crimeia, em fevereiro de 1945, reuniu o presidente americano Franklin Roosevelt, o primeiro-ministro britânico Winston Churchill e o líder soviético Josef Stálin. O americano e o britânico, a contragosto, aceitaram os contornos do que viria a ser a virtual anexação pela União Soviética dos territórios da Polônia, da Tchecoslováquia, da Hungria, da Romênia, da Bulgária e da Albânia. Roosevelt e Churchill conheciam bem a cabeça de Stálin e sua maneira de decidir, mas esses dados não foram significativos no processo que resultou na prevalência das teses soviéticas em Yalta. Teve mais peso a urgência em acabar com a guerra mundial e a *realpolitik*, pois a presença militar da União Soviética nos seus futuros "países-satélites" era incontrastável. Conhecer melhor o pensamento de Fidel Castro provavelmente não teria mudado de forma substancial a "situação cubana". A aliança dos revolucionários da Sierra Maestra com os soviéticos era o caminho mais lógico. É correta a definição da revista inglesa *The Economist* sobre o líder cubano, quando de sua morte em 2016: "Fidel foi nacionalista por convicção, autoritário por formação e marxista por conveniência." No Vietnã, o modo de pensar e agir de Ngo Dinh Diem foi apenas mais um dos tantos enigmas sobre a região e seu povo que os americanos não foram capazes de decifrar, miopia que os fez perder a guerra da opinião pública no *front* doméstico e nos campos de batalha do sudoeste asiático.

O grande mérito deste livro não deve ser procurado em sua utilidade prática ou na disponibilização de um método infalível para detectar potenciais monstruosidades em ascensão política. Os desvios da norma diagnosticados por Langer na mente de Hitler foram fatores a serem levados em conta na conquista do poder absoluto, mas não por si próprios, e sim por vibrarem em sincronia – ou, como explicam os especialistas em falhas estruturais de torres, arranha-céus e pontes suspensas, "na frequência natural de ressonância" – com as frustrações do povo alemão.

Os depoimentos coletados por Walter Langer ilustram sobejamente essa perigosa vibração prenunciadora de grandes desastres políticos. Hitler conseguia cada vez com mais perfeição alinhar as cordas sonantes de seu partido de modo a captar e realimentar com propaganda, num ciclo infernal, as mais desestabilizadoras tensões latentes nas profundezas da alma teutônica, incapaz de absorver a derrota na Primeira Guerra Mundial e as humilhações que se seguiram – entre elas, a hiperinflação em cujo auge, no fim de novembro de 1923, eram necessários mais de 4,2 trilhões (exatamente 4.210.500.000.000) de marcos alemães para comprar um único dólar americano.

Um observador contou ao autor do livro que Hitler parecia ter o "poder de ler as massas humanas" durante as manifestações, modulando seu discurso em sincronia com as emoções que captava:

> O início é lento e hesitante. Aos poucos, ele vai se aquecendo quando a atmosfera espiritual da grande multidão é incitada. Porque Hitler responde a esse contato metafísico de tal maneira que cada membro da plateia se sente preso a ele por um vínculo individual de afinidade.

Em *Mein Kampf*, sua obra autobiográfica, Hitler explica as razões da postura distante, autoritária e inatingível que assume nos discursos e detalha sua teoria de que as multidões são "femininas":

> A psique das massas não reage a nada que seja fraco ou pela metade. Tal como uma mulher, cuja sensibilidade espiritual é determinada menos pela razão abstrata do que por um desejo emocional indefinível de alcançar poder, e que, por essa razão, prefere se submeter ao homem forte, e não ao fraco, a massa também prefere quem dá ordens, e não quem implora.

Um dos antigos conhecidos de Hitler que aceitaram conversar com Walter Langer revelou: "Hitler tem um instinto inigualável para aproveitar cada brisa e criar um redemoinho político. Nenhum escândalo oficial era tão insignificante que ele não pudesse transformá-lo em traição nacional." Outro entrevistado lembrava-se de ter ouvido de Hitler a seguinte comparação, que denota um conhecimento instintivo exato do seu eleitor alvo:

> Há pouco espaço num cérebro, ou, por assim dizer, pouco espaço de parede, e, se você mobiliá-lo com seus slogans, a oposição não terá lugar para pendurar seus quadros, porque o aposento do cérebro já estará abarrotado com sua mobília.

De outras conversas, Langer capturou pontos clássicos de interesse psicanalítico, como o desprezo de Hitler por Alois, seu pai bêbado e violento, ou a devoção por Klara, sua mãe, que morreu de câncer em 1907, quando ele tinha 18 anos de idade. O psicólogo ouviu e analisou relatos sobre certas perversões do Führer nazista, sua aparente homossexualidade reprimida, o incômodo pela proximidade com intelectuais e artistas, o afeto transbordante e genuíno direcionado às crianças e aos animais.

A filósofa Hannah Arendt cunhou a expressão "banalidade do mal" num relatório de 1963 sobre o julgamento do nazista Adolf Eichmann em Israel. Responsável por organizar o transporte de milhões de judeus e pessoas de outras etnias consideradas inferiores pelos nazistas para vários campos de concentração onde seriam assassinados, Eichmann pareceu a Hannah Arendt um burocrata brando, distante, preocupado apenas com a eficiência do serviço. "Ele não era pervertido nem sádico, mas terrivelmente normal", escreveu ela. Desde então, a pergunta sobre se alguém pode fazer coisas terrivelmente más sem ser terrivelmente mau vaga sem resposta – e não apenas na filosofia. Hannah Arendt conclui que regimes brutalmente totalitários como o nazismo e o stalinismo produzem "agentes irreflexivos" ou "pessoas incapazes de pensar do ponto de vista de outra". É gente assim que faria o mal sem ser pessoalmente mau.

O livro de Walter C. Langer, porém, nos impede de colocar Adolf Hitler nessa classificação de "agente irreflexivo" de um regime assassino. O Führer era pervertido, paranoico, "quase esquizofrênico", mas tinha perfeita consciência do mal que sua máquina de ódio estava produzindo. À conclusão semelhante chegaram os médicos pesquisadores do Royal College of Edinburgh, na Escócia, autores da mais completa investigação científica sobre as drogas que o médico particular de Hitler, o famoso dr. Theodor Morell, ministrava oral ou topicamente ou injetava todos os dias no organismo de seu paciente. Pouco aquém de ser apenas mais um charlatão, entre tantos milagreiros que infestavam a República de Weimar, o dr. Morell conquistou a confiança absoluta de Hitler. Sabe-se que o Führer rejeitou sucessivas tentativas de médicos conceituados da Alemanha de assumir os seus cuidados. Morell registrou em seus diários os coquetéis de estimulantes e hormônios que prescrevia ao líder nazista. Hitler usava regularmente um colírio de cocaína, tomava injeções de anfetamina, testosterona, estradiol e corticosteroides. Com regularidade recebia glicose em soro e um "preparado exclusivo" em que o dr. Morell misturava doses terapêuticas de estricnina, atropina, extrato de vesícula seminal e vitaminas. Morell registrou cuidadosamente as drogas e dosagens, mas nunca especificou ao certo que doenças estava tratando – nem se o paciente estava ciente do que tomava ou mesmo se prescrevia cumprindo ordens do próprio Hitler. Na parte final do estudo, em que discutem as implicações do tratamento de Morell, os médicos do Royal College of Edinburgh afirmam que os coquetéis químicos heterodoxos podem ter piorado o estado mental e até a personalidade de Hitler ("exigente, inseguro, despótico e hipocondríaco"), mas isso não explica o fenômeno nazista em toda sua crua brutalidade: "Historiadores, psicólogos e psiquiatras ainda discutem e, provavelmente, vão continuar debatendo para sempre, por que Hitler fez o que fez."

Mas talvez o grande questionamento seja: sem Adolf Hitler, o nazismo teria triunfado na Alemanha, provocado uma guerra mundial e matado sistematicamente 6 milhões de pessoas, a maioria judeus, no holocausto? Sem Lênin, teria existido a União Soviética e seu experimento de governar pelo terror por 74 anos? Teria havido a Primeira Guerra Mundial caso o bósnio Gavrilo Princip nunca tivesse sido expulso da escola, se transformado num nacionalista radical e disparado os tiros que mataram o arquiduque Francisco Ferdinando, da Áustria, na visita a Sarajevo em 28 de junho de 1914? Sem Lee Harvey Oswald postado com um fuzil Mannlicher-Carcano na janela do quarto andar de um depósito de livros, John Kennedy teria saído vivo da Dealey Plaza, em Dallas, no Texas, no dia 22 de novembro de 1962, concluído seu mandato e, talvez, sido reeleito. Mas os Estados Unidos seriam muito diferentes do que são hoje? Se Nelson Mandela tivesse morrido na prisão da ilha Robben, de onde saiu em 1990 depois de 27 anos, a conciliação teria sido, como efetivamente foi, uma opção viável para a troca pacífica de regime na África do Sul? Sem Donald Trump, as tensões sociais de cunho nacionalista e racial que encontraram nele sua expressão política teriam feito de um outro candidato qualquer o 45º presidente dos Estados Unidos em 2017?

Essas questões são derivadas de uma mesma matriz de questionamentos que reflete se a história é feita por pessoas ou se elas são meras transmissoras de energias que, de uma maneira ou de outra, fariam sentir sua força transformadora. Em outras palavras, basta tirar o homem da equação para que determinado fenômeno deixe de ocorrer ou dá-se justamente o oposto, pois, mesmo subtraindo o protagonista de cena, as rodas da história continuam a girar na mesma direção e com o mesmo ímpeto? As respostas são altamente insatisfatórias para os espíritos a quem só a síntese aquieta. Respostas mais potentes só podem aflorar caso a caso, ao custo do estudo criterioso dos fatos e do conhecimento das circunstâncias históricas, da formação intelectual e mental, do caráter, das ações e, claro, da sorte ou do azar de cada protótipo de grande homem.

O trabalho de Walter Charles Langer mostra que, se continua impossível chegar perto de uma explicação abrangente e conclusiva para todos os enigmas do papel do individualismo na história coletiva das sociedades, aprende-se muito com o estudo da personalidade dos "parteiros da história", o conceito que diferenciou fundamentalmente o leninismo do marxismo ortodoxo. Lênin viu a necessidade de formar uma elite de indivíduos, "revolucionários profissionais", encarregados de fazer a história acontecer, de produzir a faísca detonadora dos processos revolucionários. Lênin deu o nome de "Iskra" ("faísca" em russo) ao jornal que fundou no exílio para fomentar a insurgência. A manipulação das massas, central nas táticas do nazismo e do leninismo, funcionou para esses movimentos graças à conformação mental, em suas raízes mais profundas essencialmente religiosas, comum a seus idealizadores. Foi fundamental a imposição, tanto na Rússia quanto na Alemanha, do conceito de "Führerprinzip", o guia sábio, salvador da pátria, infalível, incontrastável, cuja palavra paira acima de qualquer lei escrita, tradição ou costume. Lênin, Trótski e Hitler falavam às massas como os únicos intérpretes da verdade revelada.

A teoria marxista estabelece que o comunismo ocorre na fase final do capitalismo. Sendo assim, a Rússia teria que primeiro superar o feudalismo e se tornar capitalista para, em seguida, marchar rumo ao comunismo. Contrariando a teoria, a elite leninista fez em 1917 na Rússia czarista a primeira revolução socialista da história. Se Lênin nunca tivesse surgido, os revolucionários russos muito provavelmente teriam conseguido se livrar da dinastia Romanov. Mas sem Lênin e o leninismo, o mais certo é que, como pregava Georgi Plekhanov, "pai do marxismo na Rússia", os insurgentes tivessem parado por ali mesmo. Tapando os narizes, teriam instalado no lugar da tirania feudal uma democracia burguesa, sob a qual esperariam pacientemente que o capitalismo se esgotasse como inevitável etapa histórica, só então criando as condições materiais necessárias para a instalação do comunismo. Lênin decidiu não esperar.

Sem Hitler, o nazismo poderia muito bem ter alcançado posição política relevante na Alemanha. Mas é impossível imaginar o louco Rudolf Hess, o arrogante Hermann Göring ou mesmo o fanático Joseph Goebbels mesmerizando as massas com a mesma eficiência de Adolf Hitler, cuja mente este livro nos oferece na bandeja.

Parte I
Como ele acredita ser

Em 1936, na reocupação da Renânia, Hitler fez uso de uma surpreendente figura de linguagem ao descrever a própria conduta. Ele afirmou: "Sigo meu caminho com a precisão e a segurança de um sonâmbulo." Mesmo naquela época, pareceu ao mundo que era uma declaração incomum para ser feita pelo líder inconteste de 67 milhões de pessoas em meio a uma crise internacional. Para Hitler, era uma espécie de restauração da confiança para seus seguidores mais cautelosos, que questionavam a sabedoria de sua estratégia. Parece, porém, que se tratava na realidade de uma confissão, e, se os seus seguidores cautelosos tivessem percebido a importância e as implicações dela, teriam tido motivos para uma preocupação muito maior do que a suscitada por sua proposta de reocupação da Renânia. Pois o percurso desse sonâmbulo o levou por muitos caminhos não percorridos, que acabaram por levá-lo infalivelmente a um pináculo de sucesso e poder jamais antes alcançado. E isso o seduziu até o ponto de levá-lo à beira de um desastre. Ele entrará para a história como o homem mais venerado e mais desprezado que o mundo já conheceu.

Muitas pessoas pararam e se perguntaram: "Esse homem é sincero em suas realizações ou ele é uma fraude?" Com certeza, mesmo um conhecimento fragmentado de seu passado justifica essa pergunta, em especial porque nossos correspondentes nos apresentaram diversas opiniões conflitantes. Em alguns momentos, parecia quase inconcebível que um homem pudesse ser sincero e fazer o que Hitler fez durante sua carreira. E, ainda assim, todos os seus ex-colaboradores com quem conseguimos entrar em contato, e também muitos de nossos correspondentes estrangeiros mais competentes, estão firmemente convencidos de que Hitler acredita mesmo em sua própria grandeza. Fuchs relata que Hitler disse a Schuschnigg durante as entrevistas em

Berchtesgaden: "Você se dá conta de que está na presença do maior alemão de todos os tempos?"

Faz pouca diferença para nosso objetivo se ele realmente disse essas palavras ou não naquele momento específico, como alegado. Nessa sentença, ele resumiu em poucas palavras uma atitude que expressou para alguns de nossos entrevistados. Para Rauschning, por exemplo, ele disse certa vez: "Mas não preciso de seu endosso para me convencer de minha grandeza histórica."[1] E para Strasser, que certa vez tomou a liberdade de dizer que receava que Hitler estivesse errado, afirmou: "Não posso estar errado. O que faço e digo é histórico."[2] Muitos outros testemunhos pessoais podem ser dados. Oechsner resumiu muito bem a atitude dele a esse respeito com as seguintes palavras:

> Hitler acha que ninguém, na história alemã, estava tão preparado quanto ele para levar os alemães à posição de supremacia que todos os políticos alemães achavam que o povo merecia, mas foram incapazes de alcançar.[3]

Essa atitude não se limita à sua atuação como líder político. Ele também acredita ser o comandante militar supremo, como, por exemplo, quando afirma para Rauschning:

> Eu não brinco na guerra. Não permito que os "generais" me deem ordens. A guerra é conduzida por mim. O momento exato de atacar será determinado por mim. Haverá apenas um momento que será realmente auspicioso, e vou esperá-lo com determinação inflexível. E não o deixarei passar...[4]

Parece ser verdade que Hitler fez diversas contribuições para as táticas e estratégias ofensivas e defensivas alemãs. Ele acredita ser um juiz excelente em questões jurídicas e não se intimida quando, diante do *Reichstag*,* discursa para todo o mundo e afirma: "Nas últimas 24 horas, *eu* fui a suprema corte do povo alemão."[5]

* Parlamento alemão até 1945. (N. T.)

Hitler também acredita ser o maior de todos os arquitetos alemães e passa muito tempo esboçando novos edifícios e planejando a remodelação de cidades inteiras. Apesar do fato de ele ter sido reprovado no exame de admissão para a Academia de Belas Artes, acredita ser o único juiz competente nessa área. Certa ocasião, ele nomeou uma comissão de três pessoas para atuar como juízes finais em questões de arte, mas, quando os vereditos não o agradaram, demitiu-os e assumiu os deveres deles. Faz pouca diferença se o campo de atuação é economia, educação, relações exteriores, propaganda, cinema, música ou vestuário feminino. Em todas as áreas, Hitler acredita ser uma autoridade inquestionável.

Ele também se orgulha de sua dureza e brutalidade:

> Sou um dos homens mais duros que a Alemanha teve por décadas, talvez por séculos, dotado da maior autoridade em relação a qualquer líder alemão... Mas, acima de tudo, acredito em meu sucesso. Acredito nele incondicionalmente.[6]

De fato, essa crença em seu próprio poder beira um sentimento de onipotência, que ele não reluta em exibir.

> Desde os acontecimentos do último ano, a fé em sua genialidade, em seu instinto ou, por assim dizer, em sua estrela é ilimitada. Aqueles que o rodeiam são os primeiros a admitir que ele agora se acha infalível e invencível. Isso explica o motivo pelo qual ele não mais tolera críticas ou contradições. Contradizê-lo é, aos seus olhos, um crime de "lesa-majestade"; a oposição aos seus planos, venha do lado que vier, é um inegável sacrilégio, para o qual a única resposta é uma exibição imediata e impressionante de sua onipotência.[7]

Outro diplomata relata uma impressão semelhante:

> Logo que eu o conheci, sua lógica e noção da realidade me impressionaram, mas, com o passar do tempo, ele me deu a

> impressão de se tornar cada vez mais irracional e cada vez mais convencido de sua infalibilidade e grandeza...[8]

Portanto, parece haver pouco espaço para dúvidas a respeito da firme crença de Hitler em sua própria grandeza. Agora, devemos investigar as fontes dessa crença. Quase todos os autores atribuíram a confiança de Hitler ao fato de ele ser grande adepto da astrologia e de estar em contato constante com astrólogos, que o aconselham quanto à sua linha de ação. Isso é quase certamente falso. Todos os nossos entrevistados que conheceram Hitler um tanto intimamente consideram absurda essa ideia. Todos concordam que nada é mais estranho à personalidade de Hitler do que procurar ajuda em fontes externas desse tipo. O entrevistado da missão diplomática holandesa tem opinião semelhante. Ele afirma: "O Führer não só nunca teve seu horóscopo feito, mas também é, em princípio, contra horóscopos, porque acha que pode ser influenciado inconscientemente por eles."[9] Também é indicativo o fato de que Hitler, algum tempo antes da guerra, proibiu a prática de adivinhação e astrologia na Alemanha.

É verdade que parece que Hitler está agindo sob alguma orientação desse tipo, o que lhe dá o sentimento e a convicção de sua infalibilidade. Provavelmente, essas histórias tiveram origem nos primeiros tempos do Partido. De acordo com Strasser, no início da década de 1920, Hitler teve aulas regulares de oratória e psicologia das massas com um homem chamado Hanussen, que também era astrólogo e adivinho praticante. Ele era um indivíduo bastante inteligente, que ensinou muito a Hitler sobre a importância de organizar comícios para obter o máximo de efeito dramático. Pelo que se sabe, Hanussen nunca teve nenhum interesse específico no movimento nazista, nem qualquer influência no rumo que ele deveria seguir. É possível que Hanussen tenha tido algum contato com um grupo de astrólogos, mencionados por Von Wiegand, que eram bastante ativos em Munique naquela época. Por meio de Hanussen, Hitler também pode ter entrado em contato com esse grupo, pois Von Wiegand escreve:

> Quando conheci Adolf Hitler, em Munique, em 1921 e 1922, ele estava em contato com um círculo que acreditava firmemente nos presságios dos astros. Havia muitos rumores a respeito do advento de "outro Carlos Magno e um novo Reich". Até que ponto Hitler acreditava nessas profecias e previsões astrológicas nunca consegui saber do Führer. Ele não negou nem confirmou a crença. Contudo, ele não era avesso a fazer uso das previsões para promover a fé popular em si mesmo e em seu jovem e batalhador movimento.

É bastante provável que o mito de suas associações com astrólogos tenha crescido a partir dessa origem.

Embora Hitler tenha estudado consideravelmente diversas áreas de conhecimento, ele não atribui sua infalibilidade ou onisciência a qualquer esforço intelectual de sua parte. Ao contrário, ele desaprova tais fontes quando se trata de guiar o destino das nações. De fato, ele tem uma opinião bastante negativa acerca do intelecto, pois em diversos lugares faz declarações como as seguintes:

> O treinamento das habilidades mentais é de importância secundária.

> Pessoas excessivamente instruídas, cheias de conhecimento e intelecto, mas vazias de quaisquer instintos sólidos.

> Esses canalhas (intelectuais) insolentes, que sempre sabem mais do que os outros...

> O intelecto se tornou autocrático e virou uma doença da vida.

O guia de Hitler é algo completamente diferente. Parece certo que Hitler acredita que foi enviado para a Alemanha pela Divina Providência e que tem uma missão específica a cumprir. Provavelmente, ele não tem claro o escopo de sua missão, para além do fato de que foi escolhido para redimir o povo alemão e remodelar a Europa. Como isso tem que ser realizado também é um tanto vago em sua mente, mas isso não o preocupa muito, porque uma "voz interior" lhe comunica os passos que deve dar. Esse é o guia que o leva em seu caminho, com a precisão e a segurança de um sonâmbulo.

> Cumpro as ordens que a Divina Providência me atribuiu.[10]

> Nenhum poder na Terra pode abalar o Reich alemão agora. A Divina Providência quis que eu persistisse no objetivo de cumprir a missão germânica.[11]

> Mas se a voz falar, então saberei que chegou o momento de agir.[12]

É essa firme convicção de que ele tem uma missão e que está sob a orientação e proteção da Divina Providência a responsável, em grande parte, pelo efeito contagioso que ele tem tido sobre os alemães.

Muitas pessoas acreditam que esse sentimento de destino e missão chegou a Hitler por meio de seus sucessos. Provavelmente, isso é falso. Mais à frente (parte V), tentaremos mostrar que Hitler tem tido esse sentimento há muitos anos, embora possa ter virado uma convicção consciente só muito tempo depois. De qualquer forma, esse sentimento chegou à sua consciência à força durante a última guerra e tem desempenhado um papel dominante em suas ações desde então. Por exemplo, Mend (um de seus companheiros) relata: "A esse respeito, uma profecia estranha vem à mente: pouco antes do Natal (1915), ele comentou que nós, algum dia, ouviríamos falar muito dele. Só tínhamos que esperar que seu momento chegasse."[13] À época, Hitler também relatou diversos incidentes durante a guerra que lhe provaram que ele estava sob a proteção divina. O incidente mais impressionante é o seguinte:

> Estava jantando numa trincheira com diversos companheiros. De repente, uma voz pareceu dizer para mim: "Levante-se e vá até ali." Era tão clara e insistente que obedeci automaticamente,

> como se tivesse sido uma ordem militar. De imediato, fiquei de pé e caminhei cerca de vinte metros pela trincheira carregando a lata com meu jantar. Então, sentei-me para continuar comendo, com minha mente ficando novamente em repouso. Mal fiz isso, quando um clarão e um estrondo ensurdecedor vieram da parte da trincheira que eu tinha acabado de deixar. Uma granada perdida explodiu sobre o grupo com quem eu estava sentado antes, e todos os membros morreram.[14]

Também houve a visão que Hitler teve enquanto estava no hospital em Pasewalk, sofrendo de cegueira supostamente causada por gás tóxico. "Enquanto estava confinado no leito, veio para mim a ideia de que eu libertaria a Alemanha, que eu a tornaria grande. De imediato, soube que isso se realizaria."[15]

Tempos depois, essas experiências devem ter se encaixado lindamente com as visões dos astrólogos de Munique, sendo possível que, no fundo, Hitler tenha sentido que, se houvesse alguma verdade em suas previsões, provavelmente se referiam a ele. No entanto, naquela época, ele não mencionou nenhuma conexão entre elas, nem pensou muito na orientação divina que acreditava ter. Talvez ele tenha sentido que aquelas afirmações no início do movimento nazista poderiam atrapalhar, em vez de ajudar. No entanto, como Von Wiegand assinalou, ele não era avesso a fazer uso das previsões para promover seus próprios fins. Naquela época, ele estava satisfeito com o papel de um "tocador de tambor", que anunciava a chegada do verdadeiro redentor. Mesmo naquele momento, porém, o papel de tocador de tambor não era tão inocente ou tão insignificante na mente de Hitler como pode se supor. Isso foi trazido à luz em seu testemunho durante o julgamento após o fracassado Putsch da Cervejaria de 1923. Naquela ocasião, ele disse:

> Vocês poderiam muito bem aceitar a convicção de que eu não considero que valha a pena batalhar por um cargo ministerial. Não considero que valha a pena, para um grande homem, querer seu nome na história apenas como ministro. Desde o

> primeiro dia, tive mil vezes mais do que isso em mente: queria ser o aniquilador do marxismo. Devo concluir a tarefa e, depois que concluí-la, então, para mim, um cargo ministerial seria uma questão trivial. Na primeira vez que fiquei em frente ao túmulo de Richard Wagner, meu coração se encheu de orgulho. Ali, repousa um homem que descartou um epitáfio como: aqui jaz o Conselheiro Privado e Regente Titular, sua Excelência o Barão Richard von Wagner. Fico orgulhoso que esse homem, e muitos outros homens na história alemã, tenham ficado satisfeitos em deixar seus nomes para a posteridade, e não seus títulos. Não foi a modéstia que me fez querer ser o "tocador de tambor". *Isso* é da máxima importância. O resto é uma bagatela.

Depois de sua estada na prisão de Landsberg, Hitler não mais se referiu a si como o "tocador de tambor". Ocasionalmente, ele se descrevia com as palavras de São Mateus, "como uma voz que clama no deserto", ou como São João Batista, cuja missão era abrir caminho para aquele que chegaria e levaria a nação ao poder e à glória. Com mais frequência, porém, ele se referia a si mesmo como "o Führer", um nome escolhido por Hess durante a detenção dos dois.[16]

Com o passar do tempo, ficou cada vez mais claro que Hitler se via como o Messias e que estava destinado a conduzir a Alemanha à glória. Suas referências à Bíblia se tornaram mais frequentes, e o movimento nazista começou a assumir uma atmosfera religiosa. As comparações entre Cristo e ele se tornaram mais numerosas e permearam suas conversas e seus discursos. Por exemplo, ele dizia:

> Ao chegar a Berlim algumas semanas atrás e observar o movimento na Kurfürstendamm, o luxo, a perversão, a iniquidade, a exposição indecente e o materialismo judaico me repugnaram profundamente, a ponto de eu quase ficar transtornado. Quase imaginei ser Jesus Cristo quando Ele chegou ao Templo de seu Pai e o encontrou tomado pelos cambistas. Posso bem imaginar como Ele se sentiu quando pegou o chicote e os flagelou.[17]

Durante esse discurso, de acordo com Hanfstaengl, ele brandiu violentamente seu chicote, como se estivesse expulsando os judeus e as forças das trevas, os inimigos da Alemanha e da honra alemã. Dietrich Eckart, que descobriu Hitler como possível líder e testemunhou essa apresentação, afirmou depois: "Quando um homem chega ao ponto de se identificar com Jesus Cristo, então ele está pronto para um hospício." Em tudo isso, a identificação não era com Jesus Cristo crucificado, mas com Jesus Cristo furioso, açoitando a multidão.

Na realidade, Hitler tem pouquíssima admiração por Cristo crucificado. Embora tenha sido criado como católico e recebido a comunhão durante a Primeira Guerra Mundial, ele rompeu sua ligação com a Igreja logo em seguida. Ele considera o Cristo crucificado brando, fraco e incompatível como um Messias germânico. Este deve ser duro e brutal se quiser redimir a Alemanha e conduzi-la ao seu destino.

> Meu sentimento como cristão aponta para o meu Senhor e Redentor como um lutador. Aponta para o homem que, solitário, rodeado por apenas alguns seguidores, reconheceu aqueles judeus pelo que eram e reuniu homens para lutar contra eles, e que, juro por Deus!, foi maior não como sofredor, mas como lutador. No amor sem limites, como cristão e como homem, leio a passagem que relata como o Senhor por fim se ergueu e usou o chicote para expulsar do Templo a ninhada de víboras. Quão extraordinária foi a luta pelo mundo contra a peçonha judaica.[18]

E para Rauschning, Hitler uma vez se referiu ao "credo judaico-cristão com sua ética efeminada e piedosa".

Não fica claro a partir das evidências se a nova Religião de Estado era parte do plano de Hitler ou se os desdobramentos tornaram isso factível. É verdade que Rosenberg defendia havia muito esse movimento, mas não há provas de que Hitler estivesse inclinado a dar um passo tão drástico antes de chegar ao poder. É possível que ele tenha sentido que precisava de poder antes que pudesse iniciar tamanha mudança, ou pode ser que sua série de sucessos fosse tão surpreendente que as pessoas adotaram espontaneamente uma atitude religiosa em relação a ele, o que tornava o movimento mais ou menos óbvio. De qualquer maneira, ele aceitou esse papel divino sem hesitação ou constrangimento. White revela que quando ele era saudado com "Heil Hitler, nosso Redentor", fazia uma ligeira mesura ante o elogio na frase e acreditava nisso.[19] Com o passar do tempo, fica cada vez mais evidente que Hitler acredita que é realmente o "Escolhido" e que, em seu pensamento, concebe-se como um segundo Cristo, que foi enviado para instituir no mundo um novo sistema de valores baseado em brutalidade e violência. Ele se apaixonou pela imagem de si mesmo nesse papel e se cercou com seus próprios retratos.

Sua missão parece atraí-lo para alturas ainda mais elevadas. Não satisfeito com o papel de redentor transitório, isso o impele para objetivos maiores: ele deve definir o padrão para as gerações futuras. Von Wiegand afirma: "Em questões fundamentais, Hitler está longe de não considerar o nome e o registro do sucesso e fracasso que deixará para a posteridade."[20] Nem ele está contente de permitir que esses padrões evoluam de forma natural. Para garantir o futuro, ele sente que sozinho pode vincular o futuro a esses princípios. Portanto, acredita que deve se tornar imortal para o povo alemão. Tudo deve ser grande e condizente como um monumento à honra de Hitler. Sua ideia de construção permanente é aquela que perdurará por pelo menos mil anos. Suas rodovias devem ser conhecidas como as "autoestradas de Hitler" e devem durar por períodos de tempo maiores do que as estradas napoleônicas. Ele sempre deve estar fazendo o impossível e deixando sua marca no país. Essa é uma das maneiras pelas quais ele espera continuar vivo nas mentes dos alemães nas gerações futuras.

Diversos autores, entre eles Haffner, Huss e Wagner,[21] afirmam que Hitler já tem projetos detalhados para seu próprio mausoléu. Nossos entrevistados, que deixaram a Alemanha há algum tempo, não estão em posição de confirmar esses relatos. No entanto, eles os consideram possíveis. Esse mausoléu deve ser a meca da Alemanha após sua morte. Deve ser um monumento enorme, com mais de duzentos metros de altura e com todos os detalhes elaborados para que o maior efeito psicológico possa ser alcançado. Dizem que sua primeira missão em Paris, após a conquista em 1940, foi visitar o Dôme des Invalides para estudar o monumento a Napoleão. Ele o achou deficiente em diversos aspectos. Por exemplo: colocaram Napoleão num buraco, forçando as pessoas a olharem para baixo, e não para o alto.

> "Nunca cometerei esse erro", disse Hitler, repentinamente. "Sei como manter o controle sobre as pessoas depois de morrer. Serei o Führer para quem elas erguem os olhos e voltam para casa para conversar sobre e lembrar. Minha vida não acabará na mera forma da morte. Ao contrário, ela começará."[22]

Por algum tempo, acreditou-se que, originalmente, Kehlstein [Ninho da Águia] foi construído como mausoléu eterno por Hitler. No entanto, parece que, se essa era sua intenção original, Hitler a abandonou em favor de algo ainda mais grandioso. Talvez Kehlstein fosse muito inacessível para permitir a visita de um grande número de pessoas que tocariam em sua tumba para se inspirar. De qualquer forma, parece que projetos muito mais extravagantes foram desenvolvidos. O plano de Hitler, para ser bem-sucedido, precisa tirar proveito emocional constante das mentes de massas histéricas, e, quanto mais ele conseguir arranjar os meios para alcançar isso depois de sua morte, mais seguro estará de atingir seu objetivo final.

> Hitler está firmemente convencido de que o ritmo frenético e a época histórica em que viveu e se moveu (de fato, ele está convencido de ser a força motriz e o modelador dessa época) terminarão logo após sua morte, jogando o mundo, por natureza e inclinação, num longo período de processo digestivo, marcado por uma espécie de inatividade silenciosa. Ele pensou que as pessoas em seu "Reich de Mil Anos" construirão

> monumentos para ele e tocarão e olharão as coisas que ele construiu. Ele afirmou isso na sua inexpressiva visita a Roma, em 1938, acrescentando que, daqui a mil anos, a grandeza, e não as ruínas, de seu próprio tempo deverão intrigar as pessoas daqueles dias longínquos. Pois, acredite ou não, é assim que a mente de Hitler se projeta, sem rubor, ao longo dos séculos.[23]

Alguns anos atrás, também houve um tempo em que ele falou muito em se aposentar quando seu trabalho estivesse terminado. Supôs-se que ele fixaria residência em Berchtesgaden e ficaria como um Deus que guia os destinos do Reich até sua morte. Em julho de 1933, ao visitar a família de Wagner, Hitler falou bastante a respeito da velhice e se queixou amargamente dos dez anos de tempo precioso perdido entre o Putsch da Cervejaria de 1923 e sua ascensão ao poder. Isso foi lamentável, pois ele previu que levaria 22 anos para colocar as coisas em condições adequadas para que pudesse entregá-las ao seu sucessor.[24] Alguns autores supuseram que, durante esse período de aposentadoria, Hitler também escreveria um livro que permaneceria pela eternidade como a grande bíblia do Nacional Socialismo.[25] Isso tudo é bastante interessante em vista da declaração de Röhm feita muitos anos atrás: "Ainda hoje, a coisa de que ele mais gostaria seria ficar nas montanhas e brincar de Deus."[26]

Um exame de todas as evidências nos obriga a concluir que Hitler acredita que está destinado a se tornar um Hitler imortal, escolhido por Deus para ser o novo Salvador da Alemanha e o fundador de uma nova ordem social para o mundo. Ele acredita estoicamente nisso e tem certeza de que, apesar de todos os testes e atribulações pelos quais deve passar, finalmente alcançará esse objetivo. A única condição é que siga os ditames da voz interior que o guiaram e o protegeram no passado. Essa convicção não está baseada na verdade nas ideias que ele transmite, mas sim na convicção de sua grandeza pessoal.[27] Howard K. Smith faz uma observação interessante: "Estava convencido de que, de todos os milhões sobre os quais o Mito de Hitler se fixou, o mais arrebatado foi o próprio Adolf Hitler."[28]

Na parte V, teremos oportunidade de examinar as origens dessa convicção e o papel que desempenha na economia psicológica de Hitler.

Parte II

Como o povo alemão o conhece

Quando tentamos formular uma concepção de Adolf Hitler baseada em como o povo alemão o conhece, não devemos nos esquecer de que seu conhecimento sobre ele é limitado por uma imprensa controlada. Muitos milhares de alemães o viram em pessoa, sobretudo no passado, e podem utilizar essa experiência como uma base para sua concepção individual dele.

Do ponto de vista físico, Hitler não é uma figura muito imponente; com certeza, não é a ideia platônica de um grande líder guerreiro ou do salvador da Alemanha e criador de um novo Reich. Sua altura é um pouco abaixo da média. Os quadris são largos e, os ombros, relativamente estreitos. Seus músculos são flácidos e suas pernas são curtas, finas e fracas, ficando escondidas, no passado, por botas pesadas e, mais recentemente, por calças compridas. Tem um tronco largo e o peito escavado, a ponto de usar uniformes com enchimento, diz-se. Do ponto de vista físico, ele não atenderia aos requisitos de sua própria guarda de elite.

Nos primeiros tempos, seu vestuário não era muito atraente. Frequentemente, usava o traje montanhês bávaro, incluindo calça curta de couro, camisa branca e suspensórios. Nem sempre o traje estava muito limpo, e, com a boca cheia de dentes amarronzados e estragados e as unhas compridas sujas, ele apresentava uma imagem um tanto grotesca. Naquela época, ele também tinha uma barba pontiaguda, e seu cabelo castanho-escuro era repartido no meio e ficava grudado junto à cabeça com óleo. Nem seu modo de andar era o de um soldado. "Era um andar característico de mulher. Passos pequenos e delicados. Depois de alguns passos, ele inclinava o ombro direito nervosamente, e a perna esquerda estalava depois disso."[1] Ele também tinha um tique no rosto, que fazia o canto dos lábios curvar para cima.[2] Quando discursava, sempre se vestia com um terno azul de aparência comum, que lhe roubava toda distinção. No julgamento após o fracassado Putsch da Cervejaria, Edgar Mowrer, que o via pela primeira vez, perguntou-se:

> O terrível rebelde era esse dândi provinciano, com seu cabelo escuro ensebado, sua casaca, seus gestos estranhos e sua língua solta? Ele pareceu para todos um caixeiro-viajante de uma firma de roupas.[3]

Posteriormente, ele tampouco causou uma impressão muito melhor. Dorothy Thompson, depois de sua primeira ida a um comício, descreveu-o nos seguintes termos:

> Ele é amorfo, quase sem rosto, um homem cujo semblante é uma caricatura, um homem cuja estrutura parece cartilaginosa, sem ossos. Ele é insignificante e volúvel, inadequado e inseguro. É o próprio protótipo do homenzinho.[4]

Smith também o considerou "a apoteose do homenzinho",[5] de aparência engraçada, complexado e inseguro.

Podemos supor que essa é apenas a avaliação de jornalistas norte-americanos, que têm um padrão distinto de beleza masculina. No entanto, ao testemunhar no tribunal de justiça, em 1923, o professor Max von Gruber, da Universidade de Munique, o mais eminente eugenista alemão, declarou:

> Foi a primeira vez que vi Hitler de perto. Rosto e cabeça de tipo inferior, mestiço; testa pequena e recuada, nariz feio, maçãs do rosto largas, olhos pequenos, cabelo escuro. Expressão não de um homem exercendo autoridade em autodomínio perfeito, mas de excitação desvairada. No fim, uma expressão de vaidade satisfeita.[6]

Muito foi escrito a respeito de seus olhos, que foram descritos em termos de quase todas as cores do arco-íris. Na verdade, seus olhos parecem ser mais exatamente azul-claros, beirando o violeta. Mas não é a cor que atrai as pessoas, mas sim sua intensidade e brilho, dando-lhe ao que tudo indica uma qualidade hipnótica. Encontramos histórias como a mencionada a seguir ocorrendo repetidas vezes na literatura. Um policial que é conhecido por sua antipatia ao movimento nazista é enviado a um comício de Hitler para manter a ordem. Enquanto estava em seu posto, Hitler entra:

> Ele encarou o policial com seu olhar fatal, hipnotizador e irresistível, que arrebatou imediatamente o infeliz. Atento, ele confessou para mim esta manhã: "Desde ontem à noite, sou nacional socialista. Heil Hitler." [7]

Essas histórias não são todas de órgãos de propaganda nazista. Muitas pessoas confiáveis, agora nos Estados Unidos, relataram incidentes similares com conhecidos. Mesmo diplomatas importantes comentaram sobre a natureza dos olhos de Hitler e a maneira pela qual ele os utiliza ao encontrar pessoas, muitas vezes com efeitos terríveis. Mas há outros, como Rauschning, que consideram seu olhar inanimado e pasmado, desprovido de brilho e da centelha de genuína animação.[8] Porém, não precisamos perder tempo com os olhos de Hitler e suas características peculiares, já que relativamente poucos alemães tiveram contato tão íntimo com ele a ponto de serem afetados pelo seu olhar.

Independentemente do efeito que a aparência pessoal de Hitler possa ter tido sobre os alemães no passado, é seguro presumir que foi bastante intensificado pelos milhões de cartazes, colados em todos os lugares imagináveis, que mostram o Führer como um indivíduo bastante bem-apessoado e com uma atitude muito determinada. Além disso, a imprensa, os cinejornais etc. são continuamente inundados com fotografias editadas com cuidado, mostrando Hitler em sua melhor versão. Sem dúvida, tudo isso, com o passar dos anos, obscureceu quaisquer impressões desfavoráveis que ele possa ter criado como uma pessoa real no passado. O Hitler físico, que a maioria dos alemães conhece agora, é um indivíduo muito apresentável.

O único outro contato real que a maioria esmagadora do povo teve com Hitler foi por meio de sua voz. Ele era um orador incansável, e, antes de chegar ao poder, às vezes fazia três ou quatro discursos no mesmo dia, não raro em cidades diferentes. Mesmo seus maiores adversários admitem que ele é o maior orador que a Alemanha já conheceu. Essa é uma grande admissão, considerando que as características de sua voz estão longe de serem agradáveis; na realidade, muitas pessoas a consideram especialmente desagradável. Sua voz tem uma característica áspera, que muitas vezes irrompe num falsete estridente quando ele fica excitado. Também não é sua dicção que o torna um grande orador. No início, a voz era particularmente ruim. Era uma mistura de alto-alemão com um dialeto austríaco, que Tschuppik descreve como "*knödlige Sprache*".[9] Nem era a estrutura de seus discursos que o tornava um grande orador. Em geral, seus discursos eram escandalosamente longos, mal estruturados e muito repetitivos. Alguns deles são bastante penosos de ler, mas, apesar disso, quando ele os proferia, tinham um efeito extraordinário sobre os espectadores.

O poder e a fascinação de Hitler ao discursar residem quase por completo em sua capacidade de sentir o que uma dada plateia queria ouvir e, então, manipular seu tema de tal maneira que ele despertava as emoções da multidão. A respeito do talento de Hitler, Strasser afirma:

> Hitler reage à vibração do coração humano com a sensibilidade de um sismógrafo [...], o que lhe permite, com uma certeza com a qual nenhum dom consciente poderia dotá-lo, agir como um alto-falante proclamando os desejos mais secretos, os instintos menos permissíveis, os sofrimentos e as revoltas pessoais de toda uma nação.[10]

Antes de chegar ao poder, quase todos os seus discursos centravam-se em torno de três temas: (1) a traição dos criminosos de novembro;*

* Os governantes alemães que assinaram o Armistício em 11 de novembro de 1918, pondo fim à Primeira Guerra Mundial, receberam o epíteto de "criminosos de novembro" por parte da direita alemã, que considerava que o Exército alemão não perdeu a guerra no campo de batalha, mas que foi traído pelos socialistas, comunistas e judeus. (N. T.)

(2) o governo dos marxistas deve ser interrompido; e (3) a dominação mundial dos judeus. Independentemente do tópico anunciado para um determinado discurso, Hitler quase sempre incluía um ou mais desses três temas. E, mesmo assim, o público gostava e comparecia a um comício depois do outro para ouvi-lo discursar. Portanto, não era tanto o que ele dizia que era atrativo para suas plateias, mas como ele dizia.

Mesmo nos primórdios, Hitler era um *showman*, com grande inclinação para o drama. Não só ele marcava seus discursos para tarde da noite, quando seus ouvintes estavam cansados e a resistência estava reduzida por causas naturais, bem como ele sempre enviava um assistente antes dele para fazer um discurso curto e aquecer a plateia. Homens da *Sturmabteilung* [SA – Tropas de assalto] sempre desempenhavam um papel importante nesses comícios e se enfileiravam no corredor pelo qual ele passava. No momento de maior emoção, Hitler aparecia na porta do fundo do salão. Então, seguido por um pequeno grupo, ele marchava entre as fileiras de homens da SA para chegar à mesa do orador. Hitler nunca olhava para a direita ou para a esquerda enquanto percorria o corredor, e ficava muito irritado se alguém tentava abordá-lo ou impedir seu avanço. Sempre que possível, tinha uma banda presente, que começava a tocar uma marcha militar animada enquanto ele percorria o corredor.

Em geral, quando Hitler começava a discursar, manifestava sinais de nervosismo. Frequentemente, era incapaz de dizer algo importante até conseguir sentir a plateia. Em certa ocasião, relata Heiden, ele ficou tão nervoso que não conseguiu pensar em nada para dizer.[11] Para fazer algo, ergueu a mesa e a deslocou pelo tablado. Então, de repente, ele captou o clima e foi capaz de prosseguir. Price descreve sua oratória da seguinte maneira:

> O início é lento e hesitante. Aos poucos, ele vai se aquecendo quando a atmosfera espiritual da grande multidão é incitada. Porque Hitler responde a esse contato metafísico de tal maneira que cada membro da plateia se sente preso a ele por um vínculo individual de afinidade.[12]

Todos os nossos entrevistados relatam o início lento, esperando captar o clima do público. Assim que ele o descobre, o ritmo se acelera suavemente até que ele, no clímax, começa a gritar. Ao longo de tudo isso, o ouvinte parece se identificar com a voz de Hitler, que se torna a voz da Alemanha.

Tudo isso está de acordo com a concepção de Hitler sobre a psicologia das massas, como comentada em *Mein Kampf*, em que afirma:

> A psique das massas não reage a nada que seja fraco ou pela metade. Tal como uma mulher, cuja sensibilidade espiritual é determinada menos pela razão abstrata do que por um desejo emocional indefinível de alcançar poder, e que, por essa razão, prefere se submeter ao homem forte, e não ao fraco, a massa também prefere quem dá ordens, e não quem implora.

E Hitler entregava o que a multidão queria. A revista *Newsweek* relatou: "As mulheres desmaiavam, quando, com o rosto arroxeado e retorcido pelo esforço, Hitler despejava seu discurso mágico."[13] Flanner afirma: "Seu discurso costumava definhar seu colarinho, desgrudar seu topete, vidrar seus olhos; ele era como um homem hipnotizado, repetindo-se até entrar num frenesi."[14] De acordo com Yates-Brown: "Ele era um homem transformado e possuído. Estávamos na presença de um milagre."[15]

A oratória exaltada era algo novo para os alemães e, em particular, para os bávaros de fala arrastada da classe mais baixa. Em Munique, sua gritaria e seu gestual eram um espetáculo que os homens pagavam para ver.[16] Porém, não era apenas sua oratória exaltada que conquistava o público para sua causa. Com certeza, isso era algo novo, mas muito mais importante era a seriedade com a qual suas palavras eram ditas.

> Cada uma de suas palavras saía carregada com uma poderosa corrente de energia. Às vezes, parecia que escapavam do próprio coração do homem, provocando-lhe uma aflição indescritível.[17]

> Apoiando-se na tribuna, como se estivesse tentando impelir seu eu interior na consciência de todas aquelas milhares de pessoas, Hitler prendia as massas e eu sob um fascínio hipnótico... Era evidente que Hitler estava sentindo a exaltação da resposta emocional que agora crescia na direção dele... Sua voz se elevava até apogeus apaixonados... Suas palavras eram como um flagelo. Quando ele parava de falar, seu peito ainda ficava arfando de emoção.[18]

Muitos autores teceram comentários a respeito de sua capacidade de hipnotizar o público. Stanley High relata:

> Quando, no clímax, ele balança de um lado para outro, seus ouvintes balançam com ele; quando ele se inclina para a frente, eles também se inclinam para a frente, e quando ele conclui, eles ou ficam admirados, em silêncio, ou de pé, em frenesi.[19]

Sem dúvida, como orador, ele tem exercido uma influência poderosa sobre os alemães comuns. Seus comícios sempre estavam cheios, e, no momento em que terminava de falar, tinha entorpecido completamente as faculdades críticas de seus ouvintes, deixando-os dispostos a acreditar em quase tudo que ele dizia. Hitler os elogiava e os bajulava. Num momento, ele lançava acusações contra eles; em outro, os entretinha, construindo espantalhos que ele imediatamente derrubava (a falácia do espantalho). Sua língua era como um chicote, que estimulava as emoções de sua plateia. E, de algum modo, ele sempre conseguia dizer o que maioria do público já estava pensando em segredo, mas não era capaz de verbalizar. Quando o público começava a reagir, isso o afetava. Em pouco tempo, devido a esse relacionamento recíproco, ele e sua plateia ficavam intoxicados com o apelo emocional de sua oratória.[20]

Foi esse Hitler que os alemães conheceram em primeira mão. Hitler, o orador exaltado, que corria incansavelmente de um comício para outro, trabalhando até a exaustão em favor deles. Hitler, cujo corpo e alma estavam a favor da causa, e que lutava de maneira contínua contra adversidades e obstáculos avassaladores para abrir os olhos deles ao verdadeiro estado das coisas. Hitler, que podia despertar as emoções deles e direcioná-las para objetivos de engrandecimento nacional. Hitler, o corajoso, que se atrevia a dizer a verdade e desafiar as autoridades nacionais, e também os opressores internacionais. Era um Hitler sincero que os alemães conheciam, cujas palavras ardiam nos recantos mais secretos de suas mentes e os repreendia por causa de suas próprias falhas. Era o Hitler que os levaria de volta ao amor-próprio, porque tinha fé neles.

Essa concepção fundamental de Hitler criou uma bela base para a propaganda. Ele era tão convincente na tribuna do orador e parecia ser tão sincero no que dizia, que a maioria de seus ouvintes estava pronta para acreditar em quase tudo de positivo dito a respeito dele porque queria acreditar. Os órgãos de propaganda nazista não demoraram em aproveitar ao máximo essas oportunidades. O próprio Hitler proporcionou um excelente pano de fundo para a propaganda. Desde os primeiros tempos de sua carreira política, ele se recusou a divulgar algo de sua vida pessoal, passada ou presente. Na realidade, para seus colaboradores mais imediatos, ele era um homem misterioso. Não foi preciso apagar incidentes desagradáveis antes do processo de propaganda começar. Na verdade, quanto mais segredos ele mantinha a respeito de sua vida pessoal, mais curiosos seus seguidores ficavam. De fato, era um terreno fértil para se construir um mito ou uma lenda.

A máquina de propaganda nazista dedicava todos os seus esforços à tarefa de retratar Hitler como alguém sobre-humano. Tudo o que ele fazia era descrito de maneira a retratar seu caráter superlativo. Se ele não consome carne ou bebidas alcoólicas nem fuma, não é porque tem algum tipo de inibição ou porque acredita que isso melhorará sua saúde. Essas coisas não são dignas do Führer. Ele se abstém porque está seguindo o exemplo do grande alemão Richard Wagner ou porque descobriu que isso aumenta sua energia e sua resistência a tal ponto que ele pode dar muito mais de si para a criação do novo Reich alemão.

Essa abstinência também indica, de acordo com a propaganda, que o Führer é uma pessoa com muita força de vontade e autodisciplina. O próprio Hitler fomenta essa concepção, de acordo com Hanfstaengl, pois, quando alguém lhe perguntou como ele conseguia abrir mão dessas coisas, respondeu: "É uma questão de vontade. Uma vez que tomei a decisão de não fazer algo, simplesmente não faço. E uma vez que a decisão está tomada, está tomada para sempre. Isso é tão maravilhoso assim?"

O mesmo vale em relação ao sexo. Pelo que os alemães sabem, Hitler não tem vida sexual, e isso também é promovido não como uma anormalidade, mas como uma grande virtude. O Führer está acima desse tipo de fraqueza humana, e Von Wiegand nos revela que Hitler "tem profundo desprezo pela fraqueza dos homens por sexo e pela forma como o sexo os converte em tolos".[21] Hanfstaengl relata que Hitler, frequentemente, declara que jamais se casará com uma mulher, pois a Alemanha é sua única noiva. No entanto, Hitler, com sua profunda compreensão da natureza humana, é sensível a essa fraqueza nos outros e é tolerante em relação ao sexo. Ele não o condena nem o proíbe entre seus colaboradores mais próximos.

Ele também é retratado na propaganda como a bondade e a generosidade em pessoa. Um sem-número de histórias que ilustram essas virtudes são encontradas repetidas vezes na literatura. Price[22] menciona um exemplo típico: uma jovem e atraente camponesa tenta se aproximar dele, mas é impedida pelos guardas. Ela começa a chorar, e Hitler, vendo o sofrimento dela, indaga a causa. Ela conta que seu noivo foi expulso da Áustria por causa de seus princípios nazistas e que não consegue encontrar emprego, o que, em consequência, os impede de se casar. Hitler fica profundamente comovido. Ele promete encontrar um emprego para o jovem e, além disso, arruma um apartamento mobiliado para eles morarem, incluindo até berço para um bebê. Tenta-se sempre apresentá-lo como alguém muito humano, com uma sensibilidade profunda em relação aos problemas das pessoas comuns.

Muitos autores, tanto nazistas quanto antinazistas, escreveram bastante sobre seu grande amor por crianças e, com certeza, a imprensa nazista está cheia de fotos mostrando Hitler na companhia de bebês. Dizem que, quando ele está em Berchtesgaden, sempre recebe a visita de crianças da vizinhança à tarde e oferece doces, sorvetes e bolos para elas. Phayre afirma: "Nunca houve um solteiro de meia-idade que ficasse tão contente na companhia de crianças."[23] A princesa Olga relatou que, quando visitava Hitler em Berlim e surgia o assunto sobre crianças durante a conversa, os olhos de Hitler se enchiam de lágrimas. A imprensa nazista fez um uso muito bom disso, e um sem-fim de histórias acompanham as fotos. Da mesma forma, muito é escrito de seu apego a animais, sobretudo cachorros. Nesse caso, também existem inúmeras fotos para demonstrar isso. A propaganda é a modéstia e a simplicidade de Hitler. Um autor chegou ao ponto de atribuir o vegetarianismo dele à incapacidade de tolerar a ideia de animais sendo abatidos para consumo humano.[24] Hitler é retratado como "afável e senhorial", cheio de nobreza, bondade e disponibilidade, ou, como Oeschsner afirma, ele é o grande confortador: um pai, marido, irmão ou filho para todo alemão que não tem ou perdeu tal parente.[25]

Outro atributo que recebeu muitos comentários na propaganda é o fato de que o poder nunca lhe subiu à cabeça. No fundo, ele ainda é a mesma alma simples de quando fundou o partido, e sua maior alegria é ser considerado "um dos rapazes". Como prova disso, apontam para o fato de que ele nunca buscou um título de nobreza, nunca aparece em uniformes espalhafatosos ou participa de muitas festas. Mesmo depois de chegar ao poder, continuou a usar sua velha capa de chuva e seu chambergo, e quando veste um uniforme, é sempre aquele de um simples homem da SA. Muito foi escrito acerca de seu apego por visitas dos antigos conhecidos e sobre como ele, no meio de seu dia movimentado, gostava de conversar a respeito dos velhos tempos. Quando estava em Munique, não havia nada de que ele gostasse mais do que frequentar seus antigos redutos e encontrar velhos amigos ou participar de suas festividades. No fundo, ele ainda era um trabalhador, e seus interesses sempre estavam com a classe trabalhadora, com quem se sentia completamente à vontade.

Hitler também é um homem de energia e resistência incríveis. Seu dia consiste de dezesseis a dezoito horas de trabalho ininterrupto. Ele é absolutamente incansável quando se trata de trabalhar pela

Alemanha e pelo seu futuro bem-estar, e nenhum prazer pessoal pode interferir no cumprimento de sua missão. O homem comum não consegue imaginar um ser humano na posição de Hitler não tirando proveito de sua oportunidade. Ele só pode se imaginar na mesma posição deleitando-se com luxos, e, no entanto, ali está Hitler, que os desdenha totalmente. Sua única conclusão é que Hitler não é um mortal comum. Phillips relata o caso de um jovem nazista que lhe confidenciou: "Eu morreria por Hitler, mas não trocaria de lugar com ele. Ao menos, quando acordo de manhã, posso dizer: 'Heil, Hitler!' Mas esse homem, ele não se diverte na vida. Sem fumar, sem beber, sem mulheres! Só trabalho, até ele adormecer à noite!"[26]

Muito é dito a respeito da determinação de Hitler. Repetidamente, assinala-se que ele nunca desiste depois que decidiu alcançar um objetivo específico. Não importa o quão acidentando seja o caminho, ele avança com determinação inabalável. Ainda que seja vítima de reveses importantes e que a situação pareça ser irremediável, nunca perde a fé e sempre consegue o que procura. Recusa-se a ser coagido a ceder em qualquer circunstância e está sempre pronto para assumir total responsabilidade por suas ações. Os grandes testes e atribulações pelos quais o Partido teve que passar no caminho para o poder são mencionados repetidas vezes, e todo o crédito é dado a Hitler e à sua fé fanática no futuro. Mesmo sua recusa em permitir que escrúpulos convencionais o atrapalhem é citada como um sinal de sua grandeza. O fato de ele não se comunicar com a família por mais de dez anos torna-se uma grande virtude, já que significou uma privação difícil para o jovem que estava determinado a alcançar o sucesso antes de voltar para casa.

Muita publicidade também foi dada à amplitude de sua visão, à sua capacidade de antever o futuro e à sua habilidade de organizar o Partido e o país na preparação para os obstáculos que terão que superar. De acordo com os propagandistas, Hitler é a eficiência em pessoa e tem extraordinário poder para solucionar conflitos e simplificar problemas que desafiaram todos os especialistas no passado. De fato, sua infalibilidade e sua incorruptibilidade não são apenas insinuadas, mas também são claramente expressas em termos inequívocos.

Hitler também é uma pessoa de grande paciência, que jamais derramaria uma gota de sangue humano se isso pudesse ser evitado. Repetidas vezes, ouve-se falar de sua grande paciência com as democracias, com a Tchecoslováquia e com a Polônia. Mas tanto nesse caso quanto em sua vida privada, ele nunca perde o controle de suas emoções. Basicamente, é um homem da paz, que não deseja nada mais do que ser deixado a sós para resolver o destino da Alemanha de modo sereno e construtivo. Pois, no fundo, ele é um construtor e um artista, e isso demonstra que os elementos criativos e construtivos em sua natureza são predominantes.

No entanto, isso não significa que seja um covarde. Ao contrário, ele é uma pessoa de extrema coragem. Seu estilo de vida é prova disso, assim como seu desempenho invejável durante a última guerra. Muitas histórias a respeito de suas condecorações por bravura circularam, enfatizando seu extraordinário heroísmo, pelo qual recebeu a Cruz de Ferro de Primeira Classe. O fato de as histórias a respeito de seu desempenho variarem de uma hora para outra não parece perturbar as pessoas nem um pouco.

Basicamente, de acordo com a imprensa nazista, Hitler é um homem de aço. Ele tem bastante consciência de sua missão, e nenhum grau de persuasão, coerção, sacrifícios ou deveres desagradáveis pode convencê-lo a alterar seu rumo. Em face de todos os tipos de desastres e acontecimentos desagradáveis, Hitler nunca se apavora. Contudo, não lhe faltam qualidades humanas. Ele considera a lealdade e a justiça as duas maiores virtudes, e as observa com cuidado escrupuloso. A lealdade significa tanto para ele que a inscrição sobre sua porta em Berchtesgaden diz: "Minha honra se chama lealdade." Hitler é o ápice da honra e da pureza alemãs; o ressuscitador da família e do lar alemães. É o maior arquiteto de todos os tempos; o maior gênio militar de toda a história. Tem uma fonte inesgotável de conhecimento. É um homem de ação e o criador de novos valores sociais. Ele é, de fato, de acordo com o departamento de propaganda nazista, o paradigma de todas as virtudes. Alguns exemplos típicos podem ilustrar a extensão do louvor a ele.

Em seguida, vem o próprio Hitler: ele é um homem sem meio-termo. Acima de tudo, não conhece nenhum meio-termo consigo mesmo. Tem um único pensamento a lhe guiar: ressuscitar a Alemanha. Essa ideia suprime todo o resto. Ele não conhece vida privada. Não conhece vida familiar nem vícios. É a encarnação da vontade nacional.

A nobreza de um objetivo sagrado que não pode ser alcançado por nenhum homem: Alemanha!... Hitler... surpreende (com) sua afabilidade. A tranquilidade e a força irradiam, quase fisicamente, desse homem. Em sua presença, os outros crescem. Como ele reage a tudo!... Seus traços endurecem e as palavras rolam como pedras... A solenidade clássica com a qual Hitler e seus colegas consideram sua missão tem pouquíssimos paralelos na história mundial.[27]

[...] Também em assuntos privados de comportamento exemplar e grandeza humana... quer Hitler... seja recebido com aplausos por trabalhadores comuns, ou fique comovido e chocado junto ao leito de seus companheiros assassinados, ele está sempre cercado por essa grandiosidade e profunda humanidade... Essa personalidade única... Um grande e bom ser humano. O espírito de Hitler é universal. Nem mesmo em cem retratos é possível fazer justiça à multiplicidade de seu ser. Nessas áreas também [arquitetura e história], Hitler é um especialista invencível. Talvez, em nosso tempo, esse homem extraordinário seja honrado e amado, mas ninguém será capaz de medir sua grande profundidade.[28]

Hitler é um homem modesto, e o mundo precisa de homens modestos. Por isso, as pessoas o amam. Como todo bom líder, ele deve ser um seguidor eficiente. Hitler se torna o discípulo mais humilde de si mesmo, o mais severo de todos os disciplinadores de si mesmo. De fato, Hitler é um monge moderno, com os três nós da Pobreza, Castidade e Obediência amarrados em seu cinto invisível. Um zelote entre os zelotes. Ele não come

> carne, não bebe vinho, não fuma. Soube que ele não recebe salário, vive secretamente da renda de seu livro, *Mein Kampf*... O dinheiro que sobra, ele reverte para a SA. Em geral, seu dia de trabalho tem dezoito horas, e, muitas vezes, ele adormece na última hora de seu trabalho. Existiram quatro mulheres em sua vida, mas só para ajudá-lo com o serviço e o dinheiro... Certa vez, deu uma palestra em Bayreuth sobre Wagner e as "*Deutsche Lieder*" que impressionou os críticos musicais e o revelou como um erudito habilidoso... O mero oportunismo nunca o atraiu, por mais que não goste de perder a oportunidade de pregar suas doutrinas. Sua qualidade é messiânica; sua tendência espiritual é ascética; sua reação é medieval...[29]

Hitler não só tem conhecimento de todos esses textos, mas também, como ele sempre foi o espírito norteador de toda a propaganda alemã e geralmente planeja as linhas gerais que devem ser seguidas, é seguro supor que seja responsável por instigar e desenvolver essa personalidade mítica. Quando recordamos o desenvolvimento dessa propaganda, podemos ver com clareza que Hitler, desde o início, planejou se tornar uma figura mitológica. Ele abre *Mein Kampf* com o seguinte trecho:

> Nessa cidadezinha às margens do rio Inn, bávaros de sangue e austríacos de nacionalidade, dourados pela luz do martírio alemão, viveram meus pais no fim dos anos 80 do século passado: meu pai, um funcionário público devotado; minha mãe, dedicando-se aos afazeres domésticos e cuidando de seus filhos eternamente com a mesma amabilidade.

Essa é uma maneira clássica de começar um conto de fadas, e não uma autobiografia séria ou um tratado político. Já na primeira frase do livro, Hitler insinua que o destino já estava sorrindo para ele no momento de seu nascimento, pois afirma: "Hoje, considero minha boa sorte que o Destino tenha escolhido Braunau am Inn como lugar de meu nascimento."

Assim que Hitler chegou ao poder, novas armas de autovalorização foram postas nas mãos dos propagandistas, e eles fizeram bom uso delas. O desemprego caiu rapidamente; estradas com as quais os alemães nunca sonharam apareceram de um dia para outro; novos e imponentes edifícios foram erguidos com surpreendente rapidez. O amor-próprio da Alemanha estava sendo elevado a uma velocidade incrível. Hitler estava mantendo suas promessas; estava realizando o impossível. Cada sucesso diplomático, cada reforma social era proclamada como de grande impacto em sua importância. E, por cada sucesso, Hitler modestamente aceitava todo o crédito. Era sempre Hitler quem tinha feito isso e aquilo, desde que esses atos fossem espetaculares e recebessem a aprovação do público. Se por acaso recebessem desaprovação, a culpa era sempre de um de seus colaboradores. Não se poupavam esforços para cultivar a noção de que Hitler era infalível e estava persistindo na missão de salvar a Alemanha.

Não demorou muito para que o povo alemão estivesse preparado para dar o pequeno passo de enxergar Hitler não como um homem, mas como um Messias da Alemanha. Os comícios públicos e em especial as reuniões de Nuremberg assumiram uma atmosfera religiosa. Toda a encenação era planejada para criar uma atmosfera sobrenatural e religiosa, e a entrada de Hitler era mais adequada a um deus do que a um homem. Em Berlim, uma das grandes galerias de arte na Unter den Linden exibia um grande retrato dele no centro de sua vitrine. O retrato estava inteiramente cercado, como se por um halo, com diversas cópias de uma pintura de Cristo.[30] Notas apareciam na imprensa afirmando que "Quando ele fala, ouve-se o manto de Deus farfalhar pelo recinto!". Ziemer relata que, na encosta de uma colina em Odenwald, visíveis como uma cascata, pintadas em preto sobre uma tela branca, estavam as palavras:

> Acreditamos na Sagrada Alemanha
> A Sagrada Alemanha é Hitler!
> Acreditamos no Sagrado Hitler![31]

Roberts relata:

> Em Munique, no início do outono de 1936, vi fotos coloridas de Hitler com a armadura prateada dos Cavaleiros do Graal; mas elas foram logo recolhidas. Elas revelavam o segredo do espetáculo; estavam muito próximas da verdade a respeito da mentalidade de Hitler.[32]

Teeling escreve que, no Congresso do Partido Nazista, em Nuremberg, em 1937, havia uma foto imensa de Hitler, debaixo da qual havia a inscrição "No princípio, era o Verbo...". Ele também afirma que o prefeito de Hamburgo lhe assegurou que "Não precisamos de padres ou sacerdotes. Nós nos comunicamos diretamente com Deus por meio de Adolf Hitler. Ele tem muitas qualidades semelhantes às de Cristo".[33] Em pouco tempo, esses sentimentos foram introduzidos pelos círculos oficiais. Rauschning relata que o Partido adotou o seguinte credo: "Todos nós acreditamos, nesta terra, em Adolf Hitler, nosso Führer, e reconhecemos que o Nacional Socialismo é a única fé que pode trazer a salvação ao nosso país."[34] Em abril de 1937, um grupo renano de "cristãos" alemães aprovou esta resolução: "A palavra de Hitler é a lei de Deus; os decretos e as leis que a representam têm autoridade divina."[35] E o ministro para Assuntos da Igreja do Reich, Hanns Kerrl, afirma: "Surgiu uma nova autoridade quanto a que Cristo e o cristianismo realmente são: Adolf Hitler. Adolf Hitler... é o verdadeiro Espírito Santo."[36]

Essa é a maneira com a qual Hitler espera preparar seu caminho rumo à imortalidade. Passo a passo, esse caminho foi cuidadosamente planejado e sistematicamente executado. O Hitler que os alemães conhecem é basicamente o orador exaltado que os fascinou, e isso foi pouco a pouco adornado pela propaganda, até que ele passou a ser apresentado aos alemães como uma verdadeira divindade. Em geral, todo o resto é escondido do povo. Não sabemos quantos alemães acreditam nisso. Com certeza, alguns acreditam de todo o coração. Dorothy Thompson escreve a respeito disso:

> Em Garmisch, encontrei um americano de Chicago. Ele esteve em Oberammergau para o Auto da Paixão. "Essas pessoas são todas loucas", ele afirmou. "Não é uma revolução. É um ressurgimento. Elas acham que Hitler é Deus. Acredite se quiser, mas uma alemã se sentou ao meu lado no Auto da Paixão e, quando içaram Jesus na Cruz, ela disse: 'Ali está ele. Esse é o nosso Führer, o nosso Hitler.' E quando entregaram as trinta moedas de prata a Judas, ela disse: 'Esse é Röhm, que traiu o líder.'"[37]

Provavelmente, casos extremos desse tipo não são muito numerosos, mas seria surpreendente se um pequeno grau do mesmo tipo de pensamento não tivesse se infiltrado na imagem que muitos alemães têm de Hitler.

Parte III
Como seus colaboradores o conhecem

Com certeza, o retrato que a máquina de propaganda nazista pintou de Hitler parece exagerado. Mesmo se ignorarmos os elementos de divinização, parece a fantasia de um super-homem: o paradigma de todas as virtudes. Porém, por mais incomum que possa parecer, há momentos em que Hitler se aproxima dessa personalidade e ganha o respeito e a admiração de todos os seus colaboradores.

Nesses momentos, ele é um verdadeiro demônio para o trabalho, e muitas vezes trabalha durante vários dias sucessivos dormindo pouco ou nada. Seus poderes de concentração são incomuns, e ele é capaz de desvendar problemas muito complexos e reduzi-los a poucos fatores simples e fundamentais. Orgulha-se desse talento e disse a diversas pessoas: "Tenho o dom de reduzir todos os problemas aos seus fundamentos mais simples... Na realidade, um dom de reconstituir todas as teorias às suas raízes." E, realmente, Hitler tem esse dom. Livre de teorias abstratas ou pontos de vista e preconceitos tradicionais, é capaz de analisar problemas complexos de uma maneira um tanto simplista, selecionar os elementos mais importantes e significativos e aplicá-los à situação presente de uma maneira razoavelmente simples e factível. Sem dúvida, ele nunca soluciona todo o problema dessa maneira, só os elementos humanos envolvidos. Como essa é a parte que mais lhe interessa e produz resultados imediatos, tem sido muito bem avaliada e conquistou a admiração de seus colaboradores próximos desde o início de sua carreira política.

Nesses períodos de atividade, Hitler fica completamente absorvido na tarefa em que está enredado. As reuniões se sucedem com grande rapidez. Seus julgamentos são rápidos e decisivos. Ele fica impaciente para resolver as questões e espera que todos se dediquem com um ânimo igual ao seu. Portanto, exige grandes sacrifícios de seus colaboradores.

Nesses momentos, porém, ele também é muito humano. Revela um incomum grau de consideração em relação aos outros e certa tolerância com os pontos fracos deles. Quando ordena um intervalo para as refeições, ele não come até que toda a equipe tenha sido servida. Quando um servente excessivamente zeloso insiste em servi-lo antes dos outros, ele muitas vezes se levanta e leva o prato para um de seus humildes ajudantes. Durante tudo isso, está de bom humor e brinca com todos.

Hitler é dono de uma memória fora do normal e continuamente recorda incidentes divertidos do passado daqueles ao redor. Ele conta esses incidentes para sua equipe como um todo. É um imitador excelente e, muitas vezes, representa o papel do indivíduo envolvido, para grande divertimento da equipe, enquanto o indivíduo deve ficar testemunhando a atuação, para seu próprio constrangimento. Não obstante, o indivíduo fica totalmente lisonjeado com o fato de que o Führer o escolheu e se lembra dele e de suas ações com tantos detalhes. Nesses períodos, Hitler também é a bondade e a generosidade em pessoa. Age mais como um irmão mais velho de sua equipe do que como um Führer, e consegue se tornar benquisto por cada um deles.

Contudo, por trás disso, ele é o Führer em cada momento. Exibe coragem e determinação extraordinárias. Mostra muita iniciativa e está disposto a assumir plena responsabilidade pela sabedoria do rumo que traçou. É muito persuasivo e capaz de reunir e organizar sua equipe numa unidade eficiente, que funciona sem percalços. Os atritos pessoais desaparecem até segunda ordem, e todos têm apenas um pensamento: fazer aquilo que o Führer deseja.

Hitler trabalha com grande certeza e segurança, e parece ter a situação inteiramente sob controle. Todos os tipos de fatos e números pertinentes ao problema vêm dele sem a menor hesitação ou esforço, para o espanto dos envolvidos. Ele pode citar a tonelagem dos navios de diversas marinhas de guerra:

> Hitler sabe exatamente o tipo de armamento, o tipo de blindagem, o peso, a velocidade e número de tripulantes de cada navio da Marinha britânica. Ele sabe a rotação por minuto

do motor de cada modelo e tipo de avião existente. Sabe a quantidade de tiros que uma metralhadora dispara por minuto, seja uma leve, média ou pesada, seja fabricada nos Estados Unidos, na Tchecoslováquia ou na França.[1]

Sua equipe também aprendeu, a partir das experiências passadas, que, quando Hitler está num desses estados de espírito, ele se aproxima da infalibilidade, especialmente quando o apoio das pessoas é necessário para realizar o projeto no qual está engajado. Isso pode parecer uma afirmação despropositada, mas, para que nosso estudo seja completo, temos que avaliar seus pontos fortes e também seus pontos fracos. É quase inegável que Hitler tem algumas habilidades extraordinárias no que diz respeito à psicologia do homem comum. De uma maneira ou de outra, ele conseguiu descobrir e aplicar com sucesso diversos fatores relativos à psicologia de grupo, cuja importância não tem sido reconhecida em geral, e alguns dos quais podemos adotar em nosso benefício. Podem ser resumidos como segue:

1. Reconhecimento pleno da importância das massas no sucesso de qualquer movimento. Hitler expressou isso muito bem em *Mein Kampf*:

> A falta de conhecimento sobre as forças motrizes das grandes mudanças leva a uma avaliação insuficiente da importância das grandes massas de pessoas; disso resultaram o escasso interesse pela questão social e o entendimento insuficiente da alma das classes mais baixas do país.[2]

2. Reconhecimento do valor inestimável de conquistar o apoio da juventude; compreensão do imenso impulso dado a um movimento social pelo fervor e entusiasmo dos jovens, e também a importância da formação e doutrinação precoces.

3. Reconhecimento do papel das mulheres em promover um novo movimento e do fato de que as reações das massas em geral têm muitas características femininas. Já em 1923, Hitler disse a Hanfstaengl:

> Você sabe que a plateia num circo é como uma mulher (*Die Masse, das Volk ist wie ein Weib*). Alguém que não compreende o caráter intrinsecamente feminino das massas nunca será um orador eficaz. Pergunte-se: "O que uma mulher espera de um homem?" Clareza, decisão, poder e ação. O que queremos é fazer as massas agirem. Como uma mulher, as massas flutuam entre extremos. [...] Não só a multidão é como uma mulher, mas as mulheres constituem o elemento mais importante numa plateia. Em geral, as mulheres lideram, depois vêm os filhos e, finalmente, quando já conquistei toda a família, vêm os pais.[3]

Além disso, em *Mein Kampf*, ele escreve:

> Em sua maioria esmagadora, o povo é tão feminino em sua natureza e atitude que suas atividades e seus pensamentos são motivados menos pela reflexão equilibrada do que pela emoção e pelo sentimento.[4]

4. A capacidade de sentir, se identificar e expressar, em linguagem apaixonada, as necessidades e os sentimentos mais profundos do alemão comum, e apresentar oportunidades e possibilidades para sua gratificação.

5. A capacidade de apelar às inclinações mais primitivas – e também às mais ideais – do homem para despertar os instintos mais baixos e, mesmo assim, mascará-los com nobreza, justificando todas as ações como meios para alcançar um objetivo ideal. Hitler percebeu que os homens não se unirão nem se dedicarão a um propósito comum, a menos que esse propósito seja um ideal capaz de sobreviver além de sua geração. Ele também percebeu que, embora os homens morram apenas por um ideal, seu entusiasmo e sua iniciativa contínuos podem ser mantidos apenas por uma sucessão de satisfações mais imediatas e mundanas.

6. Reconhecimento do fato de que as massas são tão famintas por uma ideologia amparadora de ação política quanto são pelo pão diário. Qualquer movimento que não satisfaça essa fome espiritual

das massas não mobiliza seu apoio de corpo e alma e está destinado ao fracasso.

> Toda força que não surge de uma base espiritual firme será hesitante e incerta. Carece da estabilidade que só pode depender de uma visão de vida fanática.[5]

> Qualquer tentativa de combater uma visão de vida por meio da força fracassará no fim, a menos que a luta represente a forma de um ataque em prol de uma nova direção espiritual. Somente na luta de uma visão de vida contra outra pode a arma da força bruta, utilizada de forma contínua e implacável, ocasionar a decisão em favor do lado que ela apoia.[6]

7. A capacidade de caracterizar forças humanas conflitantes em imagens vívidas e concretas, que são compreensíveis e emocionantes para o homem comum. Isso se caracteriza pelo uso de metáforas sob a forma de imagens, que, como Aristóteles afirmou, são a forma mais poderosa do mundo.

8. A aptidão de recorrer às tradições do povo e, por referência, aos grandes temas mitológicos clássicos, evocando as emoções inconscientes mais profundas do público. O fato de a mente inconsciente ser mais intensamente influenciada pelos grandes símbolos e temas eternos não é, em geral, entendido pela maioria dos oradores e autores modernos.

9. Compreensão de que a ação política entusiasmada não ocorre se as emoções não estiverem profundamente envolvidas.

10. Reconhecimento da disposição, quase desejo, das massas de se sacrificarem no altar do desenvolvimento social ou dos valores espirituais.

11. Compreensão da importância da intensidade artística e dramática na produção de grandes comícios, congressos e festivais. Isso envolve não só uma valorização do que o artista – escritor, músico e pintor – pode realizar para evocar reações emocionais, mas também o reconhecimento do líder da necessidade de sua participação no efeito dramático total como personagem e herói principais. Hitler se tornou

mestre de todas as artes de destacar o próprio papel no movimento por uma Grande Alemanha. Lochner descreve isso muito bem:

> O holofote ilumina sua figura solitária enquanto ele caminha vagarosamente pelo corredor, nunca olhando para a direita ou para a esquerda, a mão direita erguida em saudação, a mão esquerda na fivela do cinto. Ele nunca sorri. A procissão do moderno Messias encarnado é um rito religioso. Atrás dele, estão seus ajudantes e os homens do serviço secreto. Mas apenas sua figura está iluminada.
>
> Quando Hitler chega à tribuna, as massas estão tão emocionadas que estão prontas para fazer sua vontade...[7]

12. Um aguçado reconhecimento do valor dos slogans, das palavras da moda, das frases dramáticas e dos epigramas felizes em penetrar nos níveis mais profundos da psique. Ao conversar com Hanfstaengl a respeito disso, Hitler usou a seguinte figura de linguagem:

> "Há pouco espaço num cérebro, ou, por assim dizer, pouco espaço de parede, e, se você mobiliá-lo com seus slogans, a oposição não terá lugar para pendurar seus quadros, porque o aposento do cérebro já estará abarrotado com sua mobília." Hitler sempre admirou o uso que a Igreja Católica fez de slogans e tentou imitá-la.[8]

13. Compreensão de uma solidão fundamental e da sensação de isolamento das pessoas que vivem sob as condições modernas e da ânsia de "pertencer" a um grupo ativo, que tem certo status, proporciona coesão e dá ao indivíduo uma sensação de valor pessoal e pertencimento.

14. Reconhecimento do valor estrutural de uma organização política hierárquica, que proporciona contato direto com cada indivíduo.

15. Capacidade de se cercar e manter a lealdade de um grupo de auxiliares dedicados, cujos talentos complementam o seu.

16. Reconhecimento da confiança conquistada entre o povo por meio de uma demonstração de eficiência dentro da organização e do governo. Dizem que os alimentos e os suprimentos já estão nos armazéns locais quando é feito o anúncio sobre a data de distribuição. Embora possam ser distribuídos imediatamente, a data é marcada muitas semanas à frente, a fim de criar uma impressão de supereficiência e de conquistar a confiança das pessoas. Não são poupados esforços para evitar que sejam feitas promessas que não podem ser cumpridas na hora marcada.

17. Reconhecimento do importante papel desempenhado pelas pequenas coisas que afetam a vida diária do homem comum na construção e manutenção do moral do povo.

18. Reconhecimento pleno do fato de que a maioria esmagadora das pessoas quer ser liderada e está pronta e disposta a se submeter caso o líder consiga ganhar seu respeito e sua confiança. Hitler foi muito bem-sucedido nesse aspecto, porque conseguiu convencer seus seguidores de sua autoconfiança e porque suas suposições estavam certas em tantas ocasiões que ele criou a impressão de infalibilidade.

19. Em grande medida, isso foi possível porque ele é um gênio tático natural. Seu *timing* para decisões e ações é quase excepcional. Como Thyssen afirma:

> Às vezes, sua inteligência é espantosa... Intuição política milagrosa, desprovida de todo senso moral, mas extraordinariamente precisa. Mesmo numa situação bastante complexa, ele tem o discernimento do que é possível e do que não é.

20. O ponto mais forte de Hitler é, talvez, a firme crença em sua missão e, em público, a dedicação completa de sua vida a essa realização. É o espetáculo de um homem cujas convicções são tão fortes que ele se sacrifica pela causa dos outros e os induz a seguir seu exemplo. Isso exige uma obstinação fanática, que Hitler tem em algo grau. "Apenas uma tempestade de paixão ardente pode transformar o destino das nações, mas essa paixão só pode ser despertada por um homem que a tem dentro de si."

21. Ele também tem a capacidade de apelar e despertar a preocupação e a proteção de seu povo, de representar a si mesmo como o portador dos fardos e do futuro desse mesmo povo; como resultado, ele se torna uma preocupação pessoal para os indivíduos, e muitos, sobretudo as mulheres, sentem ternura e compaixão por ele. Eles sempre devem tomar cuidado para não infligir aborrecimentos ou sofrimentos desnecessários ao Führer.

22. A capacidade de Hitler de repudiar a própria consciência na tomada de decisões políticas eliminou a força que geralmente controla e complica o avanço dos pensamentos e das resoluções dos políticos mais socialmente responsáveis. Portanto, ele foi capaz de adotar a linha de ação que lhe parece mais eficaz, sem se conter. O resultado foi que, com frequência, ele superou seus adversários e alcançou fins que não teria alcançado fácil por meio de uma linha de ação normal. Não obstante, isso ajudou a construir o mito de sua infalibilidade e invencibilidade.

23. Igualmente importante tem sido sua capacidade de convencer os outros a repudiarem suas consciências individuais e permitirem que ele assuma esse papel. Ele pode, assim, determinar para o indivíduo o que é certo e errado, o que é admissível ou inadmissível, e pode usá-los livremente na obtenção de seus próprios fins. Como Göring afirmou: "Não tenho consciência. Minha consciência é Adolf Hitler."

24. Isso permitiu que Hitler fizesse uso pleno do terror e mobilizasse os medos do povo, os quais ele interpretou com precisão quase excepcional.

25. Hitler dispõe da capacidade de aprender com outros, ainda que se oponha violentamente a tudo em que eles acreditam e defendem. Por exemplo: ele afirma que aprendeu dos comunistas o uso do terror; da Igreja Católica, o uso de slogans; das democracias, o uso da propaganda; e assim por diante.

26. Ele é um mestre da arte da propaganda. Ludecke escreve:

> Hitler tem um instinto inigualável para aproveitar cada brisa e criar um redemoinho político. Nenhum escândalo oficial era tão insignificante que ele não pudesse transformá-lo em traição nacional; ele podia desvendar a corrupção mais tortuosamente

ramificada nos altos cargos e espalhar a má notícia por todos os cantos.[9]

Suas regras básicas eram: nunca deixe o público esfriar; nunca admita uma falha ou erro; nunca reconheça que pode haver algo bom em seu inimigo; nunca deixe espaço para alternativas; nunca aceite a culpa; concentre-se em somente um inimigo por vez e o culpe por tudo que está errado; as pessoas acreditarão mais rápido numa grande mentira do que numa pequena; e se você repeti-la com frequência, mais cedo ou mais tarde várias pessoas acreditarão nela.

27. Ele tem o espírito de nunca desistir. Após alguns de seus reveses mais sérios, ele conseguiu reunir seus colaboradores mais próximos e começar a fazer planos para um "retorno". Os acontecimentos que esmagariam a maioria dos indivíduos, ao menos temporariamente, parecem atuar como estimulantes para maiores esforços em Hitler.

Esses são alguns dos notáveis talentos e capacidades de Hitler, que lhe permitiram alcançar uma posição de poder sem precedentes, num período de tempo incrivelmente curto, por meio de um caminho pouco usado. Nenhuma outra alta liderança nazista tem essas habilidades em qualquer grau comparável, e, em consequência, não podem substituí-lo nas mentes das massas.

Seus colaboradores reconhecem tais capacidades em Hitler e admiram e respeitam suas extraordinárias qualidades de liderança, sobretudo a influência que ele tem sobre o povo. Além disso, gostam dele por suas qualidades muito humanas quando está em seus melhores momentos e engajado em alguma incumbência importante. Esses são aspectos da personalidade de Hitler que nunca devemos perder de vista quando avaliamos seu domínio sobre seus colaboradores ou sobre o povo alemão. Ele tem um magnetismo que, junto com suas realizações passadas, conquista a lealdade do povo e parece tirar-lhes o discernimento. É um vínculo que não se desfaz facilmente, mesmo diante de provas de que ele nem sempre é o que finge ser; de fato, na maioria das vezes, é exatamente o contrário.

Examinamos os pontos fortes de Hitler e retratamos de modo resumido seu caráter quando ele está em seus melhores momentos. Agora, devemos analisar o outro lado de sua personalidade; o lado que só é conhecido por aqueles que têm mais intimidade com ele.

Talvez as palavras mais verdadeiras que Goebbels já escreveu sejam: "O Führer não muda. Ele permanece o mesmo que era quando menino."[10] Se dermos uma olhada em sua infância, descobriremos que Hitler estava longe de ser um estudante exemplar. Estudava apenas o que queria e se saía bastante bem nessas matérias. Ele simplesmente ignorava o que não lhe interessava, mesmo que suas notas fossem algo como "insatisfatório" ou "reprovado". Por mais de um ano antes da morte de sua mãe, e pelo que se sabe, ele não fez nada, exceto ficar em casa ou ocasionalmente pintar algumas aquarelas. Embora a família estivesse em situação financeira difícil, ele não procurou trabalho nem tentou se aprimorar na escola. Hitler era voluntarioso, tímido e preguiçoso. Em Viena, depois da morte da mãe, manteve esse padrão, ainda que ficasse muitas vezes à beira da fome e limitado a mendigar nas ruas. Hanisch, que era seu amigo de albergue, relata que "ele nunca foi um trabalhador fervoroso, era incapaz de acordar de manhã, tinha dificuldade de se mexer e parecia estar sofrendo de uma paralisia da vontade". Assim que vendia um quadro e tinha um pouco de dinheiro no bolso, parava de trabalhar e passava o tempo ouvindo as discussões no parlamento, lendo jornais nos cafés ou fazendo prolongadas dissertações políticas aos seus companheiros de albergue. Ele justificava esse comportamento sob a alegação de que "deveria desfrutar do ócio, pois não era um peão". Certo dia, quando Hanisch lhe perguntou o que ele estava esperando, Hitler respondeu: "Eu não me reconheço."

Como adulto, Hitler ainda é aquele menininho, exceto quando está num de seus estados de ânimo ativos. Em 1931, Billing escreveu: "As dificuldades internas de um governo de Hitler estarão na pessoa do próprio Hitler. Ele será incapaz de se adaptar a qualquer atividade intelectual regrada."[11] Ludecke também escreveu: "Ele tinha o típico *Schlamperei* [desleixo] austríaco. Era a desorganização em pessoa. Naturalmente, isso diminuiu com o tempo, mas, no início, era evidente em tudo."[12] De fato, era tão evidente que, no início da história do movimento nazista, o Partido contratou uma secretária cujo dever era vigiar Hitler e assegurar que ele cumprisse seus deveres e obrigações. Porém, a providência foi bem-sucedida só em partes: "Hitler estava sempre com pressa, mas era raro ser pontual."[13] Ainda é raro ser pontual, e frequentemente mantém importantes diplomatas estrangeiros, e também a própria equipe, esperando por muito tempo.

Hitler é incapaz de manter qualquer tipo de agenda de trabalho. Seus horários são bastante irregulares; ele pode ir dormir entre meia-noite e sete da manhã e acordar entre nove da manhã e duas da tarde. Em anos mais recentes, os horários tenderam a ser mais tardios, e era incomum para ele, pouco antes da guerra, ir dormir antes do amanhecer. A noite, porém, não era dedicada ao trabalho, como seus propagandistas afirmam, mas sim a assistir a um ou dois longas-metragens e a inúmeros jornais cinematográficos, ouvir música, recepcionar estrelas do cinema ou simplesmente conversar com sua equipe. Ele parecia ter uma forte aversão a ir se deitar para dormir ou ficar sozinho. Frequentemente, no meio da noite, chamava seus assistentes, após a partida de seus convidados, e pedia que se sentassem e conversassem com ele. Ele não tinha nada a dizer e, muitas vezes, os assistentes adormeciam ouvindo-o falar sobre assuntos sem importância. No entanto, desde que um deles permanecesse acordado, ele não ficava ofendido. Havia uma lei tácita entre os membros de sua equipe mais próxima de nunca fazer perguntas nessas sessões matinais, porque isso poderia levar Hitler a outro assunto e forçá-los a permanecer por mais uma hora.

Hitler dorme muito mal e, há alguns anos, tem o hábito de tomar um soporífero todas as noites antes de ir para a cama. É possível que ele peça para alguém ficar ao seu lado até que a medicação faça efeito e seja dominado pelo sono. Seu comportamento, porém, não está de acordo com essa hipótese, pois ele inicia um monólogo e, muitas vezes, o assunto o deixa bastante agitado. Isso é muito pouco propício ao sono, e devemos deduzir que há algum outro motivo para ele permanecer acordado até tarde. Mesmo depois de dispensar seus assistentes e ir se deitar, ele habitualmente leva alguns periódicos ilustrados consigo. Em geral, são revistas com fotos relacionadas a assuntos navais e militares, e publicações norte-americanas muitas vezes estão incluídas. Shirer relata ter sido informado de que, desde o início da guerra, Hitler tem mantido horários mais normais e regularmente toma seu primeiro café da manhã às sete da manhã e outro às nove da manhã.[14] Isso pode ter sido verdadeiro durante os primeiros dias da guerra, mas é bastante questionável que Hitler tenha conseguido conservar esse horário por algum período de tempo. Para Rauschning, Hitler tem uma compulsão relativa à cama, que exige que esta seja feita de um modo específico, com a colcha dobrada de acordo com um padrão previamente estipulado e que um homem deve fazê-la para que ele possa dormir.[15] Não temos outras informações a esse respeito, mas, a partir de sua estrutura psicológica geral, essa compulsão parece possível.

Sua rotina de trabalho antes da guerra também era desordenada. Rauschning relata: "Hitler não sabe como trabalhar regularmente. De fato, ele é incapaz de trabalhar." Ele não gosta de papelada e quase nunca olha as pilhas de relatórios que são postas em sua mesa todo dia. Independentemente do quão importantes possam ser ou do quanto seus assistentes possam exortá-lo a cuidar de um determinado assunto, ele se recusa a levá-los a sério, a menos que seja um projeto de seu interesse. Em geral, poucos relatórios o interessam, a não ser que tratem de assuntos militares ou navais ou de questões políticas. É raro ele permanecer numa reunião de gabinete, porque elas o entediam. Em diversas ocasiões, quando pressão suficiente era exercida, ele acompanhava a reunião, mas se levantava de forma repentina e saía sem se desculpar. Depois, descobria-se que ele tinha ido ao seu cinema privado e solicitado ao operador que exibisse algum filme do qual gostasse em especial. Hitler costuma preferir discutir questões governamentais com cada membro em pessoa e, depois, comunica sua decisão ao grupo como um todo.

Hitler é apaixonado pelas últimas notícias e por fotografias de si mesmo. Se Hoffmann, o fotógrafo oficial do Partido, aparecer ou alguém entrar em seu escritório trazendo um jornal, ele interromperá uma reunião muito importante só para dar uma olhada rápida nas fotos ou no jornal. Com bastante frequência, ele fica tão envolvido com as notícias ou com suas fotografias que se esquece por completo do tópico em discussão. Ludecke escreve:

> Naqueles tempos, mesmo em dias comuns, era quase impossível manter Hitler concentrado num ponto. Sua mente rápida o fazia perder o rumo da conversa, ou ele se distraía pela súbita descoberta do jornal e parava para lê-lo com avidez, ou interrompia seu relatório cuidadosamente preparado com um longo discurso, como se você fosse uma plateia.[16]

E Hanfstaengl relata que, "em geral, sua equipe fica desesperada com sua procrastinação... Ele nunca leva os protestos deles a esse respeito muito a sério e costuma ignorá-los, afirmando: 'Os problemas não são resolvidos por meio da inquietação. Quando chegar o momento certo, o assunto será resolvido de uma forma ou de outra!'".[17]

Embora Hitler tente se apresentar como um indivíduo muito decidido, que jamais hesita ao ser confrontado por uma situação difícil, ele está longe disso na maioria das vezes. É bem nesses momentos que sua procrastinação se torna mais acentuada. Nesses momentos, é quase impossível fazê-lo agir. Ele permanece bastante ensimesmado e, frequentemente, se mantém quase inacessível à sua equipe imediata. Muitas vezes, fica deprimido e de mau humor, conversa pouco e prefere ler um livro, assistir a um filme ou brincar com maquetes arquitetônicas. De acordo com o relatório holandês, sua hesitação em agir não se deve a opiniões divergentes entre seus assessores.[18] Nesses momentos, Hitler raramente presta muita atenção ao que eles dizem e prefere não discutir o assunto.

> O que é conhecido como domínio do material era totalmente desimportante para ele. Hitler ficava impaciente rápido se os detalhes do problema lhe eram apresentados. Em grande medida, ele era avesso a especialistas e tinha pouca consideração pela opinião deles. Considerava-os meros escrevinhadores, limpadores de pincéis e misturadores de cores.[19]

Em certas ocasiões, ele partia de Berlim sem dizer nada e ia para Berchtesgaden, onde passava o tempo caminhando pelo campo completamente sozinho. Rauschning, que o encontrou nessas ocasiões, afirma: "Ele não reconhece ninguém. Quer ficar sozinho. Há vezes que foge da sociedade humana."[20] Com frequência, Röhm dizia: "Em geral, ele decide de repente, de última hora, uma situação que se tornou intolerável e perigosa somente porque ele vacila e procrastina."[21]

É durante esses períodos de inatividade que Hitler fica esperando que sua "voz interior" o guie. Ele não pensa no problema de um jeito normal, mas espera até que a solução se apresente para ele. Para Rauschning, Hitler disse:

> A menos que eu tenha a convicção incorruptível de que essa é a solução, não faço nada. Nem mesmo se todo o partido tentar me impelir para a ação. Eu não agirei. Esperarei, não importa o que aconteça. Mas se a voz falar, então sei que chegou a hora de agir.[22]

Esses períodos de indecisão podem durar de alguns dias até diversas semanas. Se ele for induzido a falar sobre o problema nesse ínterim, ele fica de mau humor e irritado. No entanto, quando ele recebe a solução, tem um grande desejo de se expressar. Então, Hitler convoca seus assistentes, e eles devem escutá-lo até que termine, não importa a que horas isso aconteça. Nessas ocasiões, ele não quer que o questionem, nem mesmo que o entendam. Parece que apenas quer falar.

Depois desse relato aos assistentes, Hitler convoca seus assessores e informa a eles sua decisão. Depois que termina, eles têm liberdade para expressar suas opiniões. Se Hitler achar que uma dessas opiniões vale a pena, escutará por um longo tempo, mas, em geral, essas opiniões têm pouca influência sobre sua decisão quando esse estágio foi alcançado. Só se alguém for bem-sucedido na apresentação de novos fatores há alguma possibilidade de fazê-lo mudar de ideia. Se alguém expressa a opinião de que o plano proposto é muito difícil ou oneroso, Hitler fica extremamente furioso, e muitas vezes diz: "Não procuro pessoas que têm ideias inteligentes, mas sim pessoas que são inteligentes para encontrar meios de executar minhas ideias."[23]

Assim que Hitler encontra uma solução para um problema, seu estado de ânimo muda radicalmente. É de novo o Führer que descrevemos no início desta parte. "Ele fica muito alegre, brinca o tempo todo e não dá a ninguém uma chance de falar, enquanto ele mesmo se diverte à custa de todos." Esse estado de ânimo persiste durante o período em que o trabalho necessário precisa ser feito. Porém, assim que as ordens necessárias são dadas para pôr o plano em execução, Hitler parece perder o interesse. Ele fica perfeitamente calmo, ocupa-se com outros assuntos e, excepcionalmente, dorme por muitas horas.[24]

Esse é um traço muito característico da estrutura de caráter de Hitler. Ele não raciocina de forma lógica e consistente, reunindo toda informação disponível pertinente ao problema, mapeando linhas de ação alternativas e, em seguida, avaliando os prós e contras de cada uma delas antes de tomar uma decisão. Seus processos mentais funcionam ao contrário. Em vez de estudar o problema, como alguém cerebral faria, ele o evita e se ocupa com outras coisas, até que os processos inconscientes lhe forneçam uma solução. Ao ter a solução, ele começa a procurar fatos que provarão que a solução está correta. Nesse procedimento, ele é bastante sagaz, e, quando apresenta a solução ao seus colaboradores, ela tem a aparência de uma avaliação racional. Não obstante, seus processos de pensamento vão do emocional ao factual, em vez de começarem com os fatos, como alguém cerebral normalmente faz. É essa característica de seu processo de pensamento que torna difícil para as pessoas comuns entenderem Hitler ou preverem suas ações futuras. Nesse aspecto, sua orientação é a de um artista, e não a de um político.

Embora Hitler tenha sido extremamente bem-sucedido em utilizar essa técnica inspirativa para determinar sua linha de ação (e nos lembramos dele seguindo seu curso com a precisão de um sonâmbulo), não é sem deficiências. Ele se torna dependente de seu guia interior, o que contribui para a imprevisibilidade, por um lado, e para a rigidez, por outro. O resultado é que ele não consegue mudar seu curso diante de acontecimentos inesperados ou de oposição firme. Strasser diz a esse respeito: "Quando ele era confrontado por fatos contraditórios, ficava em apuros."[25] E Röhm afirma que não existe "sistema na execução de seus pensamentos. Ele quer as coisas do seu jeito e fica louco quando encontra oposição firme e embasada".[26] Essa rigidez de funcionamento mental fica evidente até mesmo em entrevistas diárias comuns. Quando é feita uma pergunta inesperada, Hitler fica completamente confuso. Lochner fornece uma descrição excelente dessa reação:

> Vi esse homem aparentemente superautoconfiante corar quando abordei o tema das relações entre Alemanha e Estados Unidos... Sem dúvida, isso o pegou desprevenido. Ele não estava acostumado a ter sua infalibilidade desafiada. Por um momento, corou como um menino, hesitou, depois balbuciou algo constrangido a respeito de ter tantos problemas sobre os quais refletir que ainda não tivera tempo de se ocupar dos Estados Unidos.[27]

Quase todos que escreveram sobre Hitler falaram de seus acessos de fúria. São bem conhecidos por todos os seus colaboradores, e eles aprenderam a temê-los. As descrições do comportamento do Führer durante esses acessos variam consideravelmente. As mais radicais afirmam que, no clímax, ele rola no chão e mastiga os tapetes. Shirer relata que, em 1938, Hitler fazia isso tantas vezes que seus colaboradores com frequência se referiam a ele como o *Teppichfresser* [Devorador de tapete]. Porém, nenhum de nossos entrevistados que foram próximos de Hitler, como Hanfstaengl, Strasser, Rauschning, Hohenlohe, Friedelinde Wagner e Ludecke, viram-no se comportar dessa maneira alguma vez. Além disso, todos estão firmemente convencidos de que isso é um grande exagero, e o entrevistado da missão diplomática holandesa afirma que esse aspecto deve ser relegado ao domínio dos *Greuelmärchen* [contos de fada macabros].[29]

Mesmo sem esse toque adicional de mastigar o tapete, seu comportamento ainda é extremamente violento e revela uma total falta de controle emocional. Nos piores acessos de fúria, Hitler sem dúvida age como uma criança mimada, que não consegue tudo que quer e bate os punhos nas mesas e paredes. Ele dá broncas, grita e gagueja e, em algumas ocasiões, espuma de saliva se acumula nos cantos de sua boca. Ao descrever uma dessas exibições de descontrole, Rauschning afirma: "Ele era uma visão alarmante, com o cabelo desgrenhado, os olhos fixos, o rosto deformado e roxo. Temi que ele sofresse um colapso ou tivesse um derrame cerebral."[30]

Porém, não se deve supor que esses acessos de fúria só ocorrem quando ele fica irritado com questões importantes. Pelo contrário; assuntos bastante insignificantes podem provocar essa reação. Em geral, os acessos ocorrem sempre que alguém o contradiz, quando há uma notícia desagradável a respeito da qual ele pode se sentir responsável, quando há algum ceticismo acerca de seu discernimento ou quando aparece uma situação em que sua infalibilidade pode ser desafiada ou desdenhada. Von Wiegand relata que, na equipe de Hitler, há um entendimento tácito: "Pelo amor de Deus, não provoque o Führer – o que significa não lhe dar uma má notícia –, não mencione coisas que não são como ele acredita que sejam."[31] Voigt afirma: "Colaboradores próximos de muitos anos relataram que Hitler sempre foi assim, que a menor dificuldade ou obstáculo podia fazê-lo gritar de raiva."[32]

Diversos autores acreditam que esses acessos de fúria são apenas encenação. Há muito a ser dito a respeito desse ponto de vista, já que a primeira reação de Hitler a uma situação desagradável não é indignação, como alguém normalmente esperaria. Ele explode num acesso de fúria ou falação sem aviso. Da mesma forma, quando o acesso termina, não há consequências. De imediato, ele se acalma e começa a conversar sobre outros assuntos num tom perfeitamente calmo, como se nada tivesse acontecido. De vez em quando, ele olha ao redor com timidez, como se para ver se alguém está rindo, e, em seguida, prossegue com outras questões, sem o menor traço de ressentimento.

Alguns de seus colaboradores mais próximos sentiram que Hitler induz esses acessos de fúria conscientemente, para amedrontar aqueles ao seu redor. Por exemplo, Rauschning afirma que é uma "técnica pela qual ele causa confusão em todo o seu *entourage* por meio de acessos de fúria oportunos, deixando-os mais submissos".[33] Strasser também acredita que esse seja o caso, afirmando: "Fúria e insultos tornaram-se as armas favoritas de seu arsenal."[34] Esse não é o momento de nos envolvermos numa discussão detalhada sobre a natureza e o propósito dos acessos de fúria. No momento, basta perceber que seus colaboradores têm bastante consciência de que Hitler pode se comportar, e realmente se comporta, dessa maneira. É uma parte do Hitler que eles conhecem e com quem são forçados a lidar. Contudo, podemos salientar que esses acessos não são apenas encenações conscientes, já que é quase impossível que um ator fique com o rosto de fato roxo, a menos que ele realmente esteja num estado emotivo.

Há muitos outros aspectos da personalidade de Hitler, conhecidos por seus colaboradores, que não se encaixam na imagem do Führer apresentada ao povo alemão. Alguns dos mais importantes merecem menção. Hitler é retratado como um homem de grande coragem, com nervos de aço, que está sempre no controle completo de toda e qualquer situação. Contudo, muitas vezes, ele foge de uma situação desagradável, inesperada ou difícil.

Bayles relata dois incidentes que ilustram essa reação:

> Especialmente perceptível é sua incapacidade de enfrentar situações inesperadas. Isso se revelou de forma cômica quando ele lançou a pedra fundamental da Casa da Arte Alemã, em Munique. Nessa ocasião, recebeu um delicado martelo rococó para dar as três marteladas tradicionais na pedra fundamental, mas, sem perceber a fragilidade do martelo, ele o baixou com tanta força que a primeira martelada o quebrou em pedaços. Então, em vez de esperar por outro martelo, Hitler perdeu completamente a compostura, corou, descontrolou-se como um menininho pego roubando geleia e quase fugiu da cena deixando a pedra fundamental sem inauguração. Ele perdeu completamente a alegria em relação aos Jogos Olímpicos de Berlim quando uma holandesa fanática, que tinha conseguido uma apresentação pessoal, subitamente o abraçou com dois braços corpulentos e tentou beijá-lo à vista de 100 mil espectadores. Hitler não conseguiu recobrar a compostura ou

aguentar as gargalhadas irreverentes dos visitantes estrangeiros, e deixou o estádio.[35]

Esse tipo de comportamento é ilustrado ainda mais claramente na relação com Gregor Strasser, porque a ocasião era de extrema importância para Hitler. Strasser ameaçou rachar o Partido se um programa definitivo não pudesse ser acordado. Hitler evitou a situação o máximo possível, na expectativa de que algo pudesse acontecer, que a situação se resolvesse sozinha de alguma maneira. Quando isso não aconteceu, ele concordou com o pedido de Strasser para um encontro em Leipzig, em que as diferenças poderiam ser resolvidas. Strasser chegou ao restaurante na hora marcada. Hitler se atrasou. Mal se sentou na mesa e logo pediu licença, dizendo que precisava ir ao banheiro. Strasser esperou durante algum tempo, e, depois que Hitler não voltou, começou a investigar o que havia acontecido. Para seu espanto, descobriu que, em vez de ir ao banheiro, Hitler tinha escapado pela porta dos fundos e voltado para Munique sem discutir um único ponto.[36]

Heiden também nos relata que, em 1923, Hitler estava numa reunião com Ludendorff e, de repente, saiu apressado, sem nem mesmo pedir desculpa.[37] Na primavera de 1932, ele fugiu de um encontro com a Associação Industrial da Baviera no qual faria um discurso. Aquele grupo não era simpático a ele, mas era importante para Hitler conquistá-lo. Ele se levantou para discursar: "Ele para, olha para a mesa em silêncio desconcertante. Um momento embaraçoso. De repente, ele se vira e, sem dizer uma palavra, dirige-se para a porta." O mesmo aconteceu um ano depois, quando, como chanceler, ele devia discursar para a Associação Imperial da Imprensa Alemã. De novo, ele sentiu a oposição do grupo; de novo, fugiu da cena. Olden afirma: "É um truque que o Führer utiliza com frequência: quando a situação se torna embaraçosa, ele se esconde."[38]

Outras vezes, quando ele se encontra em situações difíceis, o grande ditador, que se orgulha de sua determinação, dureza e outras qualidades de liderança, sucumbe e chora como uma criança, suplicando por simpatia. Rauschning escreve:

> Em 1934, tal como em 1932, Hitler se queixou da ingratidão do povo alemão nos tons soluçantes de um maltrapilho intérprete de *music hall*! Um homem fraco e amuado, que acusava, suplicava e implorava, e se retirava com a vaidade ferida ("Se o povo alemão não me quer!"), em vez de atuar.[39]

Otto Strasser relata que, em certa ocasião, "ele agarrou minhas mãos, como fizera dois anos antes. Sua voz estava sufocada por soluços, e lágrimas rolavam pelo seu rosto".[40] Heiden relatou assim uma cena em que os líderes do Partido estavam esperando pela chegada de Gregor Strasser:

> "Nunca teria acreditado nisso a respeito de Strasser", ele [Hitler] gritava, e punha a cabeça sobre a mesa e soluçava. Os olhos de muitos dos presentes se encheram de lágrimas quando viram o Führer chorando. Julius Streicher, que tinha sido desprezado por Strasser durante anos, gritou de seu humilde lugar no fundo: "É uma vergonha que Strasser trate nosso Führer desse jeito!"[41]

Em situações extremamente difíceis, Hitler ameaçava se suicidar. Às vezes, parece que usa isso como forma de chantagem, mas, em outras, a situação parece ser pior do que ele pode suportar. No Putsch da Cervejaria, ele disse aos policiais que estava mantendo como prisioneiros: "Ainda há cinco balas em minha pistola: quatro para os traidores e uma, se as coisas derem errado, para mim."[42] Ele também ameaçou se suicidar diante da sra. Hanfstaengl, logo depois do fracasso do Putsch, enquanto estava se escondendo da polícia na casa dos Hanfstaengl. De novo na prisão de Landsberg, fez uma greve de fome e ameaçou se tornar um mártir, imitando o prefeito de Cork. Em 1930, ele ameaçou se suicidar após o estranho assassinato de sua sobrinha Geli, de quem falaremos posteriormente.[43] Em 1932, novamente ameaçou se matar se Strasser rachasse o Partido.[44] Em 1933, fez mais uma ameaça de suicídio se não fosse designado chanceler.[45] Em 1936, prometeu se matar se a ocupação da Renânia fracassasse.[46]

Porém, essas são exibições relativamente pouco frequentes, embora seus colaboradores aprendessem que eram sempre uma possibilidade e que é melhor não pressionar muito o Führer. Suas depressões são bem mais frequentes, a respeito das quais muito já foi escrito. É certo que, de tempos em tempos, ele tem episódios de depressão profunda. Em seus anos de residência em Viena (1907-1912), não resta dúvida de que ele teve muitos desses episódios. Hanisch relata: "Nunca vi uma entrega tão desesperançada ao sofrimento."[47] Provavelmente, também é verdade que Hitler sofreu crises de depressão durante a guerra, como Mend relata.[48]

Em 1930, após a morte de sua sobrinha Geli, Hitler também entrou em grave depressão, que durou algum tempo. Nesse período, Gregor Strasser realmente temeu que ele pudesse se suicidar e ficou ao seu lado durante vários dias. Há alguma evidência de que ele de fato tentou se suicidar, mas foi impedido.[49] Também é interessante notar que, por muitos anos depois da morte dela, ele entrava em depressão no período natalino e perambulava pela Alemanha sozinho por dias a fio.[50]

Rauschning nos oferece uma descrição vivaz da condição de Hitler após a Noite dos Longos Punhais, em 1934. Ele escreve:

> Mas, por enquanto, Hitler não deu a impressão de ser um conquistador. Ele estava sentado diante de mim, com o rosto inchado e os traços deformados, enquanto fazia meu relato a ele. Seus olhos estavam turvos. Ele não olhou para mim. Ficou brincando com os dedos. Tive a impressão de que não me ouviu. [...] Para mim, o tempo todo pareceu que ele discordou com repugnância, cansaço e desprezo, e que, em seus pensamentos, ele estava longe... Tinha ouvido falar que ele só conseguia dormir durante uma hora... À noite, ele perambulava agitadamente. Pílulas para dormir não ajudaram... Supostamente, ele acordou do breve sono numa crise de choro. Havia vomitado repetidas vezes. Trêmulo, estava sentado numa poltrona, coberto com mantas... Às vezes, queria todas as luzes acesas e estar cercado de pessoas, muitas pessoas; no momento seguinte, porém, não queria ver ninguém.[51]

Essas foram crises importantes em sua vida, e podemos supor que provavelmente representam suas piores crises de depressão. Sem dúvida, com muita frequência, Hitler sofre crises de menos intensidade quando se afasta de seus colaboradores e fica emburrado sozinho ou quando se recusa a ver alguém e fica irritado e impaciente com aqueles que o cercam. Em geral, porém, parece que os relatos das crises de depressão de Hitler foram excessivamente exagerados. Nenhum de nossos entrevistados que teve contato próximo com ele tem qualquer conhecimento de sua internação num sanatório nessas ocasiões, e existe apenas uma fonte que indica que ele procurou ajuda psiquiátrica, mas isso não foi aceito. Devemos presumir que os muitos relatos que surgiram nos jornais foram plantados pelos órgãos de propaganda nazista para nos levar a ter falsas expectativas.

Há diversos outros aspectos em que Hitler não aparece diante de seus colaboradores como o Führer autoconfiante que ele gosta de acreditar que é. Um dos mais marcantes é seu comportamento na presença de autoridades constituídas. Nessas circunstâncias, ele se sente nervoso e pouco à vontade. Muitas vezes, fica absolutamente submisso. Já em 1923, Ludecke relata: "Em reunião com Pöhner, chefe da polícia de Munique, ficou sentado com seu chapéu de feltro esmagado entre as mãos. Seu aspecto era quase humilde."[52]

Fromm relata que, num jantar:

> A ânsia de Hitler em obter as boas graças dos príncipes presentes foi alvo de muitos comentários. Ele fez reverências, bateu os calcanhares e quase se ajoelhou em seu fervor de agradar a feia e avantajada princesa Luise von Sachsen-Meiningen, seu irmão, o príncipe herdeiro George, e a irmã deles, a grã-duquesa de Sachsen-Weimar. Radiante em sua atitude servil, ele saiu correndo para pessoalmente trazer-lhes refrescos do bufê.[53]

A respeito da visita de Hitler a Roma, Huss escreve: "Em Roma, ao conduzir a rainha Helena, ele se comportou como um peixe fora d'água. Ele não sabia o que fazer com as mãos."[54] Para Hindenburg, Hitler era muito submisso. As fotos dos encontros deles ilustram claramente sua atitude. Em alguma delas, quase parece que Hitler estava prestes a beijar a mão do presidente. Flannery também relata que, quando Hitler conheceu Pétain, ele o pegou pelo braço e o escoltou até seu carro.[55] Hanfstaengl relata que encontrou Hitler diante da porta do salão de festas em que uma recepção e um jantar estavam sendo realizados para a esposa do ex-Kaiser. Ele não conseguia criar coragem para entrar e conhecer sua alteza sozinho. Quando Hanfstaengl por fim convenceu Hitler a entrar, ele se sentiu tão pouco à vontade que só conseguiu gaguejar algumas poucas palavras para Hermínia e, em seguida, pediu licença e se retirou.[56] Diversos outros exemplos podem ser mencionados. Pelo peso das evidências, parece certo que Hitler perde bastante sua autoconfiança quando é colocado diante de uma autoridade constituída de alto nível, sobretudo da realeza.

A atitude subserviente também é evidente no seu uso dos títulos. Isso é bem descrito por Lania relatando o julgamento de Hitler:

> Durante sua peroração, ele passou a falar dos generais Ludendorff e Von Seeckt. Nesse momento, ele se levantou, ficou em posição de sentido e pronunciou as palavras "general" e "excelência". Não fazia diferença que um dos generais estivesse do seu lado, enquanto o outro, Von Seeckt, comandante-chefe da *Reichswehr* [as Forças Armadas], fosse seu inimigo. Hitler entregou-se inteiramente ao prazer de pronunciar os pomposos títulos. Ele nunca disse "general Seeckt"; disse "Sua Excelência, o senhor coronel-general Von Seeckt", deixando as palavras se dissolverem em sua língua e saboreando seu gosto residual.[57]

Muitas outras pessoas também comentaram sobre essa tendência de utilizar o título completo. Também combina com seu comportamento bastante submisso em relação aos seus oficiais durante a última guerra, que foi comentado por diversos de seus companheiros. Parece seguro supor que se trata de um traço fundamental de seu caráter, que se torna menos evidente à medida que ele ascende em sua carreira, mas continua presente.

O Führer também se sente pouco à vontade na companhia de diplomatas e evita contato com eles o máximo possível. Fromm descreve seu comportamento num jantar diplomático com as seguintes palavras:

> O cabo parecia pouco à vontade, desajeitado e taciturno. O fraque o incomodava. Repetidas vezes, a mão procurava o apoio encorajador do cinto da espada. Toda vez que ele perdia aquele apoio frio e estimulante, seu mal-estar aumentava. Ele amarrotava o lenço, puxava-o, enrolava-o; era simplesmente medo da plateia.[58]

Henderson escreve:

> Será sempre motivo de pesar para mim o fato de nunca ter conseguido estudar Hitler na vida privada, pois isso poderia ter me dado a chance de vê-lo em condições normais e conversar com ele de homem para homem. Exceto por algumas poucas palavras em encontros casuais, nunca o encontrei fora de reuniões oficiais e invariavelmente desagradáveis. Ele nunca participou de festas informais em que diplomatas podiam estar presentes, e, quando meus amigos tentavam organizar algo assim, ele sempre escapava por conta de algum compromisso anterior... Mas ele sempre parecia constrangido quando tinha de recepcionar o corpo diplomático, o que acontecia normalmente três vezes por ano.[59]

Hitler também fica nervoso e tende a perder a compostura quando precisa encontrar jornalistas. Sendo um gênio da propaganda, ele entende o poder da imprensa de influenciar a opinião pública e sempre provê jornalistas com assentos privilegiados em todas as cerimônias. Quando se trata de entrevistas, porém, ele fica na defensiva e insiste que as perguntas sejam apresentadas com antecedência. Quando a entrevista acontece, Hitler consegue manter considerável equilíbrio, porque tem suas respostas preparadas. Mesmo assim, ele não abre brechas para que sejam pedidos mais esclarecimentos, pois, de imediato, começa uma dissertação prolongada, que, às vezes, converte-se num longo discurso. Quando termina, a entrevista é encerrada.[60]

Hitler também fica apavorado quando é chamado para falar com intelectuais ou qualquer grupo no qual perceba oposição ou a possibilidade de críticas.[61]

A adaptação de Hitler às pessoas de um modo geral é bastante insatisfatória. Ele não tem verdadeira intimidade com nenhum de seus colaboradores. Hess é o único colaborador, com a possível exceção de Streicher, que tem o privilégio de se dirigir a ele por meio do íntimo "Du". Mesmo Göring, Goebbels e Himmler devem se dirigir a ele por meio do mais formal "Sie", embora cada um deles, sem dúvida, esteja disposto a sacrificar a mão direita pelo privilégio de tratá-lo da maneira informal. É verdade que, fora de sua família oficial, há poucas pessoas na Alemanha, particularmente a sra. Bechstein e a família de Winifred Wagner, que se dirigem a ele por meio do "Du" e o chamam pelo seu apelido, "Wolf", mas mesmo essas pessoas são muito poucas. Em geral, Hitler sempre mantém considerável distância das outras pessoas. Ludecke, que foi muito próximo dele por um tempo, escreve:

> Mesmo em seus momentos íntimos e aconchegantes, não senti nenhuma atitude de familiaridade com ele por parte de sua equipe. Havia sempre certo distanciamento, aquela característica sutil de indiferença...[62]

E Fry afirma: "Ele vive no meio de muitos homens e, mesmo assim, vive sozinho."[63]

É conhecido o fato de que ele não consegue manter uma conversa ou discussão normal com as pessoas. Mesmo que apenas uma pessoa esteja presente, ele precisa monologar. Seu modo de falar logo perde todas as características de uma conversa e assume todas as de uma palestra, e pode facilmente se converter num longo discurso. Ele simplesmente se esquece de seus companheiros e comporta-se como se estivesse se dirigindo a uma multidão. Strasser deu uma boa e breve descrição disso:

> Agora, Hitler ficou ereto e, pela expressão distante de seus olhos, mostrou claramente que não estava falando apenas comigo; ele estava se dirigindo a uma plateia imaginária, que se estendia muito além das paredes da sala de estar.[64]

Isso não vale apenas em relação a questões políticas. Mesmo quando Hitler está sozinho com seus assistentes ou sua equipe imediata e tenta ser amigável, ele é incapaz de entrar num diálogo. Às vezes, parece querer se aproximar das pessoas e relata experiências pessoais, como, por exemplo, "quando estava em Viena" ou "quando eu estava no Exército". Contudo, nessas circunstâncias, ele também insiste em monologar e sempre repete as mesmas histórias, exatamente da mesma forma, quase como se tivesse as memorizado. A essência da maioria dessas histórias está contida em *Mein Kampf*. Seus amigos já as ouviram dezenas de vezes, mas isso não o impede de repeti-las com grande entusiasmo. Nada além dos aspectos mais superficiais dessas experiências é abordado. Parece que ele é incapaz de dar mais de si mesmo.[65]

Price afirma: "Quando mais de duas pessoas estão presentes, ainda que sejam de seu círculo íntimo, não há conversa geral. Ou Hitler fala e eles escutam, ou eles falam entre si e Hitler fica sentado em silêncio."[66] E é assim que parece ser. Ele não se irrita quando os membros do grupo falam uns com os outros, a menos que, claro, ele tenha vontade de monologar. Porém, via de regra, ele parece gostar de ouvir os outros, enquanto finge que está se ocupando de outra coisa. Não obstante, entreouve tudo que está sendo dito e muitas vezes usa o que ouviu posteriormente.[67] No entanto, em vez de dar crédito ao indivíduo de quem ouviu a informação, ele simplesmente a divulga como se fosse sua. Rauschning diz: "Ele sempre foi um impostor. Lembra-se de coisas que ouviu e tem a capacidade de repeti-las de tal maneira que o ouvinte é levado a acreditar que são ideias dele."[68] Röhm também reclamou disso:

> Se você tenta lhe dizer algo, ele já sabe tudo. Embora muitas vezes faça o que aconselhamos, ele ri em nossas caras no momento e, depois, faz exatamente o que dissemos, como se tudo

fosse ideia e criação dele. Ele não parece ter consciência de quão desonesto é.[69]

Outro de seus truques, que deixa as pessoas e principalmente seus colaboradores perplexos, é sua capacidade de esquecimento. Esse traço de personalidade foi tão comentado que quase não precisa ser mencionado aqui. Todos sabemos como ele pode dizer algo um dia e, alguns dias depois, dizer o oposto, completamente alheio à sua afirmação anterior. Ele não faz isso apenas em assuntos internacionais, mas também com seus colaboradores mais próximos. Quando eles demonstram seu desalento e chamam atenção de Hitler para a contradição, ele fica fora de si e exige saber se a outra pessoa o acha um mentiroso. Sem dúvida, os outros líderes nazistas também aprenderam o truque, pois Rauschning afirma: "A maioria dos nazistas, inspirada em Hitler, literalmente se esquece, como mulheres histéricas, de qualquer coisa que eles não querem lembrar."[70]

Embora Hitler quase invariavelmente introduza elementos cômicos em seus discursos e dê a impressão de considerável espirituosidade, ele parece carecer de qualquer senso de humor real. Jamais consegue aceitar uma piada a seu respeito. Heyst afirma: "Ele é incapaz de purificar sua personalidade sombria com autoironia e humor."[71] Von Wiegand afirma que ele é extremamente sensível ao ridículo,[72] e Huss diz: "Ele se leva a sério e se inflama com uma raiva temperamental com a menor infração, por ato ou atitude, contra a dignidade e santidade do Estado e do Führer."[73] Quando tudo está caminhando bem, ele ocasionalmente fica num estado de ânimo alegre e bem-humorado com um círculo de amigos próximos. Então, seu humor fica restrito quase totalmente a um tipo de zombaria ou provocação. Em geral, a zombaria se relaciona a supostos casos amorosos de seus colaboradores, mas nunca é vulgar e só insinua fatores sexuais.[74] Friedelinde Wagner nos dá um exemplo desse tipo de zombaria. Göring e Goebbels estavam presentes no momento em que Hitler disse para a família Wagner:

> Vocês todos sabem o que são um volt e um ampere, não sabem? Certo. Mas vocês sabem o que são um goebbels e um

> göring? Um goebbels é a quantidade de absurdos que um homem pode falar em uma hora e um göring é a quantidade de metal que pode ser pregada no peito de um homem.[75]

Sua outra forma de humor é a imitação. Quase todos admitem que ele tem grande talento nesse sentido e, frequentemente, imita seus colaboradores na presença deles, para o divertimento de todos, exceto da vítima. Ele também gostava de imitar sir Eric Phipps e, depois, Chamberlain.

A adaptação insatisfatória de Hitler às pessoas talvez seja mais evidente em seus relacionamentos com as mulheres. Desde que se tornou uma figura política, seu nome foi vinculado a muitas mulheres, sobretudo na imprensa estrangeira. Embora o público alemão pareça saber muito pouco sobre esse lado de sua vida, seus colaboradores o testemunharam com frequência, e o tópico é sempre alvo de todos os tipos de conjecturas. Em termos gerais, seus relacionamentos com mulheres podem ser divididos em três categorias: (1) mulheres muito mais velhas; (2) atrizes e paixões passageiras; e (3) relacionamentos mais ou menos duradouros.

1. Já em 1920, Frau Carola Hofman, uma viúva de 61 anos, pôs Hitler sob sua proteção e, durante anos, desempenhou o papel de mãe substituta. Depois, Frau Helena Bechstein, mulher de um conhecido fabricante de pianos de Berlim, assumiu o papel. Ela gastou muito dinheiro com Hitler nos primeiros anos do Partido, apresentou-o ao seu círculo social e o cobriu de afeto maternal. Frequentemente, ela dizia que queria que Hitler fosse seu filho, e, quando ele foi encarcerado em Landsberg, declarou que era sua mãe adotiva para poder visitá-lo. De acordo com Strasser, Hitler muitas vezes sentava-se aos pés dela e apoiava a cabeça em seu peito, enquanto Helena acariciava seu cabelo com ternura e murmurava "*Mein Wölfchen*".[*76] Depois que ele chegou ao poder, as coisas não correram tão bem. Ela parecia achar defeitos em tudo que ele fazia, e o repreendia de modo impiedoso, mesmo em público. De acordo com Friedelinde Wagner,[77] ela é a única pessoa na Alemanha que pode levar avante um monólogo na presença de Hitler e

* "Meu lobinho", em português. (N. T.)

lhe dizer o que realmente pensa. Durante essas broncas, Hitler fica como um menino de escola envergonhado que cometeu uma contravenção. De acordo com Hanfstaengl, a sra. Bechstein cuidou de Hitler esperando que ele se casasse com sua filha Lottie, que não era nada atraente. Por senso de obrigação, Hitler pediu Lottie em casamento, mas seu pedido foi recusado.[78] A sra. Bechstein ficou inconsolável com o fracasso de seus planos e começou a criticar as reformas sociais de Hitler e também suas ações. Contudo, ainda que adiasse pelo máximo de tempo possível, Hitler cumpria sua obrigação e a visitava regularmente.[79]

Depois, também houve Frau Victoria von Dirksen – que, dizem, gastou uma fortuna com ele e sua carreira –[80] e algumas outras. Nos anos mais recentes, a sra. Goebbels assumiu o papel de mãe substituta e cuida do bem-estar de Hitler, supervisiona sua vida doméstica e prepara iguarias que ele aprecia bastante. Ela também tem atuado como casamenteira, na esperança de que ele se casasse com uma de suas amigas e, com isso, estreitasse ainda mais os laços entre eles. Para Ludecke, ela se queixou: "Não sou uma boa casamenteira. Eu o deixei sozinho com minhas amigas mais encantadoras, mas ele não fez nada."[81] Também havia sua meia-irmã mais velha, Angela, que cuidava de suas casas em Munique e Berchtesgaden e, por um tempo, deu a impressão de desempenhar o papel de mãe.

Winifred Wagner, nora de Richard Wagner, também provocou muitos comentários. Ela é inglesa de nascença, e, segundo a opinião geral, é muito atraente e tem aproximadamente a mesma idade de Hitler. Ela conheceu Hitler no início da década de 1920 e, desde então, tornou-se sua apoiadora convicta. Hitler frequentemente visitava a casa dos Wagner em Bayreuth, e, depois de sua ascensão ao poder, construiu uma casa na propriedade dos Wagner para ele e sua equipe. Após a morte de Siegfried Wagner, existiram rumores de que Winifred se tornaria a mulher de Hitler. Mas nada aconteceu, apesar de o casamento parecer uma união ideal do ponto de vista de ambas as partes.

Não obstante, Hitler continuou a ser visita frequente na casa dos Wagner. Provavelmente, era o mais próximo de um lar que ele conheceu desde que seu próprio lar se dissolveu em 1907. Sem dúvida, a sra. Wagner fazia tudo ao seu alcance para deixá-lo à vontade, e

Hitler se sentia bastante em casa. Havia três crianças pequenas, um menino e duas meninas (uma delas é nossa entrevistada, Friedelinde), que contribuíam muito para a atmosfera doméstica. Toda a família chamava Hitler pelo seu apelido, "Wolf", e se dirigia a ele por meio do "Du". Ele se sentia tão seguro nessa casa que muitas vezes ficava sem seu guarda-costas. Às vezes, ele passava o feriado de Natal com a família e, em grande medida, tornou-se parte dela. Porém, ele não estava disposto a ir mais longe do que isso, ainda que o casamento pudesse ter sido muito apreciado pelo povo alemão.

2. Então, houve uma longa sucessão de "paixões passageiras". Na maioria, eram estrelas do cinema e do teatro. Hitler gosta de se cercar de belas mulheres e, em geral, pede para que os estúdios de cinema enviem algumas atrizes sempre que há uma festa na Chancelaria. Ele parece sentir um grande prazer em fascinar essas garotas com histórias de seu passado. Também gosta de impressioná-las com seu poder, ordenando que os estúdios ofereçam papéis melhores para elas, ou prometendo que garantirá que elas sejam protagonistas numa produção futura. A maioria de suas associações com mulheres desse tipo – e a quantidade é grande – não vai além desse ponto, pelo que pudemos descobrir. Em geral, Hitler dá a impressão de se sentir mais à vontade na companhia de gente do cinema e do teatro do que com pessoas de qualquer outro grupo, e, muitas vezes, frequenta os restaurantes do estúdio para almoçar.

3. Houve diversas outras mulheres que desempenharam um papel mais ou menos importante na vida de Hitler. A primeira de que temos conhecimento é Henny Hoffmann, filha do fotógrafo oficial do Partido. De acordo com os testemunhos, Henny era basicamente uma prostituta e passava a maior parte do tempo entre os estudantes de Munique, que diziam que, por alguns marcos, podiam ter relações sexuais com ela. Heinrich Hoffmann, seu pai, era membro do Partido e amigo íntimo de Hitler. Por uma estranha ironia do destino, Hoffmann havia tirado uma foto das multidões em Munique na deflagração da última guerra. Posteriormente, quando Hitler se tornou importante na política de Munique, Hoffmann o achou na foto e chamou-lhe atenção para o fato. Hitler ficou encantado, e uma relação íntima nasceu

entre eles. A mulher de Hoffman também gostou muito de Hitler e desempenhou um papel de mãe para ele por um tempo.

Com a morte da sra. Hoffmann, a casa sofreu um colapso do ponto de vista moral e virou uma espécie de ponto de encontro para homossexuais de ambos os sexos. Havia muitas bebidas e grande liberdade em atividades sexuais de todos os tipos. Muitas vezes, Hitler estava presente nas festas dadas na casa dos Hoffmann, e ficou muito próximo de Henny. O relacionamento continuou por algum tempo, até que, certa noite, Henny, que era uma pessoa muito tagarela por natureza, ficou bêbada e começou a falar do relacionamento que tinham. Seu pai ficou furioso e por um tempo se afastou de Hitler.

Até aquela época, Hitler recusava-se terminantemente a ter sua foto tirada para publicações, sob a alegação de que, em termos de propaganda, era melhor permanecer um homem misterioso, e também porque se sua imagem aparecesse seria muito fácil identificá-lo quando cruzasse territórios comunistas. Pouco depois do episódio descrito acima, Hitler nomeou Hoffmann como fotógrafo oficial do Partido e lhe deu direitos exclusivos em relação às fotos. Esse privilégio, dizem, rendeu milhões de dólares para Hoffmann ao longo dos anos. Entre os colaboradores de Hitler, presumiu-se que Hitler havia cometido algum tipo de transgressão sexual com Henny e, por isso, comprou o silêncio de Heinrich Hoffmann concedendo-lhe esses direitos exclusivos. Em todo caso, Henny logo se casou com Baldur von Schirach, líder da Juventude Hitlerista, que tem a reputação de ser homossexual. Sua família se opôs fortemente ao casamento, mas Hitler os forçou a aceitar. Todas as diferenças entre Hitler e Hoffmann parecem ter desaparecido, e, atualmente, este último é um dos seus colaboradores mais próximos e exerce grande influência pessoal sobre o Führer. Vamos examinar a natureza da transgressão de Hitler em nosso estudo posteriormente, uma vez que não é um assunto do conhecimento geral e nos levaria muito longe neste momento.

Após o episódio com Henny Hoffmann, Hitler começou a aparecer em público com sua sobrinha, Geli, filha de sua meia-irmã Angela, que chegou para cuidar da casa de Hitler em 1924. Na época em que esse relacionamento amadureceu, Angela tinha voltado para

Berchtesgaden, e Hitler e Geli estavam morando sozinhos no apartamento dele em Munique. Eles se tornaram inseparáveis e foram alvo de muitos comentários nos círculos do Partido. Muitos membros, sobretudo Gregor Strasser, achavam que a proximidade dos dois atraía má publicidade e estava gerando muitos boatos desfavoráveis. Outros membros pediram a Hitler que explicasse de onde estava tirando dinheiro para vestir e exibir Geli publicamente, já que não estava usando fundos do Partido para esse propósito.

Hitler se tornou possessivo com a atenção de Geli e se recusava a deixá-la sair com qualquer outro homem. Alguns afirmam que ele a mantinha trancada de dia quando não podia levá-la consigo. Durante anos, apesar da oposição do Partido, o relacionamento continuou. Então, certo dia, Geli foi encontrada morta no apartamento de Hitler, vítima de uma bala disparada do revólver dele. Houve considerável comoção. O veredito do médico-legista foi suicídio, mas Geli foi enterrada em solo sagrado por um sacerdote católico. Especulou-se muito se ela havia se matado ou tinha sido morta por Hitler. Quaisquer que sejam os fatos, Hitler entrou numa profunda depressão, que durou meses. Nos primeiros dias após o enterro, Gregor Strasser ficou com ele, para impedi-lo de se matar. Ludecke afirma: "A característica especial da afeição de Hitler (por Geli) ainda é um mistério para as pessoas mais próximas."[82]

Por alguns anos após a morte de Geli, Hitler pouco se envolveu com mulheres, exceto de maneira muito superficial. Ao longo de 1932, porém, ele ficou interessado em Eva Braun, assistente fotográfica de Hoffmann. O relacionamento não se desenvolveu muito rápido, mas persistiu. Ao longo do tempo, Hitler comprou muitas coisas para ela, incluindo automóveis de alta potência e uma casa entre Munique e Berchtesgaden, onde, dizem, com regularidade ele passa as noites no caminho de ida ou de volta de sua casa no campo. Eva Braun muitas vezes também é sua convidada em Berchtesgaden e em Berlim. Contaram para Oechsner que, após uma das visitas de Braun a Berchtesgaden, uma peça de roupa íntima dela foi encontrada no quarto de Hitler. Wiedemann, de acordo com Hohenlohe, afirma que, às vezes, ela passava a noite inteira no quarto de Hitler em Berlim. Norburt relatou que Eva se mudou para a Chancelaria em 16 de dezembro de 1939, e, ao que se conta, Hitler pretende se casar com ela quando a guerra acabar.[83] Não sabemos mais nada a respeito desse caso amoroso, exceto que Eva Braun tentou se suicidar duas vezes e que um dos guarda-costas de Hitler se atirou do Kehlstein porque estava apaixonado por ela, mas não podia violar o domínio do Führer.

No entanto, o romance com Eva Braun não era o único. Nesse mesmo período, Hitler também se encontrou muitas vezes com pelo menos duas atrizes de cinema. Foram relacionamentos mais duradouros do que a maioria dos que ele teve com outras atrizes e muito mais íntimos. Frequentemente, as duas garotas – uma de cada vez – eram convocadas para aparecer na Chancelaria tarde da noite e partiam nas primeiras horas da manhã. Durante sua estada, elas ficavam sozinhas com Hitler, atrás de portas fechadas, de modo que nem mesmo sua equipe imediata sabia o que ocorria entre eles. O primeiro desses relacionamentos foi com Renate Müller, que se suicidou atirando-se pela janela de um hotel de Berlim. O outro foi com Leni Riefenstahl, que continuou a ser uma convidada da Chancelaria até a deflagração da guerra.

Em relação às mulheres, os colaboradores de Hitler sabem que ele está longe de ser o asceta que ele próprio e o departamento de propaganda gostariam que o povo alemão acreditasse que fosse. Nenhum deles, com a possível exceção de Hoffmann e Schaub (seu assistente pessoal), sabe a natureza de suas atividades sexuais. Isso levou a muitas conjecturas nos círculos do Partido. Alguns acreditam que sua vida sexual seja perfeitamente normal, mas restrita. Outros acham que ele é imune a essas tentações e que nada acontece quando ele está sozinho com garotas. Outros acreditam, ainda, que ele é homossexual.

Em grande medida, esta última suposição se baseia no fato de que, durante os primeiros anos do Partido, muitos do núcleo partidário eram sabidamente homossexuais. Röhm não fazia nenhuma tentativa de esconder suas atividades homossexuais, e Hess era conhecido como "*Fräulein* Anna" [srta. Anna]. Havia também muitos outros, e por esse motivo supôs-se que Hitler também pertencia a esse grupo.

Em vista da pretensão de pureza de Hitler e da importância de sua missão para construir uma Grande Alemanha, é incrível que ele fosse tão descuidado em relação aos seus colaboradores. Ele nunca os cerceou, exceto na época da Noite dos Longos Punhais, em 1934, quando seu pretexto foi que ele tinha de expurgar o Partido de tais elementos indesejáveis. Em todos os outros momentos, ele foi excessivamente liberal.

Lochner relata:

> O único critério de filiação ao Partido era que o solicitante fosse "incondicionalmente obediente e fielmente dedicado a mim". Quando alguém perguntou se isso se aplicava a ladrões e criminosos, Hitler disse: "A vida privada deles não me interessa."[84]

Ludecke afirma que, ao falar sobre alguns dos moralistas que estavam reclamando das ações dos homens da SA, Hitler disse:

> Ele preferia que as mulheres se relacionassem com os homens da SA, e não com um ricaço barrigudo. "Por que devo me preocupar com a vida privada de meus seguidores. [...] Afora os feitos de Röhm, sei que posso contar totalmente com ele..."[85]

Rauschning afirma que a atitude geral no Partido era: "Faça o que quiser, mas não seja pego."[86]

Com certeza, essa atitude em relação aos seus colaboradores não contribuiu para manter altos padrões no Partido. O capitão Von Mücke se desfiliou alegando que: "O Partido do Povo não é mais o partido de gente respeitável. Deteriorou-se e corrompeu-se. Em poucas palavras, é um chiqueiro."[87] Rauschning expressa um sentimento similar:

> O mais repugnante de tudo é o miasma fétido da sexualidade furtiva e antinatural que enche e suja toda a atmosfera ao redor dele, como uma emanação diabólica. Nada nesse ambiente é claro. Relacionamentos clandestinos, substitutos e símbolos, falsos sentimentos e desejos secretos: nada nas cercanias desse homem é natural e genuíno, nada tem a franqueza de um instinto natural.[88]

Um dos passatempos de Hitler que é cuidadosamente escondido do público é seu gosto pela pornografia. Ele mal consegue esperar o lançamento da próxima edição de *Der Stürmer*, e quando o semanário é publicado, ele o lê avidamente de cabo a rabo. Ele parece sentir grande prazer com as histórias obscenas e os cartuns que aparecem em suas páginas.[89] Para Rauschning, Hitler disse que *Der Stürmer* "era uma forma de pornografia permitida no Terceiro Reich". Além disso, Hitler tem uma grande coleção de nus fotográficos e, de acordo com Hanfstaengl e outros, ele também gosta de assistir a filmes pornográficos em seu cinema privado, alguns dos quais são produzidos por Hoffmann para seu proveito.

Hitler também gosta de se apresentar como uma grande autoridade e amante da boa música. Um de seus passatempos preferidos é palestrar sobre Wagner e a beleza de sua música operística. Não resta nenhuma dúvida de que ele gosta da música wagneriana e obtém considerável inspiração dela. Oechsner relata que pôde observar Hitler de perto enquanto ele estava ouvindo música e viu "caretas de dor e prazer contorcerem seu rosto, suas sobrancelhas se unirem, seus olhos se fecharem, sua boca se contrair com força".[90] Hitler afirmou: "Para mim, Wagner é algo divino, e sua música é minha religião. Vou aos seus concertos como os outros vão à igreja." De acordo com Hanfstaengl, porém, ele não é amante da boa música em geral.[91] Ele afirma que cerca de 85% das preferências musicais de Hitler envolvem as músicas da programação normal dos cafés vienenses. É provável que esse seja o motivo pelo qual raramente está presente em concertos e, nos últimos anos, quase nunca tenha ido à ópera. Atualmente, suas preferências parecem tender para comédias musicais e cabarés, além dos filmes a que assiste na Chancelaria. Pope afirma que Hitler com frequência revia *The Merry Widow* [A viúva alegre], em que uma atriz norte-americana faz o papel principal. Ele afirma: "Eu vi Hitler cutucar seu *Gauleiter*,* Wagner, e sorrir afetadamente quando Dorothy executa seu famoso número de curvar a coluna para trás sob o refletor." Nesse número, o figurino de Dorothy consiste num par de asas de borboleta transparente, ou às vezes nada mesmo. Hitler

* Na Alemanha nazista, o *Gauleiter* era o chefe de um *gau*, ou seja, um distrito. (N. T.)

observa o espetáculo com binóculos para teatro e, de vez em quando, ordena apresentações para seu proveito privado.[92]

O departamento de propaganda nazista escreveu muito sobre o estilo de vida modesto de Hitler. Aos olhos de seus colaboradores, isso também foi valorizado em demasia. Embora ele seja vegetariano, a maioria deles acha que suas refeições dificilmente podem ser consideradas uma forma de privação. Hitler consome grande quantidade de ovos, preparados de 101 maneiras diferentes pelo melhor chefe da Alemanha, e sempre há uma grande variedade de verduras frescas preparadas de maneiras incomuns. Além disso, Hitler consome quantidades inacreditáveis de doces e muitas vezes até um quilo de chocolates ao longo de um único dia. Nem seus gostos pessoais são especialmente baratos. Embora suas roupas sejam simples, ele tem uma quantidade incrível de cada peça. Todas são feitas com os materiais mais finos disponíveis e confeccionadas pelos melhores artífices. Ele também tem paixão por colecionar pinturas, e quando escolhe uma, o céu é o limite quanto ao preço a pagar. A única coisa que é realmente modesta a respeito de seu estilo de vida é seu quarto, que é bastante simples e contém apenas uma cama de metal branca (decorada com fitas na cabeceira), uma cômoda pintada e algumas cadeiras simples. Friedelinde Wagner e Hanfstaengl, que viram o quarto com os próprios olhos, descreveram-no com termos idênticos: era um quarto que alguém imaginaria ser de uma criada, e não de um chanceler.

Embora Hitler seja apresentado ao público alemão como um homem de extraordinária coragem, seus colaboradores imediatos frequentemente têm a oportunidade de questionar isso. Foram relatadas diversas ocasiões em que ele não executou o próprio programa porque temeu a oposição. Isso é em particular verdadeiro em relação aos seus *Gauleiter*. Hitler parece ter um medo especial deles e, em vez de enfrentar sua oposição, costuma tentar descobrir de que lado de uma questão a maioria se alinhou antes de se encontrar com eles. Quando o encontro acontece, ele propõe uma linha de ação que combina com os sentimentos da maioria.[93]

De acordo com Hohenlohe, Hitler também recuou diante de três generais do Exército quando eles protestaram contra a rápida escalada da questão de Danzig, e, antes de Munique, decidiu adiar a guerra porque descobriu que a multidão que observava as tropas marchando sob as janelas da Chancelaria não estava entusiasmada.[94]

Além disso, os colaboradores devem se perguntar da necessidade das precauções extremas que são tomadas para a segurança do Führer. A maioria delas é cuidadosamente escondida do público alemão. Quando Hitler aparece, ele se mostra para o mundo todo como um homem muito corajoso, na medida em que fica de pé no assento dianteiro de seu carro conversível e faz saudações. As pessoas desconhecem a imensa quantidade de homens do serviço secreto que constantemente se mistura na multidão, além dos guardas que guarnecem as ruas pelas quais ele vai passar. Nem sabem de todas as precauções tomadas na Chancelaria e em Berchtesgaden. Antes da guerra, sua casa em Berchtesgaden foi cercada com quase treze quilômetros de cercas eletrificadas. Casamatas e baterias antiaéreas foram instaladas nas colinas no entorno.[95] Quando ele visitava Bayreuth, tropas eram enviadas com semanas de antecedência para montar ninhos de metralhadora e baterias antiaéreas nas colinas contíguas.[96] Lochner relata que, quando ele viaja num trem especial, é acompanhado por duzentos guardas da SS, que estão mais pesadamente armados que o séquito de qualquer imperador alemão.[97] Depois do início da guerra, seu trem recebeu uma grossa blindagem e foi equipado com armas antiaéreas na dianteira e na traseira. E, no entanto, quando os jornais cinematográficos o mostram no *front*, ele é o único que não usa um capacete de aço.

Portanto, há uma considerável discrepância entre o Hitler como ele é conhecido pelo povo alemão e o Hitler como é conhecido por seus colaboradores. Não obstante, parece que a maioria de seus colaboradores tem uma profunda lealdade pessoal a Hitler e está totalmente disposta a perdoar ou ignorar suas falhas. Em muitos casos, parece que seus colaboradores são alheios por completo aos traços contraditórios de seu caráter. Para eles, Hitler ainda é o Führer, e eles vivem para os momentos em que o líder realmente desempenha esse papel.

Parte IV
Como ele se conhece

Hitler sempre foi bastante reservado em todas as suas interações. Hanfstaengl revela que essa característica é levada a tal ponto que Hitler nunca conta a um de seus colaboradores imediatos o que falou ou arranjou com outro. Sua mente é cheia de compartimentos, segundo Hanfstaengl, e suas interações com cada indivíduo são cuidadosamente arquivadas. O que foi arquivado num escaninho nunca tem permissão para se misturar com o que foi arquivado em outro. Tudo é mantido cuidadosamente trancado em sua mente e só é aberto quando ele precisa do material.

Isso também vale para si mesmo. Já vimos como Hitler se recusou a divulgar qualquer coisa de seu passado para seus colaboradores. Ele acreditava que esse assunto não dizia respeito a eles, e, portanto, manteve o escaninho hermeticamente fechado. Hitler fala quase sem interrupção de todos os assuntos possíveis e imagináveis, exceto de si. O que de fato acontece em sua mente é quase um mistério tão grande quanto seu passado.

No entanto, seria útil e interessante abrir esse escaninho e examinar seu conteúdo. Felizmente, alguns fragmentos de informação sobre seu passado foram descobertos ao longo do tempo e são bastante valiosos como pano de fundo para entender seu comportamento atual. Por outro lado, também temos registros de atitudes e sentimentos expressos em discursos e textos. Embora essas declarações estejam restritas a uma área bastante limitada, representam o produto de alguns de seus processos mentais e, portanto, dão alguma pista do que acontece atrás daqueles olhos muito discutidos, a respeito dos quais Rauschning escreve:

> Qualquer um que tenha visto esse homem frente a frente, tenha encontrado seu olhar incerto, sem profundidade ou calor, com olhos que parecem duros e remotos e, em seguida, tenha visto aquele olhar enrijecer, com certeza terá experimentado o sinistro sentimento: "Esse homem não é normal."[1]

Além disso, temos descrições de seu comportamento público diante de diversas circunstâncias. Devemos supor que isso também é produto de seus processos psicológicos e que reflete o que está acontecendo nos bastidores.

Tudo isso, porém, seriam dados insuficientes para um retrato adequado de Hitler, como ele se conhece, na vida cotidiana. Felizmente, na clínica psicanalítica, pacientes com padrões de comportamento, tendências e sentimentos muito parecidos com aqueles expressos por Hitler não são desconhecidos. A partir do nosso conhecimento do que acontece na mente desses pacientes, junto com o conhecimento que temos do passado deles, talvez seja possível preencher algumas lacunas e fazer algumas deduções a respeito do incomum modo de ajuste de Hitler.

Aprendemos, do estudo de diversos casos, que o caráter presente de um indivíduo é produto de um processo evolucionário, com o princípio se localizando na infância. As primeiras experiências na existência do indivíduo formam a base sobre a qual o caráter é gradualmente estruturado, conforme o indivíduo passa por estágios sucessivos de desenvolvimento e é exposto às demandas e influências do mundo ao redor dele. Se isso for verdade, será bom examinarmos brevemente o passado de Hitler, tanto quanto é conhecido, na expectativa de que possa esclarecer algo a respeito de seu comportamento presente e do rumo que ele, é provável, seguirá no futuro. Essa análise de seu passado também é pertinente ao nosso estudo, na medida em que forma o pano de fundo pelo qual Hitler se enxerga. É uma parte de si que ele deve tolerar, goste ou não.

A família de Hitler

O PAI

Há muita confusão no estudo da árvore genealógica de Hitler. Muito disso se deve ao fato de que o sobrenome era escrito de diversas maneiras: Hitler, Hidler, Hiedler e Hüttler. Parece razoável supor, porém, que se trata do mesmo sobrenome, grafado de diversas maneiras por distintos membros de uma família camponesa praticamente analfabeta. O próprio Adolf Hitler assinou Hittler na primeira ficha de filiação ao Partido, enquanto sua irmã geralmente grafa seu sobrenome como sendo Hiedler. Outro elemento de confusão é introduzido pelo fato de o sobrenome da avó materna de Adolf também ser Hitler, que, depois, tornou-se o sobrenome do pai dele. Contudo, algo dessa confusão se dissipa quando percebemos que os pais de Adolf tinham um antepassado comum (avô do pai e bisavô da mãe), um morador da culturalmente atrasada região de Waldviertel, na Áustria.

Alois Hitler, pai de Adolf, era filho bastardo de Maria Anna Schicklgruber. Costuma se supor que o pai de Alois Hitler era Johann Georg Hiedler, ajudante de moleiro. Alois, porém, não foi legitimado, e usou o sobrenome da mãe até os 40 anos, quando o mudou para Hitler. Por que isso foi feito não é claro, mas é dito entre os moradores do vilarejo que foi necessário para a obtenção de uma herança. De onde a herança veio não se sabe. Pode-se supor que Johann Georg Hiedler compadeceu-se em seu leito de morte e deixou uma herança para seu filho bastardo, junto com seu sobrenome. Parece estranho, porém, que ele não tenha legitimado o filho quando se casou com Anna Schicklgruber 35 anos antes. Por que o filho decidiu assumir o sobrenome Hitler, em vez de Hiedler, se esse é o caso, também é um mistério que permaneceu irresoluto. Infelizmente, a data da morte de Hiedler não foi determinada, e, portanto, não conseguimos relacionar esses dois acontecimentos no tempo. Uma série singular de acontecimentos, antes do nascimento de Hitler, fornece muito material para especulação.

Algumas pessoas duvidam de que Johann Georg Hiedler fosse o pai de Alois. Thyssen e Koehler, por exemplo, afirmam que o chanceler Dollfuss ordenou que a polícia austríaca realizasse uma investigação completa a respeito da família de Hitler. Como resultado dessa investigação, um documento secreto foi preparado, que provou que Maria Anna Schicklgruber estava morando em Viena na época em que engravidou. Na ocasião, ela trabalhava como criada na casa do barão Rothschild. Assim que a família descobriu sua gravidez, ela foi enviada de volta para sua casa em Spital, onde Alois nasceu. Se é verdade que um dos Rothschild é o verdadeiro pai de Alois Hitler, isso tornaria Adolf um quarto judeu. De acordo com essas fontes, Adolf Hitler sabia da existência desse documento e da evidência incriminatória contida nele. Para obtê-lo, precipitou os acontecimentos na Áustria e desencadeou o assassinato de Dollfuss. De acordo com essa história, ele não conseguiu obter o documento naquela época, já que Dollfuss o escondeu e contou seu paradeiro para Schuschnigg, de modo que, no caso de sua morte, a independência da Áustria ficaria assegurada. Diversas histórias desse tipo estão em circulação.

Aqueles que dão crédito a essa história destacam diversos fatores que parecem defender sua plausibilidade.

1. Que é improvável que um ajudante de moleiro num vilarejo dessa região teria muito para deixar sob a forma de herança.

2. Que é estranho que Johann Hiedler não reivindicasse o menino até 35 anos depois que ele se casou com a mãe e esta morreu.

3. Que se a herança foi deixada por Hiedler sob a condição de que Alois adotasse seu sobrenome, não teria sido possível para ele mudá-lo para Hitler.

4. Que a inteligência e o comportamento de Alois, e também os de seus dois filhos, estão em completo desacordo com aqueles geralmente encontrados nas famílias camponesas austríacas. Eles destacam que a ambição e a incomum intuição política deles estão mais em harmonia com a tradição dos Rothschild.

5. Que Alois Schicklgruber deixou seu vilarejo natal ainda muito jovem para tentar a sorte em Viena, onde sua mãe havia trabalhado.

6. Que seria estranho que Alois Hitler, enquanto trabalhava como inspetor alfandegário em Braunau, escolhesse um judeu chamado Prinz, de Viena, para ser padrinho de Adolf, a menos que sentisse alguma afinidade com judeus.

Com certeza, essa é uma hipótese bem intrigante, e muito do comportamento posterior de Adolf poderia ser explicado em termos bastante fáceis com base nisso. No entanto, não é absolutamente necessário supor que ele tem sangue judeu em suas veias para se fazer um quadro amplo de seu caráter com seus traços e sentimentos complexos. Do ponto de vista apenas científico, portanto, é mais seguro não basearmos nossa reconstrução nessa evidência tão deficiente, mas sim procurarmos bases mais sólidas. Não obstante, podemos deixar isso como uma possibilidade que requer verificação adicional.

Em todo caso, Maria Anna Schicklgruber morreu quando Alois tinha 5 anos. Ao completar 13 anos, ele deixou a região de Waldviertel e foi para Viena, onde aprendeu o ofício de sapateiro. Em grande medida, o que aconteceu nos 23 anos seguintes de sua vida é desconhecido. Parece provável que, durante esse tempo, ele tenha ingressado no Exército e talvez alcançado a patente de oficial subalterno. Posteriormente, seu tempo de serviço no Exército pode tê-lo ajudado a ingressar no serviço público como um *Zollamtsoffizial* [inspetor alfandegário].

Sua vida conjugal foi tumultuada. Sua primeira mulher (nascida Glasl-Hörer) era cerca de treze anos mais velha que ele. Dizem que era filha de um de seus superiores e aparentemente tinha problemas de saúde. Em todo caso, o casamento não deu certo e eles se desquitaram, já que, como católicos, o divórcio não era possível. Sua primeira mulher morreu em 6 de abril de 1883.

Em janeiro de 1882, Franziska Matzelsberger deu à luz um filho bastardo, que recebeu o nome de Alois. Após a morte de sua primeira mulher, Alois Hitler se casou com Franziska Matzelsberger, em 22 de maio de 1883, e legitimou seu filho. Em 28 de julho de 1883, sua segunda mulher deu à luz outra criança, Angela, e um ano depois, em 10 de agosto de 1884, Franziska morreu. Durante seu primeiro casamento, o casal adotou como filha de criação Klara Pölzl, prima de segundo grau de Alois Hitler. Ele a criou até o momento da separação de sua primeira mulher; então, Klara foi para Viena trabalhar como criada. Nos últimos meses de vida da segunda mulher de Alois, Klara voltou para a casa dele para cuidar da doente e dos dois filhos. Ela permaneceu como empregada após a morte da segunda mulher de Alois e, em 7 de janeiro de 1885, ele se casou com ela. Em 17 de maio de 1885, Klara deu à luz um filho que morreu na infância. William Patrick Hitler, sobrinho de Adolf, afirma que um filho bastardo nasceu antes, mas não temos nenhum outro registro disso. Em todo caso, ao menos uma criança foi concebida fora do casamento. Quatro outras crianças nasceram dessa união. Com certeza, é uma vida conjugal conturbada para um inspetor alfandegário: três mulheres; sete ou, possivelmente, oito filhos; um divórcio; ao menos um e possivelmente dois nascimentos antes do casamento, e dois logo depois do matrimônio; uma mulher treze anos mais velha do que ele e outra 23 anos mais nova – a primeira, filha de um superior e, a segunda, uma garçonete; e a terceira mulher era uma serviçal e sua filha de criação. Tudo isso, é claro, jamais foi mencionado por Hitler. Em *Mein Kampf*, ele traça um quadro muito simples das condições na casa de seu pai.

Conhece-se relativamente pouco acerca de Alois Hitler. Parece que ele tinha muito orgulho de suas realizações no serviço público; mesmo assim, se aposentou desse serviço na surpreendente idade de 56 anos, quatro anos após o nascimento de Adolf. Em curto período de tempo, a família mudou-se para diversos vilarejos, e o pai se aventurou na atividade rural. Dizem, porém, que ele sempre usava seu uniforme de inspetor alfandegário e insistia em ser tratado como *Herr Oberoffizial* Hitler. De acordo com os relatos, Alois gostava de agir com superioridade em relação aos vizinhos, encarando-os como "meros" camponeses. Parece bastante certo que ele gostava de ficar na taverna relatando suas aventuras como inspetor alfandegário e também discutindo assuntos políticos. Ele morreu em 1903, a caminho da taverna, em Leonding, vítima de apoplexia (acidente vascular cerebral).

Em geral, ele é descrito como uma pessoa muito dominadora, que era um verdadeiro tirano em sua casa. William Patrick Hitler afirma que ouviu de seu pai, o meio-irmão mais velho de Adolf, que Alois costumava bater nos filhos sem piedade. Em certa ocasião, dizem que ele deixou o filho mais velho inconsciente e, em outra, bateu com tanta força em Adolf que o deixou para morrer. Também dizem que era beberrão e, frequentemente, os filhos tinham de buscá-lo nas tavernas e levá-lo para casa. Quando Alois chegava, acontecia um grande tumulto, durante o qual ele batia na mulher, nas crianças e no cachorro de modo indiscriminado. Embora essa história seja geralmente aceita, Heiden, que entrevistou vários moradores dos diversos vilarejos onde a família morou, não conseguiu encontrar evidências fundamentadas. Muitos achavam Alois bem divertido e afirmaram que a vida doméstica dele era bastante feliz e tranquila, exceto quando a irmã de sua mulher aparecia para uma visita com a família. O motivo pelo qual isso seria um fator perturbador é desconhecido. Heiden suspeita de que a herança era o pomo da discórdia. No entanto, muitas coisas podem ter acontecido na casa dos Hitler sobre as quais os moradores do vilarejo não sabiam ou relutavam em falar.

Também há alguma dúvida a respeito da natureza dos sentimentos políticos de Alois Hitler. Hanisch relata: "Hitler ouviu de seu pai apenas elogios em relação à Alemanha e só queixas em relação à Áustria." De acordo com Heiden, entrevistados mais confiáveis afirmam que o pai, embora reclamasse e criticasse muito o governo a que servia, não era de modo algum um nacionalista alemão. Afirmam que Alois preferia a Áustria à Alemanha, e isso coincide com a informação de William Patrick Hitler de que seu avô era um incontestável antialemão, da mesma forma que seu pai.

A MÃE

Klara Pölzl, como foi dito, era filha de criação de seu marido e 23 anos mais nova que ele. Originava-se de uma antiga família camponesa e era trabalhadora, vigorosa, devota e conscienciosa. Quer fosse devido aos seus anos de serviços domésticos ou à sua criação, sua casa estava sempre impecavelmente limpa, tudo tinha o seu lugar e nenhuma partícula de pó era encontrada nos móveis. Klara era muito dedicada aos filhos e, de acordo com William Patrick Hitler, era uma típica madrasta para os enteados. De acordo com o dr. Bloch, que a tratava, ela era uma mulher muito quieta, doce e amorosa, cuja vida girava em torno dos filhos e, em particular, de Adolf, que era seu favorito. Klara falava bem de seu marido e da vida que tiveram juntos. Achava que era uma verdadeira privação para os filhos o fato de terem perdido o pai quando ainda eram tão jovens.

Seu histórico familiar pode ser questionado. Sua irmã é casada e tem dois filhos, um dos quais é corcunda e apresenta problemas de fala. Quando consideramos que Klara Pölzl pode ter perdido um filho antes de seu casamento com Alois Hitler, que um filho nasceu em 1885 e morreu em 1887, outro nasceu em 1894 e morreu em 1900 e uma filha nasceu em 1886 e morreu em 1888, temos base para questionar a pureza do sangue. Há ainda motivo para maior suspeita quando ficamos sabendo pelo dr. Bloch que ele está certo que havia uma filha um pouco mais velha que Adolf que era deficiente mental. Ele tem certeza absoluta disso porque, na época, percebeu que a família sempre tentava esconder a criança quando ele ia atender a mãe. É possível que seja Ida, que nasceu em 1886 e, diz-se, morreu em 1888, mas o dr. Bloch acredita que o nome dessa menina era Klara. Contudo, ele pode estar enganado, especialmente porque os dois nomes terminam em "a" e ele nunca teve qualquer contato próximo com ela. Não há nenhuma outra menção de uma Klara em nenhum lugar nos registros. Também dizem que Paula, a irmã mais nova, é um tanto obtusa, talvez com um retardo mental elevado. Com certeza é um histórico sofrível, e há justificativas para se suspeitar de alguma fraqueza constitucional. Um traço sifilítico não está fora de cogitação.

Em 21 de dezembro de 1907, Klara Pölzl morreu após uma cirurgia para tratar um câncer de mama. Todos os biógrafos deram a data de sua morte como 21 de dezembro de 1908, mas os registros do dr. Bloch mostram claramente que foi em 1907, e isso é corroborado pelo registro de John Gunther do epitáfio em sua lápide. Os últimos seis meses de sua vida foram de grande sofrimento e, nas semanas anteriores à sua morte, foi necessário que lhe dessem injeções de morfina a cada dia.

Frequentemente, dizem que Klara era de origem tcheca e falava apenas um alemão capenga, e que, portanto, Adolf pode ter sentido vergonha dela entre seus companheiros de brincadeiras. É quase certo que isso seja falso. De acordo com o dr. Bloch, ela não tinha nenhum tipo de sotaque nem mostrava quaisquer características tchecas. A primeira mulher de Alois Hitler era de origem tcheca, e, posteriormente, os autores podem tê-la confundido com a mãe de Adolf.

ALOIS JR.

Alois Hitler Jr. nasceu em 13 de janeiro de 1882. Ele era filho bastardo da segunda mulher do pai, mas nasceu quando a primeira ainda vivia. É pai de William Patrick Hitler, um de nossos entrevistados. Parece ter puxado muito o pai em alguns aspectos. Deixou a casa da família antes da morte de Alois, porque, de acordo com seu filho, não conseguia mais suportá-la. Sua madrasta, de acordo com a história, dificultou muito sua vida e constantemente colocava o marido contra ele. Parece que Alois Jr. tinha considerável talento para a mecânica, e seu pai havia planejado enviá-lo para uma escola técnica para se formar como engenheiro. Até seu terceiro casamento, o pai gostava muito de seu primogênito, e todas as suas ambições estavam depositadas nele. No entanto, a madrasta sabotou sistematicamente esse relacionamento até enfim convencê-lo de que Alois Jr. não era merecedor e que Alois deveria economizar seu dinheiro para a educação de seu filho Adolf. Ela acabou sendo bem-sucedida, e o garoto foi mandado embora de casa para ser aprendiz de garçom.

A profissão de garçom parece não ter lhe interessado, pois, em 1900, ele foi condenado a cinco meses de prisão por roubo e, em 1902, a oito meses, pelo mesmo motivo. Então, foi para Londres, onde conseguiu um emprego como garçom e, em 1909, casou-se com Bridget Dowling, uma moça irlandesa. Em 1911, William Patrick Hitler nasceu, e, em 1913, seu pai abandonou a família e voltou para a Alemanha. A família não era feliz e se separou algumas vezes ao longo daqueles quatros anos. Dizem que Alois Jr. bebia com frequência, voltava para casa e criava cenas terríveis, em que era comum bater na mulher e tentar bater no bebê. Naqueles quatro anos, quando sua mãe e seu pai se separaram por um tempo, Alois Jr. foi para Viena. Isso estaria de acordo com a convicção de Hanfstaengl de que Alois Jr. estava em Viena ao mesmo tempo que Adolf.

Em 1924, Alois Jr. foi levado a juízo no tribunal de Hamburgo sob a acusação de bigamia. Ele foi condenado a seis meses de prisão, mas, como sua primeira mulher não o processou, a sentença foi suspensa. Ele tem um filho bastardo com a segunda mulher que vive na Alemanha. Durante todos esses anos, nunca enviou nenhum centavo para o sustento de sua primeira mulher ou do filho. Até a época da hiperinflação, dizem que Alois Jr. tinha uma empresa muito exitosa na Alemanha. A empresa faliu, e ele teve diversos empregos até 1934, quando abriu um restaurante em Berlim que se tornou um conhecido local de encontro dos homens da SA.

De acordo com seu filho, Alois Jr. detestava Adolf quando menino. Ele sempre achava que Adolf era mimado pela mãe e que era obrigado a fazer muitos afazeres que o irmão mais novo devia ter feito. Além disso, parece que, de vez em quando, Adolf fazia alguma travessura e a mãe punha a culpa em Alois, que tinha de aceitar o castigo de seu pai. Ele costumava dizer que, quando menino, gostaria de ter torcido o pescoço de Adolf em mais de uma ocasião, e, considerando as circunstâncias, isso provavelmente não está longe de ser verdade. Desde que Hitler chegou ao poder, os dois irmãos quase não têm mais contato. Eles se reuniram algumas vezes, mas o encontro era geralmente desagradável, com Adolf assumindo uma atitude muito arrogante e ditando as regras para o resto da família. Alois Jr. não é mencionado em *Mein Kampf*, e apenas poucas pessoas na Alemanha sabem de sua relação com Hitler. Segundo uma reportagem, ele foi enviado para um campo de concentração em 1942 porque falava muito.

WILLIAM PATRICK HITLER

O filho de Alois Jr. é um jovem de 32 anos que não deu muito certo na vida. Antes de seu tio chegar ao poder, trabalhou como contador em Londres. Quando seu tio ficou famoso, esperava que algo fosse feito em favor de sua família. Largou o emprego em Londres e foi para a Alemanha, onde teve algum contato com Adolf Hitler. No entanto, o tio estava interessado principalmente em mantê-lo oculto, e arrumou-lhe um emprego modesto na fabricante de automóveis Opel. Tenho a impressão de que William Patrick estava pronto para chantagear tanto seu pai quanto seu tio, mas os planos não saíram como o planejado. Ele voltou para a Inglaterra e, como cidadão britânico, veio para os Estados Unidos e tornou-se palestrante profissional. Também está envolvido na elaboração de um livro sobre suas ligações e experiências na Alemanha hitlerista.

ANGELA

Ela é a meia-irmã mais velha de Adolf. Parece ser a mais normal da família e, de acordo com todos os relatos, é uma pessoa bastante decente e zelosa. Na infância, sentia muita afeição por Adolf, apesar de ter a sensação de que a mãe dele o estava mimando. É a única da família com quem Adolf manteve algum contato nos anos subsequentes e a única parente viva que Hitler mencionou alguma vez. Em 1907, quando a mãe de Hitler morreu, havia uma pequena herança que deveria ser dividida entre os filhos. Como as duas meninas não tinham meios imediatos de ganhar a vida, os irmãos entregaram suas partes para ajudá-las. Adolf deu sua parte para Angela, enquanto Alois deu sua parte para Paula, a irmã caçula. Anos depois, Angela se casou com um funcionário público chamado Raubal, em Linz, que morreu após não muito tempo. Então, ela foi para Viena, onde, depois da guerra, foi gerente da Mensa Academica Judaica. Alguns de nossos entrevistados a conheceram nessa época e relatam que, nos tumultos estudantis, Angela defendia os estudantes judeus dos ataques e, em diversas ocasiões, afugentava os estudantes arianos do andar do salão de jantar com um porrete. Ela é uma típica camponesa, muito grande e forte, capaz de participar dessas ações ativamente.

Depois que Adolf foi dispensado do Exército, no fim da última guerra, dizem que ele foi para Viena e visitou Angela, com quem não tinha contato havia dez anos. Enquanto ficou preso em Landsberg, Angela viajou de Viena para visitá-lo. Em 1924, ela se mudou para Munique com sua filha, Geli, e passou a cuidar da casa de Adolf. Posteriormente, assumiu a gestão da casa de Berchtesgaden. Em 1936, Adolf e Angela entraram em atrito, e ela deixou Berchtesgaden e se mudou para Dresden, onde se casou com o professor Hamitsch. William Patrick relatou que a causa do rompimento foi a descoberta, por Hitler, de que Angela estava tramando com Göring a compra da terra adjacente à casa de Hitler em Berchtesgaden. Isso o enfureceu tanto que ele a mandou embora de sua casa, e teve pouco contato com ela desde então. De qualquer forma, Adolf não compareceu ao segundo casamento de Angela.

GELI RAUBAL

O relacionamento de Hitler com Geli, filha de Angela, já foi descrito na parte anterior. Ela morreu em 1930.

LEO RAUBAL

Geralmente, supõe-se que Geli era filha única de Angela. Porém, William Patrick Hitler relata que também havia um filho chamado

Leo. Não se sabe muito a seu respeito, exceto que ele se recusou a ter qualquer envolvimento com o tio Adolf após a morte de Geli. Ele tinha um emprego em Salzburgo e com frequência ia a Berchtesgaden para visitar a mãe quando Hitler estava em Berlim, mas partia assim que ficava sabendo que o tio estava indo para lá. De acordo com William Patrick, ele acusava abertamente Hitler de provocar a morte de Geli e se recusou a falar com ele de novo enquanto viveu. Noticiou-se que ele foi morto em 1942, nos Bálcãs.

PAULA HITLER

Paula Hitler, ou Hiedler, é irmã legítima de Adolf e é sete anos mais nova. O que aconteceu com ela após a morte da mãe era um mistério, até que se descobriu que ela morava muito mal num sótão em Viena, onde trabalha para uma companhia de seguros endereçando envelopes. Atualmente, ela se chama Frau Wolf (o apelido de Hitler é Wolf). O dr. Bloch foi visitá-la, esperando que ela intercedesse junto ao irmão e obtivesse permissão para ele tirar algum dinheiro do país quando foi exilado. Ele bateu na porta dela algumas vezes, mas não foi atendido. Finalmente, a vizinha do mesmo andar se aproximou e perguntou quem ele era e o que queria. A vizinha explicou que Frau Wolf nunca recebia ninguém e revelou que ela era muito esquisita (outros autores relatariam isso). No entanto, a vizinha prometeu entregar qualquer mensagem que ele quisesse transmitir. O dr. Bloch explicou sua situação aflitiva em detalhes. No dia seguinte, quando ele retornou, esperando que teria uma oportunidade de falar com Paula Hitler pessoalmente, a vizinha relatou que Paula ficou muito feliz em saber dele e que faria tudo que pudesse para ajudá-lo. Nada mais.

Na infância, de acordo com William Patrick Hitler, Paula e Adolf não se davam muito bem. Parece ter havido atrito e ciúme consideráveis entre eles, principalmente porque Alois Jr. sempre ficava do lado dela. Tanto quanto se sabe, Hitler não teve contato com essa irmã desde a época em que sua mãe morreu até 1933, quando se tornou chanceler. Ele nunca a mencionou em nenhum lugar, pelo que se pode determinar. Dizem que ele agora lhe envia uma pequena mesada para aliviar sua pobreza e mantê-la fora dos holofotes. De acordo com William Patrick Hitler, seu tio ficou mais interessado nela depois que aumentou o atrito com Angela. Conta-se que Paula visitou o irmão em Berchtesgaden, e William Patrick a encontrou no Festival de Bayreuth, em 1939, onde ela foi com o nome de Frau Wolf, mas Hitler não disse para ninguém que ela era sua irmã. Ele afirmou que Paula é um pouco estúpida e não é muito interessante para se conversar, já que raramente abre a boca.

Essa é a família de Adolf Hitler, passada e presente. É possível que exista outra irmã, Ida, deficiente mental, que ainda esteja viva, mas, se for verdade, não temos conhecimento de seu paradeiro. Em geral, não é nada de que se orgulhar, e Hitler pode estar sendo sensato em manter sua família bem oculta.

Se deixarmos nossas imaginações nos transportarem de volta ao início da década de 1890, não será difícil imaginarmos como era a vida de Adolf em seus primeiros anos. Provavelmente, seu pai não fazia muita companhia à sua mãe. Não só ele era 23 anos mais velho, mas, pelo jeito, passava a maior parte do tempo livre em tavernas ou fofocando com os vizinhos. Além disso, sua mãe conhecia muito bem o passado do marido, que também era seu pai de criação, e podemos imaginar que, para uma mulher de 25 anos, aquele não era o que poderia ser chamado de casamento romântico. Klara Hitler tinha perdido seus dois primeiros filhos e possivelmente um terceiro ao longo de três ou quatro anos. Então, Adolf chegou. Sob aquelas circunstâncias, era quase inevitável que ele se tornasse o ponto focal da sua vida e que ela fizesse todo o possível para mantê-lo vivo. Todo o afeto que normalmente teria ido para seu marido e para seus outros filhos passou a ser direcionado para aquele filho recém-nascido.

É seguro presumir que, durante cinco anos, o pequeno Adolf foi o centro das atenções naquela casa, até que um acontecimento terrível aconteceu na vida dele: outro filho nasceu. Ele não era mais o centro das atenções nem o rei do pedaço. O recém-chegado usurpou tudo isso, e o pequeno Adolf, que estava em fase de crescimento, ficou mais ou menos por sua própria conta; ao menos, foi assim que deve ter lhe parecido. Compartilhar era algo que ele não tinha aprendido até então, e deve ter sido uma experiência amarga, como é para a maioria das crianças que tem um irmão que nasce quando elas estão nessa faixa etária. De fato, tendo em vista as experiências anteriores de seus pais, é razoável supor que, com ele, o problema foi mais agudo do que é com um menino comum.

Durante dois anos, Adolf teve que suportar tudo isso. Então, as coisas foram de mal a pior: uma irmãzinha nasceu. Mais concorrência e ainda menos atenção, já que a irmãzinha e o irmão enfermo estavam consumindo todo o tempo de sua mãe, enquanto ele foi mandado para a escola e forçado a tomar conta de si mesmo. Quatro anos depois, a tragédia visitou de novo a casa dos Hitler. Quando Adolf tinha 11 anos (em 1900), seu irmão menor, Edmund, morreu. De novo, podemos imaginar que Adolf tenha recebido mais uma parcela de afeição e voltado a ser o menino dos olhos da mãe.

Com certeza, essa série extraordinária de acontecimentos deve ter deixado sua marca na personalidade imatura de Adolf. Aquilo que provavelmente se desenrolou em sua cabeça durante esses anos, vamos considerar depois. No momento, é suficiente destacar a sequência incomum de acontecimentos e os prováveis efeitos que tiveram nos membros da família e suas relações uns com os outros.

Aos 6 anos, Hitler foi mandado para a escola. A primeira escola era uma *Volksschule* [escola primária] muito pequena, onde três séries eram reunidas na mesma sala de aula e tinham o mesmo professor. Embora ele tenha precisado mudar de escola diversas vezes nos anos seguintes, porque seu pai continuava comprando e vendendo suas propriedades e se mudando de um lugar para outro, Adolf parece ter se saído bem nos estudos. Quando tinha 8 anos, frequentou um mosteiro beneditino em Lamback. Ficou muito fascinado com tudo aquilo: teve sua primeira impressão poderosa a respeito da realização humana. Nessa época, sua ambição era se tornar um abade. Mas as coisas não deram muito certo. Ele foi mandado embora do mosteiro porque foi pego fumando nos jardins. Seu último ano na *Volksschule* foi em Leonding, onde recebeu notas altas em todas as matérias, com a exceção ocasional de canto, desenho e educação física.

Em 1900, ano em que seu irmão Edmund morreu, Adolf ingressou na *Realschule* [escola secundária], em Linz. Para total espanto de todos que o conheciam, seu desempenho escolar foi tão medíocre que ele foi reprovado e repetiu de ano. Em seguida, houve uma melhora gradual em seu desempenho, em especial em história, desenho à mão livre e ginástica. Nessas matérias, ele ganhou "excelente" diversas vezes. Em matemática, francês, alemão e outras disciplinas, continuou mediano – às vezes, satisfatório, outras, insatisfatório. Em "esforço", ele com frequência ganhava "irregular". Quando Adolf tinha 14 anos, seu pai morreu subitamente. No ano seguinte, ele deixou a *Realschule*, em Linz, e passou a frequentar a escola em Steyr. Não sabemos por que essa mudança foi feita. O dr. Bloch tem a impressão de que Adolf estava indo mal no fim do ano letivo na escola de Linz e foi enviado para a de Steyr porque tinha a reputação de ser mais fácil. Contudo, seu desempenho ali foi bastante medíocre. As duas únicas matérias em que ele se destacou foram desenho à mão livre, em que ganhou "digno de elogio", e ginástica, em que ganhou "excelente". No primeiro semestre, em língua alemã, ganhou "insatisfatório" e, em história, "adequado".

Na descrição desses anos, Hitler encobre tudo isso com verniz. De acordo com sua narrativa, ele estava em desacordo com seu pai a respeito de sua futura carreira como pintor e, para fazer prevalecer sua vontade, sabotou os próprios estudos, exceto as matérias que achava que contribuiriam para uma carreira artística e história, que ele diz sempre tê-lo fascinado. Nessas matérias, pelo que ele mesmo diz, sempre se saía muito bem. Uma análise de seus boletins não demostra isso. Em história, mesmo no último ano da *Realschule*, ele ganhou "adequado" ou o suficiente para a aprovação, e, em outras matérias que talvez fossem úteis para um pintor, as avaliações se situam na mesma categoria. Um melhor diagnóstico seria que ele era excelente naquelas disciplinas que não requeriam nenhuma preparação, enquanto nas que exigiam aplicação, ele era muito deficiente. É comum encontrarmos desempenhos escolares similares entre nossos pacientes que são muito inteligentes, mas que se recusam a se esforçar. Eles são brilhantes o suficiente para entender alguns princípios fundamentais sem se esforçarem, e inteligentes o suficiente para amplificá-los e obterem uma nota mínima para passar sem jamais estudarem. Dão a impressão de saber algo sobre a matéria, mas o conhecimento é muito superficial, sendo encoberto com palavras e terminologia simplistas.

Essa avaliação da vida escolar de Hitler combina com o testemunho de ex-colegas e ex-professores. De acordo com eles, Hitler nunca se dedicava e ficava entediado com o que acontecia. Enquanto o professor explicava um novo assunto, ele lia os livros de Karl May (histórias de índios e faroeste), que mantinha escondidos sob a carteira escolar. Hitler levava facas, machadinhas e coisas do gênero para a escola e sempre tentava iniciar brincadeiras de índios, em que ele seria o líder. Os outros meninos, porém, não ficavam muito impressionados com ele, com sua arrogância ou com suas tentativas de bancar o líder. Em geral, preferiam seguir a liderança dos meninos que eram mais inteligentes socialmente, mais realistas em suas atitudes e que tinham maior potencial para realizações futuras do que Hitler – que dava todos os sinais de ser preguiçoso e não cooperativo, vivia num mundo de fantasia e se vangloriava mas não fazia nada digno de mérito. Provavelmente, ele não melhorou seu prestígio com os outros meninos quando, aos 12 anos, foi culpado por *Sittlichkeitsvergehen* [atentado ao pudor] na escola. Não sabemos exatamente em que consistiu a imprudência sexual, mas o dr. Bloch, que se lembra de que um dos professores da escola lhe contou a respeito do caso, tem certeza de que Hitler fez algo com uma garotinha. Ele foi severamente censurado por isso e quase expulso da escola. É possível que ele tenha sido marginalizado pelos seus colegas e que esse seja o motivo pelo qual mudou de escola no ano seguinte.

Em setembro de 1905, ele parou em definitivo de ir à escola e voltou para Leonding, onde foi morar com a mãe e a irmã. De acordo com seus biógrafos, nesse período, sofria de um problema pulmonar e teve que ficar na cama a maior parte do tempo. O dr. Bloch, que era o médico da família nessa época, não consegue entender como essa história começou, porque não havia nenhum sinal de problema pulmonar em Hitler. De vez em quando, Adolf aparecia em seu consultório com uma gripe leve ou uma dor de garganta, mas não existia mais nada de errado com ele. De acordo com o dr. Bloch, ele era um garoto muito quieto, um tanto franzino, mas razoavelmente forte. Era sempre muito cortês e esperava por sua vez com paciência. Não fazia estardalhaço quando o médico examinava sua garganta ou quando ele a limpava com um antisséptico. Era muito tímido e tinha pouco a dizer, exceto quando forçado. No entanto, não havia nenhum sinal de problema pulmonar.

Nesse período, porém, Adolf costumava ir com sua mãe visitar uma tia em Spital, na Baixa Áustria, onde também passava as férias. Supostamente, o médico que o tratou lá disse para a tia: "Dessa doença, Adolf não vai se recuperar." Presumiu-se que ele havia se referido a uma doença pulmonar, mas ele pode ter aludido a algo totalmente diferente. Em todo caso, o dr. Bloch tem certeza de que não existia indicação de nenhum problema pulmonar alguns meses depois, quando Adolf voltou para Leonding.

Embora a renda da mãe fosse muito modesta, Adolf não tentava encontrar trabalho. Nessa ocasião, há alguma evidência de que ele tenha frequentado uma escola de belas artes em Munique por um breve período. A maior parte de seu tempo, porém, ele passava vadiando e pintando aquarelas. Fazia longas caminhadas pelos morros, supostamente para pintar, mas há relatos de que ele tenha sido visto proferindo discursos para as pedras no campo com um tom de voz bastante intenso.

Em outubro de 1907, aos 18 anos, ele foi para Viena para se preparar para o exame de admissão para a Academia de Belas Artes. Qualificou-se para realizar o exame, mas não foi aprovado. Voltou para casa, em Linz, mas não há indicação de que tenha contado para alguém os resultados. Sem dúvida, foi um duro golpe para Hitler, pois ele mesmo disse que não conseguia entender, que "tinha absoluta certeza de que seria bem-sucedido". Nessa época, sua mãe já passara por uma cirurgia de câncer de mama. Klara estava piorando muito rápido e havia pouca esperança de que se recuperasse. Ela morreu em 21 de dezembro de 1907 e foi enterrada na véspera do Natal. Para guardar uma última impressão, ele a desenhou no leito de morte. De acordo com o dr. Bloch, Adolf ficou bastante abalado: "Em toda a minha carreira, nunca vi ninguém tão prostrado de pesar quanto Adolf Hitler." Embora suas irmãs tenham procurado o dr. Bloch alguns dias depois do funeral e desabafado sem embaraço, Adolf ficou em silêncio. Quando o pequeno grupo saiu, ele disse: "Serei grato ao senhor para sempre."[2] Depois do funeral, ficou junto à sepultura por um longo tempo depois da partida das irmãs. Seu mundo havia desmoronado. Os olhos do dr. Bloch se encheram de lágrimas quando ele descreveu a trágica cena. "Sua mãe se reviraria no túmulo se soubesse o que ele acabou se tornando."[3] Foi o fim da vida familiar de Adolf Hitler.

Experiências posteriores

VIENA

Pouco depois da morte da mãe, a família se dissolveu, e Adolf foi para Viena seguir seu rumo, como o pai fizera antes dele. Era o início de 1908. Quanto dinheiro ele levou consigo, se é que levou, não se sabe. Nesse caso, os registros são muito vagos, especialmente porque todos os biógrafos partiram da suposição de que sua mãe tenha morrido um ano depois de quando realmente faleceu. Isso deixa um ano inteiro sem registros, já que o próximo fato de que temos conhecimento é que Adolf se candidatou para prestar o exame para a Academia de Belas Artes mais uma vez. Uma das condições para prestar novo exame era apresentar à banca examinadora algumas das pinturas que ele tinha feito. Ele fez isso, mas a banca não se convenceu e não permitiu que ele prestasse o exame. Isso, pelo jeito, foi um choque ainda maior do que ter fracassado no exame do ano anterior.

Depois que Adolf foi informado de que o nível de seu trabalho não justificava sua admissão para a realização do segundo exame, ele conversou com o diretor da academia. Segundo Adolf, o diretor lhe disse que seus desenhos mostravam claramente que seus talentos estavam mais voltados para a arquitetura do que para as belas artes, e o aconselhou a tentar ingressar na escola de arquitetura. Ele se candidatou, mas não foi aprovado, porque, conforme relata, não havia terminado seu curso na *Realschule* de modo satisfatório. Sem dúvida, esse era um dos requisitos gerais, mas exceções podiam ser consideradas no caso de alunos que mostrassem talento incomum. A rejeição de Hitler, portanto, foi com base na falta de talento, e não pela falta de conclusão de seu curso escolar.

Ele ficou sem esperanças. Aparentemente, todos os seus sonhos de ser um grande artista tinham sido cortados pela raiz. Ele estava sem dinheiro e sem amigos. Foi forçado a procurar trabalho e encontrou emprego como operário da construção civil. Isso, porém, não combinou com ele. Ocorreram atritos entre ele e seus colegas de trabalho. Parece lógico supor que ele estava trabalhando abaixo de sua classe social e se recusou a se misturar com os outros operários, pois Adolf afirmou que se sentava separado deles na hora do almoço. Outras dificuldades apareceram, na medida em que os operários tentaram convertê-lo à visão marxista. As atitudes e os argumentos deles o desagradavam, pois estavam longe da Alemanha ideal que fora retratada por Ludwig Poetsch, seu professor preferido em Linz e um fervoroso nacionalista alemão. No entanto, Hitler se viu incapaz de responder aos argumentos. De modo desagradável, descobriu que os operários sabiam mais do que ele. Basicamente, ele era contra tudo que eles diziam, mas era incapaz de justificar sua opinião de um ponto de vista intelectual; estava em grande desvantagem. Para reparar a situação, começou a ler todos os tipos de panfletos políticos e a frequentar reuniões políticas, mas não com o propósito de entender o problema em geral, o que talvez tivesse lhe permitido formar uma opinião inteligente, mas sim para encontrar argumentos que apoiariam sua convicção anterior. Esse é um traço de personalidade que persiste em sua vida.

Ele nunca estuda para aprender, mas sim para justificar o que sente. Em outras palavras, seus julgamentos se baseiam por inteiro em fatores emocionais e, em seguida, são revestidos com um argumento intelectual. Em pouco tempo, Hitler afirma, sabia mais do que eles a respeito de sua ideologia política e conseguia relatar-lhes fatos sobre essa ideologia que eles mesmos desconheciam.

De acordo com Hitler, foi isso que despertou a inimizade dos operários. Em todo caso, ele foi obrigado a sair do emprego sob a ameaça de que, se aparecesse de novo, seria empurrado do andaime. Isso deve ter acontecido no segundo semestre de 1909, quando ele tinha 20 anos. Sem um emprego, Hitler afundou cada vez mais na escala social e, em alguns momentos, é possível que tenha ficado à beira da inanição. De vez em quando, arrumava algum trabalho ocasional, como carregar bagagens, remover neve ou executar pequenas tarefas, mas passava a maior parte do tempo nas filas de sopa ou pedindo esmolas nas ruas. Em novembro de 1909, foi despejado de seu quarto porque não pagou o aluguel e foi obrigado a procurar refúgio numa pensão. Ali, conheceu Reinhold Hanisch, que estava na mesma situação difícil. Anos depois, Hanisch escreveu um longo livro a respeito de sua ligação com Hitler durante esse período. É uma terrível história de inacreditável pobreza. Nessa época, Hitler deve ter ficado com um péssimo aspecto, com uma barba preta cheia, roupas em andrajos e aparência abatida. Hanisch escreve: "Era uma vida miserável e, certa vez, perguntei-lhe o que ele realmente esperava. A resposta: 'Eu não me reconheço.' Nunca vi uma entrega tão desesperançada ao sofrimento."[4] Então, Hanisch o estimulou a pintar. A dificuldade era que nenhum deles tinha dinheiro para comprar materiais. Quando Hanisch descobriu que Hitler havia cedido sua herança para a irmã, ele o convenceu a escrever para ela e conseguir um pequeno empréstimo. Aparentemente, tratava-se de sua meia-irmã Angela. Quando Hitler recebeu o dinheiro, sua primeira ideia foi tirar uma semana de férias para se recuperar, e se mudou para o *Männerwohnheim* [abrigo para moços] em Brigittenau, que era um pouco melhor do que as pensões em que tinha ficado.

Ele e Hanisch se tornaram sócios. Hitler pintava cartões-postais, cartazes e aquarelas, enquanto Hanisch percorria Viena e tentava vender os trabalhos para *marchands*, lojas de móveis etc. Nisso ele foi bastante bem-sucedido, mas as dificuldades não paravam ali. Assim que Hitler conseguia um pouco de dinheiro, ele se recusava a trabalhar. Hanisch descreve isso com clareza:

> Infelizmente, Hitler nunca foi um ardoroso trabalhador. Frequentemente, eu era levado ao desespero, pois trazia pedidos aos quais ele simplesmente não atendia. Na Páscoa de 1910, ganhamos 40 coroas num grande pedido e dividimos meio a meio. Na manhã seguinte, quando desci e perguntei por Hitler, soube que ele já tinha saído com Neumann, um judeu... Depois disso, não consegui encontrá-lo por uma semana. Ele ficou passeando por Viena com Neumann e passou a maior parte do tempo no museu. Quando lhe perguntei qual era a questão e se iríamos continuar trabalhando, ele respondeu que precisava se recuperar, que precisava ter algum lazer, que não era um peão. Quando a semana acabou, ele não tinha mais nenhum tostão.[5]

Nesse tempo, Hitler não sentia ódio dos judeus. Havia alguns judeus morando no abrigo para moços com quem ele tinha excelente relação. A maioria de suas pinturas era vendida para *marchands* judeus, que pagavam o mesmo valor que os arianos. Ele também admirava Rothschild por continuar com sua religião, mesmo que isso o impedisse de ingressar na corte. Nesse período, ele enviou dois cartões-postais para o dr. Bloch, que era judeu, em Linz. O primeiro era apenas um cartão-postal com uma fotografia de Viena; o outro, uma cópia que ele pintou. Nos dois, ele escreveu expressando sua profunda gratidão pelo médico. Isso é mencionado porque é um dos poucos casos dos quais temos registro em que Hitler mostrou uma gratidão duradoura. Nesse período, o próprio Hitler parecia muito judeu. Hanisch escreve:

> Naquela época, Hitler parecia muito judeu, de modo que eu muitas vezes brincava com ele dizendo que devia ter sangue

judeu, pois uma barba tão grande como aquela raramente cresce num queixo cristão. Ele também tinha os pés grandes, como um errante do deserto deve ter.[6]

Apesar de sua associação próxima com Hanisch, o relacionamento terminou em briga. Hitler acusou Hanisch de reter parte do dinheiro que tinha recebido por um quadro. Hanisch foi preso e Hitler se apresentou como testemunha contra ele. Temos pouco conhecimento do que aconteceu com Hitler depois desse tempo. De acordo com Hanfstaengl, a casa em que Hitler vivia tinha a reputação de ser um lugar aonde homens homossexuais iam frequentemente para encontrar acompanhantes. Jahn afirmou ter informações de um policial vienense que davam conta de que, em seus antecedentes criminais, Hitler estava registrado como pervertido sexual, mas não havia detalhes sobre delitos. É possível que o registro tenha sido feito somente com base em suspeitas. Simone afirma que, em 1912, o arquivo policial vienense registrou uma acusação de roubo contra Hitler e que ele se mudou de Viena para Munique a fim de evitar a prisão.[7] Isso se encaixaria com a suspeita de Hanfstaengl de que o meio-irmão mais velho de Hitler (que foi condenado por roubo duas vezes) estava em Viena na ocasião e que eles podem ter se envolvido em algum crime sem importância. Isso não seria impossível, pois Hanisch revela que Hitler com regularidade passava seu tempo tentando descobrir maneiras duvidosas de ganhar dinheiro. Um exemplo pode ser interessante:

> Ele sugeriu encher latas velhas com cola e vender para lojistas. A cola seria untada nas vidraças para impedi-las de congelar no inverno. Deveria ser vendida... no verão, quando não poderia ser testada. Disse-lhe que não funcionaria porque os comerciantes simplesmente diriam para voltar no inverno... Hitler respondeu que a pessoa deve ter um talento para oratória.[8]

Como Hitler só resolvia trabalhar quando estava passando fome, gastava boa parte do tempo lendo panfletos políticos e jornais, sentando-se em cafés e fazendo discursos para os outros companheiros de abrigo. Ele se tornou um grande admirador de Georg von Schönerer e do prefeito de Viena, Karl Lueger. Aparentemente, foi com eles que aprendeu seu antissemitismo e muitos dos ardis de um político bem-sucedido. De acordo com Hanisch, seus companheiros se divertiam muito com ele e muitas vezes o ridicularizavam tanto quanto ridicularizavam suas opiniões. Em todo caso, parece que ele acumulou muita prática em discursar em público durante esses anos, o que lhe foi de grande valia no futuro. Mesmo naquela época, ele já falava em criar um novo partido.

Não está claro por que ele ficou em Viena e viveu na pobreza durante cinco anos quando sentia um profundo amor pela Alemanha e poderia ter ido para lá com relativamente pouca dificuldade. Também não está claro por que ele foi quando foi, a menos que haja alguma verdade na suposição de que ele fugiu de Viena para evitar uma prisão. Sua própria explicação é que ele não conseguia tolerar a mistura de pessoas, sobretudo os judeus e sempre mais judeus, e diz que para ele Viena é o símbolo do incesto.

Mas, de acordo com o relato de Hitler, esse tempo não foi perdido. Quando ele olha para trás e analisa esse período, ele pode dizer:

> Em alguns anos, construí uma base de conhecimento da qual extraio sustento ainda hoje.[9]

> Naquela época, formei uma imagem do mundo e uma visão da vida que se tornou a base granítica de minhas ações.[10]

MUNIQUE ANTES DA PRIMEIRA GUERRA MUNDIAL

Em Munique, antes da guerra, as coisas não estavam melhores para Hitler. No que diz respeito à pobreza, ele podia ter ficado em Viena. Ganhava um pouco de dinheiro pintando cartões-postais e cartazes e, às vezes, pintando casas. No início de 1913, foi a Salzburgo se apresentar para o serviço militar, mas foi rejeitado por ter uma condição física insatisfatória. Voltou para Munique e continuou a fazer bicos e ficar sentado em cafés, onde passava o tempo lendo jornais. Nada do que temos conhecimento e que seja pertinente ao nosso estudo aconteceu durante aquele tempo. As perspectivas de ser bem-sucedido no futuro devem ter sido muito sombrias naquela época.

PRIMEIRA GUERRA MUNDIAL

Então, eclodiu a Primeira Guerra Mundial. Sobre essa ocasião, ele escreveu:

> Na verdade, a luta do ano de 1914 não foi imposta sobre as massas, mas sim desejada por todo o povo.
>
> Para mim, esse tempo chegou como uma redenção das experiências vexatórias de minha juventude. Mesmo hoje não tenho vergonha de dizer que, num arrebatamento de entusiasmo, caí de joelhos e agradeci ao Céu com um coração transbordante.

Em 3 de agosto de 1914, aos 25 anos, Hitler ingressou num regimento bávaro como voluntário. Nos primeiros dias da guerra, seu regimento sofreu pesadas baixas e não era particularmente popular entre os bávaros. Hitler se tornou ordenança no quartel-general do regimento e também mensageiro. A única coisa sobre a qual todos os seus companheiros comentaram foi sua subserviência aos oficiais superiores. Parece que ele não poupou esforços para cortejar a boa vontade deles, oferecendo-se para lavar suas roupas e realizar outras tarefas servis, para a indignação de seus companheiros. Ele não era apreciado pelos outros homens e sempre mantinha distância. Quando se juntava a eles, geralmente dava sermões a respeito de assuntos políticos. Nos quatro anos da guerra, foi o único a não receber pacote ou correspondência de ninguém. No Natal, época em que todos recebiam presentes e mensagens, ele se afastava do grupo e ficava de mau humor. Quando seus companheiros o encorajavam a se juntar ao grupo e compartilhar seus pacotes, ele recusava. Em 7 de outubro de 1916, um estilhaço de bomba feriu Hitler, e ele foi mandado para um hospital. Era um ferimento leve, por isso logo recebeu alta e foi enviado para Munique de licença. Depois de dois dias, escreveu para seu comandante, o capitão Wiedemann, pedindo que fosse reintegrado ao regimento porque não podia tolerar Munique sabendo que seus companheiros estavam no *front*. Wiedemann levou Hitler de volta para o regimento, onde ele permaneceu até 14 de outubro de 1918, quando foi vítima de exposição ao gás mostarda e enviado para o hospital em Pasewalk. Ele ficou temporariamente cego e, de acordo com Friedelinde Wagner, também perdeu a voz.

Parece que o mistério sempre acompanha Hitler. Sua carreira no Exército não é exceção. Há muitos pontos que jamais foram explicados de modo satisfatório. O primeiro é que ele ficou quatro anos no mesmo regimento, mas nunca foi promovido além da patente de soldado raso ou cabo. O segundo é a Cruz de Ferro de Primeira Classe que ele usa constantemente. Isso foi objeto de muita discussão, mas o mistério nunca foi resolvido. Não há menção da condecoração na história de seu regimento. Isso é um tanto surpreendente, na medida em que outras condecorações desse tipo são registradas. Hitler é mencionado em diversos outros contextos, mas não nesse, embora digam que ele foi condecorado por ter capturado sozinho doze franceses, incluindo um oficial. Com certeza, essa não é uma façanha comum em nenhum regimento, e se esperaria que merecesse ao menos alguma menção, sobretudo em vista do fato de que Hitler tinha renome considerável como político quando seu livro foi impresso.

Os órgãos de propaganda nazista não ajudaram a esclarecer a situação. Não só apareceram na imprensa diversas versões da história, mas cada uma dá um número diferente de franceses que ele supostamente capturou. Também publicaram supostos fac-símiles de seu histórico na guerra que não coincidem. O jornal berlinense *Illustrierte Zeitung* de 10 de agosto de 1939 divulgou um fac-símile em que a data da concessão dessa condecoração era claramente 4 de agosto de 1918. No entanto, a edição do *Völkische Beobachter* do dia 14 de agosto de 1934 publicou um fac-símile em que a data da concessão era 4 de outubro de 1918. Embora esses supostos fac-símiles mencionassem outras condecorações, não incluíam a data de concessão da Cruz de Ferro de Segunda Classe. Pelo que se sabe, a Cruz de Ferro de Primeira Classe somente era concedida se o beneficiário já tivesse recebido a condecoração de Segunda Classe.

É impossível determinar o que de fato aconteceu. Dizem que o histórico de Hitler na guerra foi falsificado e que Von Schleicher foi eliminado na Noite dos Longos Punhais porque ele conhecia os fatos verdadeiros. Strasser, que serviu na mesma divisão, provavelmente tem uma explicação tão boa quanto qualquer outra. Segundo ele, nos últimos meses da guerra, havia tantas Cruzes de Ferro de Primeira Classe sendo concedidas que o alto-comando não era mais capaz de julgar os méritos de cada caso individualmente. Para facilitar as coisas, destinaram-se algumas dessas condecorações a todos os regimentos, a cada mês, para serem distribuídas pelos comandantes. Por sua vez, eles notificavam o alto-comando a respeito da concessão e do feito que a mereceu. De acordo com Strasser, quando o Exército começou a entrar em colapso, os quartéis-generais dos regimentos tinham em sua posse diversas condecorações que não haviam sido concedidas. Como poucos membros dos quartéis-generais recebiam uma condecoração desse tipo, aproveitaram a confusão geral e concederam condecorações uns aos outros, falsificando a assinatura dos comandantes ao enviarem as notificações ao alto-comando. O que fala a favor dessa explicação é a curiosa ligação que existe entre Hitler e seu sargento-mor do regimento, Max Amann, que, posteriormente, tornou-se chefe da editora nazista Eher Verlag. É um dos cargos mais lucrativos de toda a hierarquia nazista, e Amann foi convidado para o cargo por Hitler.

A única explicação para a falta de promoção que foi publicada é o comentário de um de seus oficiais, no sentido de que ele nunca promoveria a suboficial "aquele sujeito neurótico, Hittler". Rauschning dá uma explicação diferente.[11] Ele afirma que, certa vez, um nazista de alto escalão lhe confidenciou ter visto o histórico militar de Hitler e que nele continha um item de uma corte marcial que o considerou culpado de práticas pederásticas com um oficial, e, por esse motivo, Hitler jamais foi promovido. Rauschning também sustenta que, em Munique, Hitler foi considerado culpado pela violação do parágrafo 175, que trata de pederastia. Nenhuma outra evidência de alguma dessas duas acusações foi encontrada.

O mistério se torna ainda maior quando ficamos sabendo, por intermédio de diversos entrevistados, que Hitler era bastante corajoso e nunca tentava se esquivar de missões perigosas. Afirma-se que ele era excepcionalmente habilidoso em correr e, depois, cair ou procurar abrigo quando a fuzilaria se tornava intensa. Aparentemente, ele também sempre estava a postos para se voluntariar em missões especiais e era considerado bastante confiável pelos seus oficiais no desempenho de todos os seus deveres.

Neste momento, vale mencionar que, quando Hitler se alistou no Exército, tornou-se de novo membro de uma instituição social reconhecida e respeitada. Ele não precisava mais ficar em filas de sopa ou procurar abrigo em pensões. Desde que sua mãe morreu, pela primeira vez ele pertencia a um grupo de pessoas. Isso não só lhe dava um senso de orgulho e segurança, mas enfim ele tinha alcançado sua grande ambição: estar unido à nação alemã. Também é interessante notar uma mudança considerável em sua aparência. Depois das roupas sujas, ensebadas e rejeitadas de judeus e outras pessoas caridosas, ele tinha então o privilégio de usar um uniforme. Mend, um de seus companheiros, revela que, quando Hitler saía das trincheiras ou voltava de uma missão, passava horas limpando seu uniforme e suas botas, até se tornar a piada do regimento.[12] Uma mudança notável para alguém que, durante quase sete anos, recusou-se a se esforçar pelo menos um pouco para escapar das condições deploráveis em que vivia entre a gentalha.

PÓS-GUERRA

Então, houve o armistício e tudo isso acabou. Do ponto de vista psicológico, Adolf Hitler estava exatamente na mesma posição em que se encontrava onze anos antes, quando sua mãe morreu.

Ele encarava o futuro sozinho. O Exército, seu lar durante quatro anos, estava em frangalhos. De novo, ele estava sozinho ante um futuro sombrio; um mundo em que ele não conseguia encontrar um nicho, um mundo que não se preocupava com ele, um mundo de existência sem objetivo, cheio de adversidades. Era quase mais do que podia suportar, e ele entrou em profunda depressão, que persistiu por um período de tempo considerável.

Aonde ir e o que fazer. Não tendo casa ou família para recebê-lo, Hitler voltou para Munique, não porque a cidade tinha sido boa para ele no passado, mas porque não havia outro lugar para ir. Poderia retomar a vida de onde tinha parado quatro anos antes. Vagou pelas ruas de Munique por pouco tempo, como "um cachorro abandonado procurando um dono". Então, relata-se que ele foi para Viena visitar sua meia-irmã Angela, com quem não tinha contato havia anos. Se realmente fez essa viagem, não ficou muito tempo, pois logo estava de volta à reserva militar, aquartelado em Traunstein, onde podia usar o uniforme e comer o rancho do Exército. Ficou ali até abril de 1920, quando o acampamento foi desmontado. Então, voltou para Munique, ainda ligado ao Exército e morando no quartel. Nesse período, parece ter mantido discussões políticas com seus companheiros, ficando do lado dos sociais-democratas contra os comunistas. De acordo com o *Münchener Post*, ele chegou a se filiar ao Partido Social-Democrata.[13] Após a contrarrevolução, um décimo dos homens do quartel foi morto, mas Hitler foi escolhido de antemão e pediram que se afastasse. No inquérito, ele se apresentou ao conselho com "listas de acusação" contra alguns companheiros, que só podem significar denúncias de atividades comunistas. Ele tinha espionado seus companheiros e agora os destinava ao carrasco. Em *Mein Kampf*, refere-se a essa ocupação como sua "primeira atividade mais ou menos política".

Naquele momento, o Exército se responsabilizou por educar seus soldados na filosofia política apropriada, e Hitler foi escalado para esse curso. Ele falou tão habilmente para esse grupo que seu talento oratório acabou impressionando um oficial que estava presente, e Hitler foi nomeado "oficial de educação". Sua hora tinha chegado: ele foi descoberto e valorizado, escolhido por seu talento. Lançou-se nesse trabalho com grande entusiasmo, sempre falando para grupos maiores. A confiança cresceu com seu sucesso em influenciar as pessoas. Ele estava a caminho de se tornar um político. Dali em diante, sua carreira é uma questão de história e não precisa ser examinada aqui.

Essa é a base do caráter de Hitler. O que quer que ele tenha tentado ser depois é apenas superestrutura, e a superestrutura não consegue ser mais firme do que os alicerces sobre os quais ela se apoia. Quanto mais alta fica, mais instável se torna, mais precisa ser escorada e remendada para se manter coesa. Não é um trabalho fácil. Requer vigilância constante, defesas fortes e perdas significativas de tempo e energia.

Houve uma concordância geral entre os colaboradores de que Hitler é provavelmente um psicopata neurótico que beira a esquizofrenia. Isso significa que ele não é louco no sentido comum do termo, mas sim um neurótico que carece de inibições adequadas. Ele não perdeu por completo o contato com o mundo ao redor e ainda tenta fazer algum tipo de ajuste psicológico que lhe dará um sentimento de segurança em seu grupo social. Também significa que há um claro componente moral em seu caráter, não importa o quão profundamente possa estar enterrado ou quanto foi distorcido.

Com esse diagnóstico estabelecido, temos condições de fazer algumas conjecturas sobre os processos mentais conscientes que se desenrolam na mente de Hitler. Eles constituem o núcleo do "Hitler" que ele conscientemente conhece e com que deve viver. Não é, com toda probabilidade, um "Hitler" feliz, mas sim um acossado por medos, ansiedades, dúvidas, receios, incertezas, recriminações, sentimentos de solidão e de culpa. Pela nossa experiência com outros psicopatas neuróticos, é provável que estejamos bem fundamentados quando supomos que a mente de Hitler é como uma enorme batalha a maior parte do tempo, com muitas forças e impulsos conflitantes e contraditórios arrastando-o para um lado e para outro.

Esse estado de confusão não é fácil de suportar. Grande parte de suas energias é geralmente desperdiçada numa luta consigo mesmo, em vez de ser direcionada para o mundo externo. Ele pode enxergar possibilidades de gratificações em torno dele, mas só raramente consegue reunir energia suficiente para fazer um esforço consistente. Os medos, as dúvidas e as implicações obstruem seu pensamento e suas atitudes. Então, ele fica indeciso e, muitas vezes, acaba não fazendo nada. As gratificações indiretas por meio de fantasias tornam-se substitutos para a satisfação obtida com realizações reais. Devemos supor que Hitler tenha ficado nessa condição durante os sete anos que decorreram entre a morte de sua mãe e a deflagração da guerra, quando morava em pensões e gastava o tempo em cafés em Viena. Só quando a fome ficava crítica que ele reunia a energia necessária para se dedicar a algumas horas de trabalho. Assim que a fome era aplacada, ele voltava ao estado de procrastinação e indecisão.

Podemos supor que os períodos de procrastinação no momento presente têm origem semelhante. Ele se retira da sociedade, fica deprimido e perde tempo, até que a "situação se torna perigosa", obrigando-o a agir. Trabalha por um tempo e, assim que o trabalho está em andamento, "perde interesse nele" e volta para sua vida relaxada, em que não faz nada exceto o que é forçado ou gosta de fazer. Atualmente, claro, não é mais a fome que o motiva a trabalhar, mas outro motivo, ainda mais poderoso, do qual ele não tem plena consciência. A natureza desse motivo será discutida na próxima parte.

Quando alguém examina os padrões de comportamento de Hitler – como seus colaboradores próximos os observam –, tem a impressão de que não se trata de uma personalidade única, mas sim de duas que habitam o mesmo corpo e se alternam. Uma é de uma pessoa muito frágil, sentimental e indecisa, que tem pouquíssima energia e só quer ser entretida, amada e cuidada. A outra é exatamente o contrário – uma pessoa dura, cruel e decidida, com considerável energia –, de alguém que parece saber o que quer e está pronto para correr atrás e conseguir o que deseja, independentemente do custo. É o primeiro Hitler que chora copiosamente com a morte de seu canário, e é o segundo Hitler que grita numa audiência pública: "Cabeças vão rolar." É o primeiro Hitler que não consegue demitir um assistente, e é o segundo Hitler que é capaz de ordenar a morte de centenas de pessoas, incluindo seus melhores amigos, e consegue dizer com grande convicção: "Não haverá paz na terra até que haja um corpo pendurado em cada poste de iluminação." É o primeiro Hitler que passa suas noites assistindo a filmes ou indo aos cabarés, e é o segundo Hitler que trabalha durante dias sucessivos sem dormir ou dormindo pouco, fazendo planos que afetarão o destino das nações.

Até compreendermos a magnitude e as implicações dessa dualidade de sua natureza, jamais poderemos entender suas ações. É uma estrutura de personalidade do tipo "o médico e o monstro", em que duas personalidades completamente diferentes se alternam, deixando a pessoa quase irreconhecível. Essa característica é comum em muitos psicopatas.

Nessas circunstâncias, é bastante difícil prever, de um momento para outro, quais serão suas reações a uma dada situação. Um exemplo pode ser útil. De acordo com Russell, preparativos extravagantes foram feitos para a cerimônia em homenagem aos alemães mortos no bombardeio do encouraçado *Deutschland*. De modo apaixonado, Hitler falou durante muito tempo para os presentes e também por meio de transmissão radiofônica. Então, foram feitos arranjos para que ele percorresse a fila de sobreviventes e passasse em revista as unidades naval e de infantaria dispostas em posição de sentido. Operadores de câmera de jornais cinematográficos estavam posicionados em todos os pontos principais:

> A primeira viúva para quem Hitler dirigiu algumas palavras chorava copiosamente. O filho, de 10 anos, que estava ao seu lado, começou a chorar de modo comovente. Hitler deu um tapinha na cabeça do menino e se voltou de modo incerto para a próxima pessoa da fila. Antes que conseguisse dizer uma palavra, ficou de repente transtornado. Deu meia-volta

> e se afastou do evento preparado com cuidado. Seguido pelos companheiros totalmente surpresos, caminhou o mais rápido possível para o seu carro e partiu do local da homenagem.[14]

Essa súbita alternância de um estado de ânimo para outro não é incomum. Repetidas vezes, os colaboradores próximos comentaram a respeito disso. Ludecke escreve:

> Houve vezes que ele deu a impressão de infelicidade, solidão, busca interior... Mas, em apenas um instante, ele se voltava de novo para qualquer tarefa frenética... com o rápido controle de um homem nascido para a ação.[15]

Rauschning afirma: "Quase tudo pode subitamente inflamar sua fúria e ódio... Mas, da mesma forma, a transição da raiva para o sentimentalismo ou entusiasmo pode ser bastante repentina."[16] Huddleston escreve: "Seus olhos, emotivos e sonhadores enquanto ele falava comigo, de repente se tornaram frios e cheios de raiva..."[17] Voigt afirma: "Colaboradores próximos durante muitos anos afirmaram que Hitler era sempre assim: a menor dificuldade ou obstáculo podiam fazê-lo gritar de raiva ou cair em lágrimas."[18] Heiden comentou sobre a dualidade do caráter de Hitler e sugeriu que o lado procrastinador é "Hitler", enquanto a personalidade inflamada que irrompe de vez em quando é "o Führer". Embora isso possa não ser estritamente verdadeiro do ponto de vista psicológico, pode ser útil pensar nele nesses termos.

Contudo, não há uma completa dissociação da personalidade. Nesse caso, esperaríamos encontrar as personalidades se alternando mutuamente, muito além do controle voluntário do indivíduo. Sem dúvida, esse não é o caso em relação a Hitler, que pode adotar um ou outro papel mais ou menos de acordo com sua vontade. No mínimo, em alguns momentos, ele é capaz de fazer a personalidade do Führer surgir quando a ocasião exige. É o que faz em quase todos os discursos. No início, como mencionamos anteriormente, ele fica nervoso e inseguro sobre o tablado. Às vezes, ele tem considerável dificuldade em encontrar algo para dizer. Esse é "Hitler". Porém, nessas circunstâncias, a personalidade "Hitler" geralmente não predomina por muito tempo. Assim que ele capta o clima da plateia, o ritmo do discurso se acelera, e a personalidade "Führer" começa a se impor. Heiden afirma: "O fluxo do discurso jorra dele como um fluxo de água jorra de uma mangueira." Enquanto discursa, ele se hipnotiza, acreditando que é, real e fundamentalmente, o "Führer", ou como Rauschning diz: "Ele se medica com a morfina de sua própria verbosidade."[19]

É essa transformação do pequeno Hitler no grande Führer, desenrolando-se sob o olhar de sua plateia, que provavelmente a fascina. Por meio de processos psicológicos complexos, a plateia consegue se identificar com ele e, à medida que o discurso progride, fica por um tempo transformada e inspirada.

Hitler também deve passar por uma transformação semelhante quando precisa tomar uma decisão ou agir de modo definitivo. Como vimos, ele procrastina até a situação ficar perigosa e intolerável. Quando ele não pode mais procrastinar, consegue induzir a personalidade Führer a se impor. Rauschning mostrou isso bem:

> Ele é lânguido e apático por natureza, e precisa do estímulo da excitação nervosa para tirá-lo da letargia crônica e levá-lo a uma atividade espasmódica.[20]

> Antes de Hitler conseguir agir, ele deve sair da letargia e das dúvidas para o frenesi.[21]

Quando alcança esse estado de espírito, Hitler pode representar o "Führer" à perfeição. À medida que a transformação ocorre em sua personalidade, todas as suas opiniões, seus sentimentos e seus valores também são transformados. O resultado é que, como "Führer", ele pode fazer declarações com grande convicção, que contradizem categoricamente o que "Hitler" disse alguns minutos antes. Ele pode atacar os problemas mais importantes e, em poucos minutos, reduzi-los a termos muito simples; pode planejar campanhas, ser juiz supremo, tratar com diplomatas, ignorar todos os princípios éticos e morais, ordenar execuções ou a destruição de cidades sem a menor hesitação. E, enquanto o faz, pode estar com o melhor humor. Tudo isso teria sido completamente impossível para "Hitler".

Hitler gosta de acreditar que esse é o seu eu verdadeiro, e não poupou esforços para convencer os alemães de que é o seu único eu. Mas é um artefato. A personalidade "Führer" é uma concepção excessivamente exagerada e distorcida de masculinidade idealizada por Hitler. Tem todas as marcas de uma formação reativa, criada inconscientemente para compensar e encobrir tendências profundas que ele despreza.

Com muita frequência, esse mecanismo é encontrado em psicopatas e sempre atende ao propósito de repudiar o eu verdadeiro, criando uma imagem que é diametralmente oposta e, depois, identificando-se com ela. A grande diferença entre Hitler e milhares de outros psicopatas é que ele conseguiu convencer milhões de outras pessoas que a imagem fictícia é realmente ele. Quanto mais conseguiu convencê-las, mais ficou convencido disso também, com a justificativa de que 80 milhões de alemães não podiam estar errados. E assim se apaixonou pela imagem que ele mesmo criou, e faz o melhor que pode para esquecer que, por trás dela, há um outro Hitler completamente diferente, que é um sujeito muito desprezível. É sua capacidade de convencer os outros de ser o que não é que o salvou da insanidade.

No entanto, essa manobra psicológica nunca é inteiramente bem-sucedida. Medos e ansiedades secretas, que traem a realidade da imagem, continuam surgindo para abalar sua confiança e segurança. Hitler pode racionalizar esses medos ou substituí-los, mas eles continuam a assombrá-lo. Alguns são ao menos justificados em parte; outros parecem ser infundados. Por exemplo: há muitos anos, ele tem medo do câncer. Via de regra, teme que sofra de câncer no estômago, pois a indigestão sempre o incomoda, e todas as garantias de seus médicos não foram suficientes para dissipar esse medo. Alguns anos atrás, um pólipo simples apareceu em sua laringe. Imediatamente, seu medo se transferiu para a garganta, e ele teve certeza de que tinha desenvolvido um câncer na região Quando o dr. Von Eicken diagnosticou como um simples pólipo, Hitler de início se recusou a acreditar nele.

Hitler também tem medo de ser envenenado, medo se ser assassinado, medo de perder sua saúde, medo de engordar, medo de traição, medo de perder sua orientação mística, medo de anestésicos, medo da morte prematura, medo de que sua missão não seja cumprida. Todas as precauções imagináveis devem ser tomadas para reduzir esses perigos, reais e imaginários, a um mínimo. Nos últimos anos, o medo de traição e possível assassinato por parte de um de seus colaboradores parece ter crescido de forma considerável. Thyssen afirma que chegou ao ponto de ele não mais confiar na Gestapo.[22] Frank relata que mesmo os generais devem entregar suas espadas antes de serem admitidos nas reuniões com ele.[23]

O sono não é mais um refúgio de seus medos. No meio da noite, ele acorda tremendo e gritando. Rauschning afirma que um dos colaboradores próximos de Hitler lhe contou que:

> Hitler acorda à noite com guinchos convulsivos; gritos por ajuda. Senta-se na beira da cama, como se fosse incapaz de se mexer. Treme de medo, fazendo toda a cama vibrar. Grita frases confusas e ininteligíveis. Engasga, como se estivesse se sufocando. Em certa ocasião, cambaleou pelo quarto, olhando descontroladamente ao seu redor. “Ele! Ele! Ele esteve aqui!”, disse, ofegante. Seus lábios estavam azulados. O suor escorria pelo seu rosto. De repente, começou a recitar números, palavras estranhas e frases incompletas, desprovidas de sentido. Soava horrível. Ele usou palavras estranhas e completamente não alemãs. Em seguida, ficou imóvel, só com os lábios se movendo… Então, de repente, ele exclamou: “Ali, ali! No canto! Quem é?” Ele bateu o pé e guinchou do jeito familiar.[24]

Zeissler também relata esses incidentes.[25] Parece que Hitler tende a ficar acordado até tarde por ter medo de ir dormir.

O resultado desses medos, como é com quase todo psicopata, é um estreitamento do mundo em que vive. Assombrado por receios secretos, ele desconfia de todos, até mesmo daqueles mais próximos. Não consegue estabelecer nenhuma amizade íntima por medo de ser traído ou de ser descoberto como realmente é. Conforme seu mundo fica mais e mais limitado, ele se torna cada vez mais solitário. Sente-se preso e frequentemente compara sua vida com a do papa.[26] Fry afirma: "A solidão espiritual deve ser a mágoa secreta de Hitler."[27] Von Wiegand escreve:

> Talvez os picos coroados de neve dos Alpes que brilham à luz do luar lembrem a Adolf Hitler das alturas cintilantes, porém frias e solitárias, que ele escalou da fama e das conquistas. "Sou o homem mais solitário da terra", disse ele a um funcionário de sua casa.[28]

Contudo, os psicopatas não se sentem desencorajados por tudo isso. Ao contrário, interpretam seus medos como prova de sua própria importância, e não como sinais de sua fraqueza fundamental. À medida que o mundo pessoal de Hitler se torna menor, ele deve estender os limites de seus domínios físicos. Enquanto isso, sua autoimagem deve ficar cada vez mais inflada, para contrabalançar suas privações e manter suas repressões. Ele deve construir maiores e melhores edifícios, pontes, estádios e tudo mais, como símbolos tangíveis de seu poder e grandeza, e, então, utilizá-los como prova de que realmente é quem ele quer acreditar que seja.

No entanto, há pouca gratificação em tudo isso. Não importa o que ele alcança ou o que ele faz, pois nunca é suficiente para convencê-lo de que as coisas são o que parecem ser. Ele está sempre inseguro e deve reforçar sua superestrutura com novas aquisições e mais defesas. Porém, quanto mais conquista e mais alto constrói, mais tem com o que se preocupar e defender. Ele fica preso num círculo vicioso, que fica cada vez maior com o passar do tempo, mas nunca gera a sensação de segurança almejada por Hitler acima de tudo.

Pessoas desse tipo têm a tendência de bater na porta errada. A segurança que procuram não é encontrada no mundo externo, mas em si mesmas. Se tivessem vencido os próprios impulsos antissociais – seus verdadeiros inimigos – quando eram jovens, não precisariam lutar com esses subterfúgios quando estivessem maduras. Os perigos que as afligem no mundo ao seu redor são apenas sombras dos perigos que, temem elas, as dominarão de dentro para fora caso não mantenham uma vigilância rigorosa sobre suas ações. Repúdio não é sinônimo de aniquilação. Esses impulsos antissociais corroem as bases da personalidade, como cupins, e quanto mais alta a superestrutura é construída, mais instável ela fica.

Na maioria dos psicopatas, esses impulsos antissociais, que eles de forma consciente encaram como perigos, foram reprimidos com bastante sucesso. O indivíduo pode se sentir desprezível sem ter consciência dos porquês desse sentimento. As origens do sentimento permanecem quase totalmente inconscientes ou são camufladas de tal maneira que não são óbvias para o próprio indivíduo. No caso de Hitler, porém, isso não acontece – ao menos não inteiramente. Ele tem bons motivos para se sentir desprezível e tem consciência parcial das origens desse sentimento. A repressão não foi bem-sucedida em sua totalidade, e, de vez em quando, em consequência, algumas tendências sociais se impõem e exigem satisfação.

A vida sexual de Hitler sempre foi tema de muita especulação. Como assinalado na parte anterior, a maioria de seus colaboradores mais próximos desconhece totalmente esse assunto. Isso levou a conjecturas de todos os tipos. Alguns acreditam que ele é isento por completo desses impulsos. Alguns acreditam que ele é um masturbador crônico. Alguns acreditam que ele obtém prazer sexual por meio do voyeurismo. Muitos acreditam que ele é totalmente impotente. Outros, e estes talvez sejam a maioria, acham que ele é homossexual. Talvez seja verdade que ele é impotente, mas, com certeza, não é homossexual no sentido comum do termo. Sua perversão tem uma natureza bem diferente, que poucos imaginaram. É uma forma radical de masoquismo, em que o indivíduo obtém gratificação sexual quando uma mulher urina ou defeca sobre ele.[29]

Embora essa perversão não seja comum, não é desconhecida na prática clínica, sobretudo em seus estágios iniciais. Os quatro colaboradores desse estudo, além do doutor de Saussure, que tomaram conhecimento da perversão a partir de outras fontes, tiveram experiências com casos desse tipo. Todos os cinco concordam que a informação recebida é provavelmente verdadeira, levando em consideração suas experiências clínicas e seu conhecimento do caráter de Hitler.

Na próxima parte, evidências adicionais de sua validade serão citadas, junto com uma consideração sobre a influência que essa perversão tem tido sobre sua personalidade e suas ações. No momento, é suficiente reconhecer que essas tendências representam uma ameaça constante para ele, que perturba o equilíbrio de sua vida mental consciente. Não só ele deve ficar sempre atento com qualquer manifestação explícita, mas também tem que enfrentar os intoleráveis sentimentos de culpa que são gerados por esses desejos secretos e importunos. Esses, junto com seus medos, o assombram dia e noite e o incapacitam para o trabalho consistente e construtivo.

Sem dúvida, Hitler exteriorizou seu problema e sua pretensa solução quando escreveu:

> Só quando chegar a hora em que a raça não for mais eclipsada pela consciência de sua própria culpa, ela encontrará paz interior e energia externa para eliminar, de forma indiferente e brutal, os brotos selvagens e arrancar as ervas daninhas.

Parte V
Análise e reconstrução psicológica

O mundo passou a conhecer Adolf Hitler por sua cobiça insaciável pelo poder, sua brutalidade, sua crueldade, sua total falta de sentimentos, seu desprezo pelas instituições estabelecidas e sua falta de contenções morais. Ao longo de poucos anos, ele conseguiu usurpar um poder tão grande que apenas algumas ameaças, acusações ou insinuações veladas foram suficientes para fazer o mundo tremer. Em aberto desafio aos tratados, ocupou imensos territórios e conquistou milhões de pessoas sem nem disparar um tiro sequer. Quando o mundo ficou cansado de ser amedrontado e concluiu que era tudo um blefe, ele iniciou a guerra mais brutal e devastadora da história; uma guerra que, por um tempo, ameaçou a destruição completa de nossa civilização. A vida humana e o sofrimento humano parecem deixar esse indivíduo completamente intocado, enquanto ele se lança ao caminho que acredita ter sido predestinado a seguir.

No início de sua carreira, o mundo o observou e o considerou divertido. Muitas pessoas se recusaram a levá-lo a sério, alegando que "provavelmente ele não vai durar". Quando uma ação após a outra teve um sucesso incrível e seu tamanho se tornou mais evidente, o divertimento se transformou em incredulidade. Para a maioria das pessoas, parecia inconcebível que essas coisas pudessem mesmo acontecer em nossa civilização moderna. Hitler, o líder dessas atividades, passou a ser habitualmente considerado um louco, ou até mesmo inumano. Esse juízo, concernente à natureza de nosso inimigo, pode ser satisfatório para o homem comum. Dá-lhe um sentimento de satisfação classificar um indivíduo incompreensível numa categoria ou outra e, tendo o classificado dessa maneira, ele sente que o problema está resolvido. Tudo que precisamos fazer é eliminar o louco do cenário e substituí-lo por um indivíduo mentalmente são, e o mundo retornará a um estado normal e pacífico.

Essa visão simplista, porém, é toda inadequada para aqueles responsáveis por conduzir a guerra contra a Alemanha ou para aqueles que terão que lidar com a situação quando a guerra acabar. Eles não podem se contentar em simplesmente considerar Hitler um demônio pessoal e condená-lo ao Inferno Eterno para que o restante do mundo possa viver em paz e tranquilidade. Perceberão que a loucura do Führer se tornou a loucura de um país, ou até mesmo de uma grande parte do continente. Perceberão que não se trata inteiramente das ações de um único indivíduo, mas que existe um relacionamento recíproco entre o Führer e o povo, e que a loucura de um estimula a do outro, e vice-versa. Não foi só Hitler, o louco, que criou a loucura alemã; a loucura alemã também criou Hitler. Tendo forjado Hitler como seu porta-voz e líder, essa loucura foi levada pelo seu ímpeto, talvez para muito além do ponto ao qual estava de início preparada para ir. Não obstante, o povo alemão continua a seguir sua liderança, apesar do fato de que, agora, deve ser óbvio para todas as pessoas inteligentes que esse caminho leva à destruição inevitável.

Do ponto de vista científico, portanto, somos forçados a considerar Hitler, o Führer, não um demônio pessoal, independentemente de quão perversas suas ações e sua filosofia possam ser, mas a expressão de um estado de espírito existente em milhões de pessoas, não só na Alemanha, mas, em menor grau, em todos os países civilizados. Remover Hitler pode ser o primeiro passo necessário, mas não seria a cura. Seria análogo a remover um cancro sem tratar da doença subjacente. Se erupções semelhantes devem ser evitadas no futuro, não podemos nos contentar em apenas remover as manifestações visíveis da doença. Ao contrário, devemos pôr às claras e procurar corrigir os fatores subjacentes que produziram o fenômeno importuno. Devemos descobrir os fluxos psicológicos que alimentam esse estado de espírito destrutivo, para que possamos desviá-los para canais que permitirão que nossa forma de civilização continue evoluindo.

Este estudo está interessado inteiramente em Adolf Hitler e nas forças sociais que o afetaram no decorrer de seu desenvolvimento e produziram o homem que conhecemos. Alguém pode questionar se é sábio estudar a psicologia de um único indivíduo quando a atual guerra representa a rebelião de um país contra a nossa civilização. Entender um único indivíduo não nos diz nada dos outros milhões. De certa forma, isso é verdade. No processo de crescimento, somos todos confrontados com experiências altamente individuais e expostos a influências sociais variadas. O resultado é que, quando amadurecemos, nenhum de nós é idêntico do ponto de vista psicológico. No presente caso, porém, estamos interessados não tanto em indivíduos específicos, mas sim em todo um grupo cultural. Os membros desse grupo foram expostos a influências sociais – padrões familiares, métodos de treinamento e educação, oportunidades de desenvolvimento e assim por diante – que são razoavelmente homogêneas dentro de uma determinada cultura ou de um estrato dela. O resultado é que os membros de uma determinada cultura tendem a agir, pensar e sentir mais ou menos parecido, ao menos em contraste com os membros de um grupo cultural distinto. De certa forma, isso justifica nosso discurso a respeito de um caráter cultural geral. Por outro lado, se uma grande parte de uma determinada cultura se rebela contra o padrão tradicional, então devemos supor que novas influências sociais foram introduzidas, tendendo a produzir um tipo de caráter que não consegue prosperar no antigo ambiente cultural.

Quando isso acontece, pode ser muito útil entender a natureza das forças sociais que influenciaram o desenvolvimento de membros individuais do grupo. Essas forças podem servir como indícios para o entendimento do grupo como um todo, na medida em que podemos então investigar a frequência e a intensidade dessas mesmas forças no grupo e extrair conclusões de seu efeito sobre seus membros individuais. Se o indivíduo que está sendo estudado for o líder do grupo, podemos esperar encontrar os fatores pertinentes de forma exagerada, o que tenderia a destacá-los ainda mais do que se estudássemos um membro comum do grupo. Nessas circunstâncias, a ação das forças pode ser isolada e submetida a estudo detalhado em relação à personalidade como um todo, e também à cultura em geral, com mais facilidade. Então, o problema de nosso estudo deveria ser não só se Hitler é louco ou não, mas que influências em seu desenvolvimento o tornaram o que ele é.

Se examinarmos a imensa quantidade de materiais e informações que foram acumulados a respeito de Hitler, encontraremos pouca coisa útil para explicar por que ele é o que é. Alguém pode, é claro, fazer afirmações genéricas, como diversos autores fizeram, e dizer, por exemplo, que seus cinco anos em Viena foram tão frustrantes que ele passou a odiar toda a ordem social e agora está se vingando das injustiças que sofreu. À primeira vista, essas explicações parecem bastante plausíveis, mas também gostaríamos de saber por que, quando jovem, ele não estava disposto a trabalhar quando teve a oportunidade e o que aconteceu para converter o pedinte indolente de Viena no político vigoroso que nunca pareceu se cansar de correr de um comício para outro e era capaz de deixar milhares de ouvintes num estado de frenesi. Também gostaríamos de saber algo a respeito das origens de seus peculiares hábitos de trabalho no momento atual, de sua firme crença em sua missão e assim por diante. Não importa quanto tempo estudemos o material disponível, o fato é que não somos capazes de encontrar uma explicação racional de sua conduta atual. O material é descritivo e nos relata muito como Hitler se comporta sob diversas circunstâncias, o que ele pensa e sente em relação a vários assuntos, mas não nos relata o motivo. Sem dúvida, de vez em quando, ele mesmo oferece explicações para sua conduta, mas é evidente que elas são construídas sobre bases racionais frágeis, ou então servem para empurrar o problema ainda mais para o passado. Nesse aspecto, estamos exatamente na mesma posição em que nos encontramos quando um paciente neurótico busca nossa ajuda pela primeira vez.

Contudo, no caso de um paciente neurótico individual, podemos pedir muito mais informações em primeira mão, que, de maneira gradual, nos permitem rastrear o desenvolvimento de suas atitudes irracionais ou padrões comportamentais até chegar a experiências ou influências prévias em sua biografia e estudar os efeitos dessas em seu comportamento posterior. Na maioria dos casos, o paciente se esqueceu dessas experiências prévias, mas ainda as utiliza como premissas em sua conduta presente. Assim que somos capazes de entender as premissas subjacentes à sua conduta, seu comportamento irracional se torna compreensível para nós.

Provavelmente, a mesma conclusão seria válida no caso de Hitler, exceto que, aqui, não temos a oportunidade de obter as informações em primeira mão adicionais que nos permitiriam rastrear a história de suas visões e padrões comportamentais em suas origens remotas, para descobrir as premissas sobre as quais ele está agindo. A infância de Hitler, período no qual suas atitudes básicas foram, sem dúvida, formadas, é um segredo muito bem guardado, em especial no que tange a ele próprio. Hitler foi bastante cuidadoso e revelou muito pouco acerca dessa fase de sua vida, e mesmo isso está aberto a sérios questionamentos. No entanto, alguns fragmentos foram trazidos à luz, e são úteis na reconstrução de seu passado e das experiências e influências que determinaram seu caráter adulto. Porém, em si mesmos, seriam totalmente inadequados para os nossos propósitos.

Por sorte, há outras fontes de informação. Uma delas é o próprio Hitler. Em cada declaração, um orador ou escritor mostra involuntariamente muito sobre si mesmo; algo de que ele não tem nenhuma consciência. Com frequência, os assuntos que aborda revelam fatores inconscientes que parecem mais importantes para si do que muitos outros aspectos que também seriam apropriados para a ocasião. Além disso, o método da abordagem, junto com as atitudes expressas com relação a certos tópicos, em geral refletem processos inconscientes que estão simbolicamente relacionados com seus próprios problemas. Os exemplos que ele escolhe para fins de ilustração quase sempre contêm elementos de suas experiências anteriores, que foram úteis no cultivo da visão que está expondo. As figuras de linguagem que ele emprega refletem conflitos e vínculos inconscientes, e a incidência de tipos ou tópicos específicos quase pode ser utilizada como indicador de sua preocupação com problemas relacionados a eles. Algumas técnicas experimentais foram desenvolvidas e comprovam a validade desses métodos de coleta de informações a respeito da vida mental, consciente e inconsciente, de um indivíduo, juntamente com as constatações de psicanalistas e psiquiatras.

Além disso, também temos nossa experiência prática em estudar pacientes cujas dificuldades não eram diferentes das que encontramos em Hitler. Nosso conhecimento das origens dessas dificuldades pode muitas vezes ser utilizado para avaliar informações conflitantes, verificar deduções do que provavelmente aconteceu ou preencher lacunas quando nenhuma informação está disponível. Talvez seja possível, com a ajuda de todas essas fontes de informação, reconstituir os acontecimentos importantes de sua infância que determinaram seu comportamento e sua estrutura de caráter atuais. No entanto, nosso estudo deve inevitavelmente ser especulativo e inconclusivo. Pode nos revelar muito acerca dos processos mentais de nosso objeto de estudo, mas não pode ser tão abrangente ou conclusivo quanto os resultados de um estudo direto realizado com a cooperação do indivíduo. No entanto, a situação é tal que mesmo um estudo indireto desse tipo é justificado.

A primeira e maior contribuição de Freud à psiquiatria, em particular, e ao entendimento da conduta humana, em geral, foi sua descoberta da importância dos primeiros anos da vida de uma criança na formação de seu futuro caráter. É durante os primeiros anos, quando a criança ainda conhece pouco do mundo à sua volta e suas capacidades ainda não estão desenvolvidas, que as chances de interpretar mal a natureza desse mundo são maiores. A mente da criança é inadequada para entender as exigências que uma cultura complexa faz sobre ela ou a grande quantidade de experiências confusas às quais ela está exposta. Portanto, como foi mostrado repetidas vezes, uma criança em seus primeiros anos muitas vezes interpreta mal o que está acontecendo à sua volta e constrói sua estrutura de personalidade sobre premissas falsas. Até Hitler admite que essa conclusão é verdadeira, pois ele afirma em *Mein Kampf*:

> Há um menino, digamos, de 3 anos. Essa é a idade em que uma criança se torna consciente de suas primeiras impressões.

> Em muitas pessoas inteligentes, um pouco dessas memórias remotas se encontra mesmo na velhice.[1]

Nessas circunstâncias, será bom investigar a natureza do ambiente mais antigo em que Hitler viveu e as impressões que ele provavelmente formou durante esse período. Nossa informação factual dessa fase de sua vida é quase nula. Em *Mein Kampf*, Hitler tenta criar a impressão de que seu lar era bastante pacífico e tranquilo, com seu "pai, um funcionário público dedicado; a mãe, dedicando-se aos afazeres domésticos e cuidando de seus filhos eternamente com a mesma amabilidade". Dá a impressão de que, se isso fosse uma representação verdadeira do ambiente familiar, não haveria razão para ele ocultá-lo de forma tão escrupulosa. É o único trecho de um livro imenso em que ele declara que existiam outros filhos para sua mãe cuidar. Nenhum irmão e nenhuma irmã são mencionados de qualquer outra maneira, e mesmo para seus colaboradores, ele jamais admitiu que havia outros filhos além de sua meia-irmã Angela. Pouco mais do que isso é dito da mãe, quer em textos ou em discursos. Esse encobrimento por si só nos faria suspeitar da verdade da afirmação mencionada acima. Ficamos ainda mais desconfiados quando constatamos que nem um único paciente que manifesta os traços de caráter de Hitler cresceu num ambiente familiar tão bem ordenado e pacífico.

Continuando a leitura de *Mein Kampf*, descobrimos que Hitler faz uma descrição da vida de uma criança de família de classe baixa. Ele afirma:

> Entre os cinco filhos, há um menino, digamos, de 3 anos... Quando os pais brigam quase que diariamente, a brutalidade se revela por completo; então, os resultados dessa educação visual ficam, de modo lento, mas inevitável, evidentes para o pequeno. Aqueles que não estão familiarizados com tais condições mal conseguem imaginar os resultados, sobretudo quando as diferenças mútuas se expressam sob a forma de ataques brutais por parte do pai contra a mãe ou de agressões devido à embriaguez.

> O pobre menino, aos 6 anos, sente coisas que fariam até uma pessoa adulta tremer... As outras coisas que o menino ouve em casa não tendem a favorecer seu respeito pelo seu ambiente.[2]

Tendo em vista o fato de que agora sabemos que existem cinco filhos na casa de Hitler e que seu pai gostava de passar seu tempo livre na taverna do vilarejo, onde às vezes bebia tanto que precisava ser levado para casa pela mulher ou pelos filhos, começamos a suspeitar de que, nesse trecho, Hitler está, muito provavelmente, descrevendo as condições de sua casa quando criança.

Se aceitarmos a hipótese de que ele está de fato falando do próprio lar quando descreve as condições da família típica de classe baixa, podemos obter novas informações sobre a natureza de seu ambiente familiar. Lemos:

> [...] de fato, as coisas acabam mal quando o homem desde o início segue seu próprio caminho e a mulher, por amor aos filhos, coloca-se contra ele. Discussões e chateações começam, e, na mesma medida em que o marido se afasta de sua mulher, ele se aproxima do álcool... Quando ele enfim volta para casa... embriagado e violento, mas sempre sem nenhum centavo, então Deus tenha misericórdia das cenas que se seguem. Testemunhei tudo isso pessoalmente em centenas de ocasiões e, no início, com repugnância e indignação.[3]

Quando nos lembramos dos poucos amigos que Hitler fez ao longo da vida, nenhum amigo íntimo, nós nos perguntamos onde ele teve a oportunidade de observar pessoalmente essas cenas, centenas de vezes, se não na própria casa. Então, ele prossegue:

> As outras coisas que o menino ouve em casa não tendem a favorecer seu respeito pelo seu ambiente. Nem um único pedaço bom sobra da humanidade; nem uma única instituição deixa de ser atacada; começando com o professor, até o chefe de Estado, seja a religião, ou a moralidade como tal, seja o

> Estado ou a sociedade, não importa o que for, tudo se reduz da maneira mais vil à imundície de uma mentalidade depravada.[4]

Tudo isso está de acordo com as informações obtidas de outras fontes, cuja veracidade pode estar aberta a questionamentos. No entanto, com isso como evidência corroborante, parece seguro supor que os trechos mencionados acima são um retrato bastante preciso do ambiente familiar de Hitler, e podemos presumir que essas cenas despertaram repugnância e indignação nele numa idade muito precoce.

Esses sentimentos eram agravados pelo fato de que, quando seu pai estava sóbrio, procurava criar uma impressão totalmente diferente. Nesses momentos, apoiava-se muito em sua dignidade e se orgulhava de seu cargo no serviço público. Mesmo depois de se aposentar, sempre continuou a usar seu uniforme quando aparecia em público. Era exigente em relação à aparência e percorria as ruas do vilarejo de maneira muito respeitável. Ao falar com vizinhos ou conhecidos, fazia isso de forma muito condescendente, e sempre exigia que usassem seu título completo quando o abordassem. Se alguém por acaso omitisse uma parte, seria repreendido por causa da omissão. Continuou com essa postura até o ponto em que, segundo os entrevistados nos contam, tornou-se chacota para os outros moradores do vilarejo. Em casa, exigia que os filhos o tratassem por *Herr Vater* [Senhor pai], em vez de usarem uma abreviação ou apelido íntimo que as crianças geralmente usam.

Influência do pai sobre o caráter de Hitler

Com base em nossos estudos de muitos casos, sabemos que o caráter do pai é um dos principais fatores determinantes do caráter do filho, especialmente o de um menino. Quando o pai é um indivíduo bem integrado e apresenta um padrão consistente de comportamento que o menino pode respeitar, ele se torna um modelo que o filho se esforça para copiar. A imagem que o filho tem do pai torna-se a base de sua futura estrutura de caráter, e, com a ajuda dessa estrutura, ele consegue integrar seu comportamento dentro dos moldes aceitos no convívio social. A importância desse primeiro passo no desenvolvimento do caráter dificilmente pode ser superestimada. É quase um pré-requisito para uma personalidade estável, segura e bem integrada na vida adulta.

No caso de Hitler, como no de quase todos os outros psicopatas de seu tipo, esse passo não pôde ser dado. Em vez de apresentar a imagem de um indivíduo consistente, harmonioso, socialmente ajustado e admirável, que o filho poderia usar como guia e modelo, o pai se mostrou cheio de contradições. De vez em quando, desempenhava o papel de "um funcionário público dedicado", que respeitava seu cargo e a sociedade à qual servia e exigia que todos os outros agissem do mesmo modo. Nessas vezes, ele era a dignidade, a correção, o rigor e a justiça em pessoa. Para o mundo exterior, tentava aparentar ser um pilar da sociedade, a quem todos deveriam respeitar e obedecer. Em casa, por outro lado, e mais do que nunca depois que bebia, aparentava ser o exato oposto. Era brutal, injusto e imprudente. Não respeitava nada nem ninguém. O mundo estava todo errado e era um lugar impróprio para se viver. Nesses momentos, ele também desempenhava o papel do valentão e açoitava sua mulher e seus filhos, que eram incapazes de se defender. Mesmo o cachorro recebia sua parcela dessa exibição de sadismo.

Nessas circunstâncias, a criança fica confusa e não consegue se identificar com um padrão bem-definido, que pode utilizar como guia para seu próprio ajuste. Não só isso é uma séria desvantagem em si, bem como a criança recebe uma imagem distorcida do mundo ao seu redor e da natureza das pessoas nele. Nesses anos, o lar é seu mundo, e, depois, a criança julga o mundo exterior por essa perspectiva. No caso de Hitler, esperávamos que o mundo inteiro aparentasse ser extremamente perigoso, incerto e injusto, e que o impulso da criança era evitá-lo na medida do possível, porque se sentia incapaz de enfrentá-lo. Sua sensação de insegurança aumentava, visto que nunca conseguia prever como seu pai se comportaria quando voltasse para casa ou o que poderia esperar dele. A pessoa que devia lhe dar amor, apoio e uma sensação de segurança o enchia de ansiedade, mal-estar e incerteza.

Sua procura por um guia competente

Quando criança, Hitler deve ter sentido essa falta de modo muito intenso, pois, ao longo da vida adulta, nós o encontramos procurando uma figura masculina forte, que ele pudesse respeitar e imitar. Evidentemente, os homens com quem ele teve contato em sua infância não eram capazes de preencher o papel de guia de modo a satisfazê-lo por completo. Há alguma indicação de que ele tenha tentado considerar alguns professores dessa maneira, mas quer fosse por influência dos falatórios raivosos de seu pai ou por deficiências dos próprios professores, suas tentativas sempre fracassaram. Posteriormente, ele tentou encontrar grandes homens da história que poderiam satisfazer essa necessidade. César, Napoleão e Frederico, o Grande são apenas alguns da legião à qual ele se apegou. Embora figuras históricas cumpram um importante papel na vida de quase toda criança, elas são em si inadequadas. A menos que uma base bastante sólida já exista na mente da criança, esses heróis nunca se tornam gente de carne e osso, visto que o relacionamento é unilateral e carece de reciprocidade. O mesmo também vale para figuras políticas com quem Hitler procurou se identificar durante o período vienense. Por um tempo, Von Schönerer e Lueger se tornaram seus heróis, e apesar de terem sido úteis na formação de algumas de suas crenças políticas e no direcionamento de seus sentimentos, ainda eram muito distantes dele para desempenhar o papel de guias e modelos permanentes.

Durante sua carreira no Exército, temos um exemplo excelente da disposição de Hitler para se submeter à liderança de homens fortes que estivessem dispostos a guiá-lo e a protegê-lo. Ao longo de sua vida militar, não há nenhuma evidência que mostre que ele não era um soldado modelo no que diz respeito à submissão e à obediência. Do ponto de vista psicológico, seu tempo no Exército foi uma espécie de substituto da vida familiar que ele sempre quis, mas nunca conseguiu ter, e Hitler cumpria seus deveres com vontade e de forma dedicada. Ele gostava tanto que, depois de ser ferido em 1916, escreveu para seu comandante e pediu que fosse convocado de volta aos deveres do *front* antes que sua licença expirasse.

Após o fim da guerra, permaneceu no Exército e continuou a ser dócil com seus oficiais. Estava disposto a fazer tudo que pedissem, incluindo até espionar os próprios companheiros e, depois, condená-los à morte. Quando seus oficiais o escolheram para realizar um trabalho especial de propaganda, porque acreditavam que Hitler tinha talento para a oratória, ficou eufórico. Foi o início de sua carreira política, e, nesse ponto, também podemos encontrar muitas manifestações de sua procura por um líder. No início, ele pode ter pensado em si mesmo como o "menino do tambor", que estava anunciando a chegada do grande líder. É certo que, nos primeiros anos da carreira política, ele foi bastante submisso a uma sucessão de homens importantes, a quem recorreu para ter orientação: Von Kahr, Ludendorff e Hindenburg, para citar apenas alguns.

É verdade que, no fim, Hitler se voltou contra eles, um após o outro, e os tratou de modo desprezível, mas, em geral, essa mudança ocorreu depois que ele descobriu as deficiências e as inadequações deles. Como ocorre com muitos psicopatas do tipo de Hitler, que têm grande desejo de orientação por parte de homens mais velhos, suas exigências crescem com o passar dos anos. Quando alcançam a maturidade, estão procurando uma pessoa que seja perfeita em todos os aspectos – literalmente um super-homem – e só podem se submeter a ela. O resultado é que estão sempre tentando entrar em contato com novas pessoas de status elevado, na expectativa de que cada uma, por sua vez, provará ser a ideal. Tão logo descobrem uma fraqueza ou deficiência, tiram essa pessoa do pedestal em que a colocaram. Então, tratam muito mal seus heróis caídos, por não terem correspondido às suas expectativas. E assim Hitler passou sua vida procurando por um guia competente, mas sempre acabou descobrindo que a pessoa que ele escolheu estava aquém de suas exigências e, basicamente, não era mais capaz do que ele mesmo. Que essa tendência seja um resquício de sua infância se evidencia pelo fato de que, ao longo desses anos, ele sempre colocou grande ênfase em abordar essas pessoas por seus títulos completos. Sombras do treinamento de seu pai durante a primeira infância!

Nesse momento, pode ser interessante notar que, de todos os títulos que Hitler poderia ter escolhido para si, ele se contentou com o título simples de “Führer”. Para ele, esse título é o maior de todos. Hitler passou sua vida procurando por uma pessoa digna do papel, mas foi incapaz de encontrar uma até que descobriu a si mesmo. Seu objetivo agora é desempenhar esse papel para milhões de outras pessoas da maneira como havia esperado que alguém desempenhasse para ele. O fato de o povo alemão ter se submetido tão prontamente à sua liderança pode indicar que muitos alemães estavam num estado de espírito semelhante ao dele, e estavam não só dispostos, mas também ansiosos para se submeter a qualquer um que pudesse provar-lhes que era competente para desempenhar o papel. Há alguma evidência sociológica corroborando essa ideia e mostrando que suas origens residem na estrutura da família alemã e no papel duplo desempenhado pelo pai dentro do lar, em contraste com o mundo exterior. Naturalmente, na média, essa dualidade não é nem de perto tão acentuada quanto mostramos ser no caso de Hitler, mas pode ser esse mesmo fato que o qualificou a identificar a necessidade e expressá-la em termos que os outros pudessem entender e aceitar.

Há evidências de que, atualmente, Roosevelt é a única pessoa no mundo que pode desafiar Hitler no papel de líder. Os entrevistados concordam que ele não teme nem Churchill, nem Stálin. Sente que ambos são parecidos o suficiente consigo mesmo, de modo que ele consegue entender a psicologia deles e derrotá-los no jogo. Roosevelt, porém, parece ser um enigma para Hitler: como um homem consegue liderar um país de 130 milhões de habitantes, mantendo-os na linha sem insultos, gritos, abusos e ameaças, é um mistério para ele. Hitler é incapaz de entender como um homem pode ser o líder de um grande grupo e ainda agir como um cavalheiro. O resultado é que ele secretamente admira Roosevelt num grau considerável, não importa o que fale dele em público. Em sigilo é provável que o tema, já que é incapaz de prever suas ações.

A mãe de Hitler e sua influência

Apesar de tudo, o pai de Hitler era apenas uma parte do ambiente em que ele viveu nos primeiros anos de vida. Também havia sua mãe, que, conforme todos os relatos, era uma mulher muito decente. Hitler escreveu pouquíssimo e não disse nada dela em público. Contudo, os entrevistados nos revelam que ela era uma pessoa bastante conscienciosa e esforçada, cuja vida girava em torno do lar e dos filhos. Ela cuidava da casa de modo exemplar, e nunca havia poeira nos móveis; tudo era bem-cuidado e bem-arrumado. Era católica muito devota e aceitava com resignação cristã as provações e atribulações que acossavam sua casa. Mesmo sua última doença, que se prolongou por muitos meses e lhe provocou grande dor, suportou sem uma única queixa. Podemos supor que teve que aguentar muita coisa de seu irascível marido, e pode ser que tenha precisado enfrentá-lo algumas vezes pelo bem-estar de seus filhos. Mas, provavelmente, ela aceitou tudo isso com o mesmo espírito de abnegação. Em relação aos próprios filhos, sempre foi muito amorosa e generosa, embora haja alguma razão para supor que, vez ou outra, era mesquinha em relação aos seus dois enteados.

Em todo caso, todas as evidências indicam que havia uma ligação muito forte entre ela e Adolf. Como mencionado antes, isso se deveu, em parte, ao fato de que ela perdeu dois, ou talvez três, filhos antes do nascimento de Adolf. Visto que ele também era frágil quando criança, é natural que uma mulher de seu tipo fizesse tudo ao seu alcance para evitar outra repetição de suas tragédias anteriores. O resultado foi que ela atendeu aos caprichos de Adolf ao ponto de mimá-lo e foi superprotetora em relação a ele. Podemos supor que, ao longo dos cinco primeiros anos da vida do menino, ele foi o queridinho de sua mãe, e que ela era pródiga em lhe dedicar afeto. Tendo em vista a conduta do marido e o fato de ele ser 23 anos mais velho do que ela e não ter um temperamento amoroso, podemos deduzir que grande parte da afeição que normalmente teria ido para ele também foi dirigida a Adolf.

O resultado foi uma forte ligação libidinal entre mãe e filho. É quase certo que Adolf fazia birras naquela época, mas nada sério. Seu propósito imediato era conseguir o que queria de sua mãe, e ele, sem dúvida, era bem-sucedido. As birras eram uma técnica pela qual ele conseguia dominá-la sempre que desejava, quer pelo medo de que ela perdesse seu amor, quer pelo medo de que se ele continuasse birrento poderia ficar como o pai. Há razão para supor que, frequentemente, ela tolerava comportamentos que o pai reprovaria e pode ter se tornado parceira em atividades proibidas durante a ausência do pai. A vida com sua mãe durante esses primeiros anos deve ter sido um verdadeiro paraíso para Adolf, exceto pelo fato de que seu pai se intrometia e perturbava o feliz relacionamento. Mesmo quando o pai não fazia uma cena ou erguia seu chicote, ele demandava a atenção da mulher, o que impedia a participação dela em atividades prazerosas. Era natural, nessas circunstâncias, que Adolf se ressentisse dessa intrusão em seu paraíso, e isso, sem dúvida, agravava os sentimentos de incerteza e medo que a conduta de seu pai despertava nele.

Quando Adolf ficou mais velho e a ligação libidinal com a mãe ficou mais forte, tanto o ressentimento quanto o medo certamente cresceram. É provável que os sentimentos sexuais infantis, assim como fantasias de natureza infantil, fossem bastante proeminentes nesse relacionamento. É o complexo de Édipo mencionado por psicólogos e psiquiatrias que escreveram a respeito da personalidade de Hitler. A grande quantidade de afeto que a mãe lhe dedicava e o caráter indesejável do pai serviram para desenvolver esse complexo num grau extraordinário. Quanto mais ele odiava o pai, mais dependente ficava do afeto e do amor da mãe , e quanto mais amava a mãe, mais medo tinha da vingança do pai se seu segredo fosse descoberto. Nessas circunstâncias, é comum os meninos pequenos fantasiarem meios de livrar o ambiente do intruso. Há razão para supor que isso também tenha acontecido na infância de Hitler.

Influências determinando sua atitude em relação ao amor, às mulheres e ao casamento

Dois outros fatores despontaram e serviram para acentuar ainda mais o conflito. Um deles foi o nascimento de um irmão quando Adolf tinha 5 anos. Isso introduziu um novo rival na cena e, sem dúvida, privou-o de parte do afeto e da atenção de sua mãe, especialmente porque o novo filho também tinha saúde frágil. Podemos supor que o recém-chegado na família também tenha se tornado vítima da animosidade de Adolf, e que ele tenha tido a fantasia de se livrar do irmão, assim como também tinha considerado se livrar de seu pai. Não há nada de anormal nisso, exceto a intensidade das emoções envolvidas.

O outro fator que serviu para intensificar esses sentimentos foi o fato de que, quando criança, ele deve ter visto seus pais durante a relação sexual. Um exame dos dados torna essa conclusão quase inevitável, e, a partir de nosso conhecimento do caráter e do histórico de seu pai, não é impossível. Parece que os sentimentos de Adolf nessa ocasião ficaram muito confusos. Por um lado, ele ficou indignado com o pai, pelo que considerou ser uma agressão brutal contra a mãe. Por outro lado, ficou indignado com a mãe por ela ter se submetido de tão bom grado ao pai, e ficou indignado consigo mesmo porque foi incapaz de interferir. Depois, como veremos, Hitler reviveu simbolicamente essa experiência, o que desempenhou papel importante em moldar seu futuro destino.

Ser um espectador dessa cena remota teve muitas repercussões. Uma das mais importantes foi o fato de Adolf ter sentido que a mãe o traiu ao se submeter ao marido – um sentimento que ficou ainda mais acentuado quando seu irmão nasceu. Ele perdeu muito de seu respeito pelo sexo feminino, e, em Viena, Hanisch relata que Hitler costumava falar bastante sobre amor e casamento e "tinha ideias muito austeras sobre as relações entre homens e mulheres". Mesmo naquela época, ele sustentava que, se os homens quisessem, poderiam adotar um estilo de vida estritamente moral. "Era comum ele dizer que era culpa da mulher se o homem se desencaminhasse", e "ele costumava dar lições de moral a respeito disso, dizendo que todas as mulheres estavam disponíveis para o sexo". Em outras palavras, ele enxergava as mulheres como sedutoras, responsáveis pela decadência dos homens e as condenava por sua deslealdade. Essas atitudes devem ser resultado de suas primeiras experiências com a mãe, que primeiro o seduziu para um relacionamento amoroso e, depois, o traiu se entregando ao marido. No entanto, Adolf ainda continuou acreditando numa forma idealista de amor e casamento, que seria possível se conseguisse encontrar uma mulher leal. Como sabemos, Hitler nunca mais se entregou às mãos de uma mulher, com a possível exceção de sua sobrinha, Geli Raubal, e isso também acabou em tragédia. Excluindo essa única exceção, ele levou uma vida sem amor. Sua desconfiança em relação a homens e mulheres é tão profunda que, em toda a sua história, não há registro de uma amizade íntima e duradoura de verdade.

Provavelmente, o resultado dessas primeiras experiências foi o sentimento de estar muito só num mundo hostil. Ele odiava o pai por sua brutalidade, desconfiava da mãe por sua falta de lealdade e se desprezava por sua fraqueza. Para a criança imatura, esse estado de espírito é quase insuportável, por qualquer período de tempo, e, para obter paz e segurança em seu ambiente, esses sentimentos são reprimidos de sua memória de modo gradual.

Esse é um procedimento normal, que ocorre com qualquer criança e numa idade relativamente precoce. Esse processo de repressão permite que a criança restabeleça um relacionamento mais ou menos amistoso com seus pais, sem a interferência de memórias e emoções perturbadoras. Os conflitos iniciais, porém, não são solucionados ou destruídos por meio desse processo, e devemos esperar encontrar manifestações deles posteriormente. Quando a repressão precoce foi razoavelmente adequada, esses conflitos jazem adormecidos até a adolescência, quando, devido ao processo de amadurecimento, despertam novamente. Em alguns casos, reaparecem praticamente em sua forma original, enquanto em outros se expressam de forma camuflada ou simbólica.

Contudo, no caso de Hitler, as emoções e os sentimentos conflitantes eram tão fortes que não podiam ser mantidos em completa suspensão por todo aquele período. Bem cedo em sua vida escolar já encontramos esses conflitos reaparecendo de forma simbólica. Infelizmente, os símbolos que ele escolheu de forma inconsciente para expressar seus conflitos interiores são de tal natureza que afetaram a fundo o futuro do planeta. E, no entanto, esses símbolos se encaixam com tanta perfeição em sua situação peculiar que era quase inevitável que fossem escolhidos como meios de expressão.

Seus antigos conflitos expressos em forma simbólica

De maneira inconsciente, todas as emoções que ele sentiu antes por sua mãe foram transferidas para a Alemanha. Essa transferência de afeto foi relativamente fácil, visto que a Alemanha, tal como sua mãe, era jovem, vigorosa e tinha a promessa de um grande futuro sob circunstâncias adequadas. Além disso, ele se sentia afastado da Alemanha, como então se sentia afastado de sua mãe, ainda que desejasse secretamente estar com ela. A Alemanha converteu-se num símbolo de sua mãe ideal, e seus sentimentos estão expressos com clareza em seus textos e discursos. Alguns trechos servirão para exemplificar a transferência de emoção:

> O anseio ficou mais forte de ir para lá [Alemanha], onde, desde o começo de minha juventude, fui atraído por desejos e amor secretos.

> O que primeiramente considerei um abismo intransponível agora me estimulava a um amor pelo meu país maior do que nunca.

> Uma separação não natural da grande mãe-pátria comum.

> Apelo àqueles que, separados da mãe-pátria… e que agora, em dolorosa emoção, esperam pelo momento em que poderão retornar para os braços da amada mãe.

É significativo que embora os alemães, em geral, refiram-se à Alemanha como "pátria", Hitler quase sempre se refira a ela como "mãe-pátria".

Da mesma forma que a Alemanha era ideal para simbolizar sua mãe, a Áustria era ideal para simbolizar seu pai. Tal como seu pai, a Áustria estava velha, esgotada e decadente. Hitler, portanto, transferiu todo o seu ódio inconsciente de seu pai para o Estado austríaco. Ele agora poderia dar vazão a todas as emoções reprimidas sem se expor aos perigos que acreditava que encontraria caso tivesse expressado esses mesmos sentimentos às pessoas de fato envolvidas. Em *Mein Kampf*, é recorrente se referir ao Estado austríaco nos seguintes termos:

> [...] um intenso amor por meu país natal germano-austríaco e um ódio amargo contra o Estado austríaco.

> Com admiração e orgulho, comparei a ascensão do Reich com o declínio do Estado austríaco.

A aliança entre a Áustria e a Alemanha serviu para simbolizar o casamento de sua mãe e seu pai. Repetidas vezes, encontramos referências a essa aliança, e podemos ver com clareza o quão profundamente Hitler se ressentia do casamento de seus pais, porque achava que o pai causava um dano à mãe e, somente com a morte do marido, ela poderia obter liberdade e encontrar salvação. Algumas citações exemplificarão seus sentimentos:

> E quem pode ter fé numa dinastia imperial que traiu a causa do povo alemão por seus próprios fins ignominiosos, uma traição que ocorreu muitas vezes.

> O que mais nos afligiu foi o fato de que todo o sistema estava moralmente protegido pela aliança com a Alemanha, e, assim, a própria Alemanha... andou ao lado do cadáver.

> Basta afirmar aqui que, desde o início de minha juventude, cheguei a uma convicção que nunca me abandonou, mas, ao contrário, ficou cada vez mais forte: que a proteção da raça alemã pressupunha a destruição da Áustria... que, acima de tudo, a Casa Real de Habsburgo estava destinada a trazer infortúnio para a nação alemã.
>
> Como meu coração nunca bateu por uma monarquia austríaca, mas só por um Reich alemão, só pude considerar o momento da ruína desse Estado como o começo da salvação da nação alemã.

Quando entendemos o significado dessa transferência de afeto, demos um longo passo na direção do entendimento das ações de Hitler. Inconscientemente, ele não está lidando com nações compostas de milhões de indivíduos, mas está tentando solucionar seus conflitos pessoais e corrigir as injustiças de sua infância. Incapaz de entrar numa relação recíproca com outros seres humanos, que poderia lhe oferecer uma oportunidade de solucionar seus conflitos de modo realista, Hitler projeta seus problemas pessoais sobre grandes nações e, depois, tenta solucioná-los nesse nível ilusório. Seu microcosmo inflou e se converteu num macrocosmo.

Agora podemos entender por que Hitler se ajoelhou e agradeceu a Deus quando a última guerra irrompeu. Para ele, não significava simplesmente uma guerra, mas sim uma oportunidade para lutar por sua mãe simbólica, provar sua masculinidade e ser aceito por ela. Era inevitável que ele buscasse alistamento no Exército alemão, e não no Exército austríaco, e também era inevitável, nessas circunstâncias, que fosse um soldado bom e obediente. Inconscientemente, era como se ele fosse um menino que representava o papel de um homem, enquanto sua mãe ficava ao lado e o observava. O bem-estar futuro dela era a grande preocupação de Hitler, e, para provar seu amor, ele estava disposto a sacrificar a própria vida por ela se fosse necessário. Seu relacionamento com a Alemanha era, com efeito, o casamento assexuado e idealista que ele desejava.

O impacto da derrota alemã

Tudo corria bem desde que Hitler tivesse certeza de que tudo acabaria bem. Ele nunca se queixou das adversidades que lhe foram impostas nem nunca se lamentou com os outros homens. Sentia-se feliz com o que estava fazendo e enfrentava as dificuldades e atribulações da vida militar de queixo erguido, até descobrir que as coisas estavam indo mal e que sua mãe simbólica estava prestes a ser humilhada da mesma forma como imaginou que sua mãe fora humilhada quando ele era criança. Para ele, foi como se sua mãe fosse de novo vítima de um estupro. Dessa vez, os "criminosos de novembro" e os judeus eram os culpados do ato sujo, e Hitler imediatamente transferiu seu ódio reprimido para esses novos perpetradores.

Quando ele se conscientizou da derrota alemã, reagiu de maneira tipicamente histérica. Recusou-se a aceitar a situação ou a se adaptar a ela de modo realista. Em vez disso, reagiu a esse acontecimento como provavelmente reagiu à descoberta de seus pais em relação sexual. Hitler escreve: "Tropecei e cambaleei para trás com os olhos ardentes... Poucas horas depois, os olhos tinham se transformado em carvões em brasa; tudo ficou escuro ao meu redor." Em outro lugar, ele escreve: "Enquanto tudo começava a escurecer de novo diante dos meus olhos, tropeçando, tateei meu caminho de volta para o dormitório, joguei-me em minha cama e enterrei minha cabeça latejante nas cobertas e nos travesseiros."

Quando isso aconteceu, ele tinha sido vítima de um leve ataque de gás mostarda. De imediato, acreditou que estava cego e mudo. Embora tenha passado diversas semanas no hospital, nem seus sintomas, nem o desenvolvimento da doença corresponderam àqueles encontrados em casos de ataques com gás. Estabeleceu-se em definitivo que tanto a cegueira quanto o mutismo eram de natureza histérica. O médico que o tratou achou seu caso tão típico de sintomas histéricos que, durante anos após a guerra, usou-o como exemplo nos cursos que ministrava numa importante escola de medicina da Alemanha. Sabemos, a partir de inúmeros outros casos, que, no início desses ataques histéricos, o paciente se comporta exatamente como se comportou quando confrontado por uma situação com o mesmo conteúdo emocional em seu passado. É como se o indivíduo estivesse realmente revivendo a experiência do passado. No caso de Hitler, a experiência passada era, quase certamente, a descoberta de seus pais durante a relação sexual e sua interpretação disso como uma brutal agressão, frente à qual ele ficou impotente. Ele se recusou a acreditar no que seus olhos viam, e a experiência o deixou emudecido.

Evidencia-se que essa interpretação é correta pelas imagens que Hitler evoca ao lidar posteriormente com o acontecimento. Repetidas vezes, encontramos figuras de linguagem que ilustram seus sentimentos com muita clareza: "[...] com que truques a alma da nação alemã foi estuprada", e "nossos pacifistas alemães ignorarão em silêncio o estupro mais sangrento da nação".

As origens de sua crença em sua missão e seu desejo de imortalidade

Enquanto Hitler estava no hospital sofrendo de cegueira e mutismo histéricos, ele teve a visão de que libertaria os alemães da servidão e tornaria a Alemanha grande. Essa visão o incitou à sua atual carreira política e tem tido influência determinante no curso dos acontecimentos mundiais. Mais que qualquer fator, foi essa visão que o convenceu de que ele fora escolhido pela Providência Divina e tinha uma grande missão a cumprir. Provavelmente, essa é a característica mais importante da personalidade madura de Hitler e que o guia com a "precisão de um sonâmbulo".

Pela análise de diversos outros casos, sabemos que tais convicções nunca resultam apenas de uma experiência adulta. A fim de manter essas convicções, antigas crenças, que têm raízes na infância, devem ser recuperadas. Naturalmente, não é nada incomum uma criança acreditar que é uma criatura especial e que está destinada a grandes feitos antes de morrer. Quase se pode dizer que toda criança passa por esse período no caminho do crescimento. Em muitas pessoas, resíduos dessas crenças remotas são observáveis, na medida em que sentem ou acreditam que o destino, a sorte, a Providência Divina ou algum outro poder sobrenatural as escolheu para receber favores especiais. Na maioria desses casos, porém, o indivíduo adulto acredita apenas em parte que isso realmente aconteça, mesmo quando toda uma série de acontecimentos favoráveis possa tornar a hipótese plausível. Só raramente encontramos uma convicção firme desse tipo na idade adulta, e somente quando existiam circunstâncias atenuantes na infância que tornavam essa crença necessária e convincente.

No caso de Hitler, as circunstâncias atenuantes são relativamente claras. Já mencionamos o fato de que sua mãe deu à luz ao menos duas e talvez até três crianças que morreram antes do nascimento de Hitler. Ele mesmo era um bebê frágil e um tanto doente. Por isso, sua mãe, sem dúvida, esforçou-se ao máximo para mantê-lo vivo. É inquestionável que, durante esse período, Hitler foi mimado, e sua sobrevivência era provavelmente a maior preocupação da família. Com certeza, desde os primeiros dias, havia discussões consideráveis na família a respeito da morte das outras crianças e comparações constantes entre o desenvolvimento delas e o seu.

Crianças tomam conhecimento da morte como um fenômeno muito cedo em suas vidas, e, em vista dessas circunstâncias incomuns, Hitler pode ter tomado consciência disso ainda mais cedo do que a maioria delas. A ideia da morte em si é inconcebível para as crianças pequenas, e, em geral, elas conseguem formar apenas uma vaga ideia do que isso significa ou implica antes de exclui-la de suas mentes. No caso de Hitler, porém, era uma questão viva, e os medos da mãe eram com certeza comunicados a ele. Ao refletir sobre o problema do seu modo imaturo, ele deve ter se se perguntado por que os outros morreram e ele continuou vivo. A conclusão natural a que uma criança chegaria seria de que ela foi de algum modo favorecida ou foi escolhida para viver por causa de algum propósito específico. A crença de que ele era o "escolhido" teria sido reforçada pelo fato de que, no que dizia respeito à sua mãe, ele era o escolhido em comparação com os dois enteados dela, que também moravam com a família naquela época.

Aos 5 anos, quando seu irmão nasceu, essa crença deve ter se reforçado consideravelmente. Sem dúvida, esse irmão desempenhou um papel muito mais importante na vida de Adolf do que foi reconhecido por seus biógrafos. O fato pertinente é que esse irmão também morreu antes de completar 6 anos. Foi a primeira experiência real de Adolf com a morte, e deve ter trazido de novo o problema da morte de uma forma muito mais vívida. Mais uma vez, supõe-se, Adolf se perguntou por que os outros morreram enquanto ele continuava a ser salvo. A única resposta plausível para uma criança dessa idade seria que ela deve estar sob proteção divina. Isso pode parecer forçado, mas, como adulto, Hitler revela que se sentiu exatamente assim quando estava no *front* durante a guerra, mesmo antes de ter a visão. Naquele momento, ele também especulou sobre a razão de seus companheiros ao redor estarem sendo mortos enquanto ele era salvo, e, mais uma vez, chegou à conclusão de que a Providência Divina o estava protegendo. Talvez a coragem exemplar que ele demonstrou como mensageiro no *front* deveu-se ao sentimento de que alguma estrela da sorte bondosa zelava por ele. Ao longo de *Mein Kampf*, encontramos esse tipo de pensamento. Foi o destino que o fez nascer tão perto da fronteira alemã; foi o destino que o enviou para Viena para sofrer com as massas; foi o destino que o levou a fazer muitas coisas. A experiência que ele relata no *front* – de quando uma voz lhe disse para pegar seu prato de comida e se deslocar para outra parte da trincheira, bem a tempo de escapar de uma granada que matou todos os seus companheiros – deve, com certeza, ter reforçado essa crença num grau acentuado e preparado o terreno para sua visão posterior.

O complexo de Messias

Outra influência pode ter ajudado a consolidar esse sistema de crença. Entre os pacientes, constatamos com bastante frequência que as crianças que são mimadas quando muito pequenas e criam uma ligação forte com suas mães tendem a questionar sua paternidade. As crianças mais velhas tendem especialmente a ter tais dúvidas, e isso é mais acentuado nos casos em que o pai é muito mais velho que a mãe. No caso de Hitler, o pai era 23 anos mais velho; ou seja, tinha quase duas vezes a idade da mãe. Do ponto de vista psicológico, o motivo pelo qual isso acontece não está claro, mas, em tais casos, há uma forte tendência a acreditar que o pai não é o pai de verdade e a atribuir o nascimento a algum tipo de concepção sobrenatural. Em geral, essas crenças são descartadas à medida que a criança cresce. No entanto, podem ser observadas em crianças mais novas e podem muitas vezes ser recuperadas em adultos sob as condições apropriadas. Devido à natureza insensível e brutal de seu pai, podemos deduzir que havia um incentivo adicional no caso de Hitler para rejeitá-lo como seu pai de verdade e pressupor alguma outra origem para si.

No momento, o problema não é importante em si, exceto na medida em que pode ajudar a lançar alguma luz sobre as origens da convicção de Hitler em sua missão e de sua crença de que é guiado por algum poder sobrenatural, que lhe comunica o que deve ou não fazer sob circunstâncias variadas. Essa hipótese é justificável tendo em vista o fato de que, durante sua temporada em Viena, quando ainda estava com vinte e poucos anos, deixou a barba crescer e, logo depois da guerra, novamente deixou crescer uma barba, ao estilo de Jesus Cristo. Além disso, quando era aluno da escola beneditina, sua ambição era ingressar na Igreja e se tornar abade ou padre. Tudo isso dá alguma indicação de um complexo de Messias muito antes de ele ter começado sua carreira meteórica e se tornado um concorrente manifesto de Cristo pelo afeto do povo alemão.

Medo da morte e desejo pela imortalidade

Embora crenças desse tipo sejam comuns durante a infância, em geral elas são descartadas ou modificadas quando o indivíduo se torna mais experiente. No caso de Hitler, porém, ocorreu o inverso. A convicção se tornou mais forte à medida que ele envelheceu, até, atualmente, se tornar o cerne de seu pensamento. Nessas circunstâncias, devemos supor que algum fluxo psicológico poderoso continuou a alimentar esses modos infantis de pensamento. Provavelmente, esse fluxo psicológico é, como em muitos outros casos, um medo da morte. Parece lógico supor que, ao longo de suas considerações anteriores a respeito das mortes de seus irmãos, sua primeira conclusão tenha sido de que todos os outros morreram e, consequentemente, ele também morreria. Seu medo não seria aliviado pela preocupação constante da mãe com seu bem-estar, que ele pode ter interpretado como indicação de que o perigo era iminente. Com certeza, nessas circunstâncias, essa conclusão seria válida para uma criança. Contudo, a ideia de sua própria morte é quase insuportável para uma criança pequena. Nada é tão desencorajador quanto o pavor constante da autoaniquilação. Atormenta dia e noite e impede de aproveitar as coisas boas que a vida proporciona.

Livrar-se desse medo devastador torna-se seu principal objetivo. Isso não se conquista com facilidade, sobretudo quando toda evidência disponível parece corroborar a validade do medo. A fim de contrabalançar sua força, a pessoa é quase induzida a negar sua realidade, adotando a crença de que ela é de origem divina e que a Providência está protegendo-a de todo o mal. Apenas pelo uso dessa técnica a criança é capaz de se convencer de que não vai morrer. Também devemos lembrar que, no caso de Hitler, não havia apenas a incomum sucessão de mortes de irmãos, mas também havia a ameaça constante da brutalidade de seu pai, que ajudava a deixar o medo mais intenso do que para a maioria das crianças. Esse perigo poderia facilmente se tornar exagerado na mente de Hitler, devido à culpa que sentia em relação aos seus sentimentos pelo pai e pela mãe e àquilo que seu pai poderia fazer com ele se descobrisse seu segredo. Esses sentimentos tenderiam a intensificar seu medo da morte, ao mesmo tempo que faziam com que ele rejeitasse seu pai. Ambas as tendências serviriam para alimentar a crença de que ele era de origem divina e estava sob a égide de Deus.

Acredito que esse medo básico da morte ainda esteja presente e ativo no caráter de Hitler atualmente. À medida que o tempo passa e ele se aproxima da idade em que poderia esperar morrer, esse medo infantil se impõe com mais força. Como homem maduro e inteligente, ele sabe que a lei da natureza é tal que seu eu físico está destinado a morrer. No entanto, ele ainda não é capaz de aceitar o fato de que ele como indivíduo, bem como sua psique, também vão morrer. É esse elemento em sua estrutura psicológica que exige que ele se torne imortal. A maioria das pessoas consegue aliviar esse medo de morrer por meio de crenças religiosas na vida após a morte ou por meio do sentimento de que uma parte delas, ao menos, continuará vivendo nos filhos. No caso de Hitler, esses dois canais normais foram fechados, e ele foi forçado a buscar a imortalidade de uma forma mais direta. Ele deve se preparar para continuar vivendo no povo alemão por pelo menos mil anos. Para fazer isso, deve destronar Cristo como concorrente e usurpar seu lugar na vida do povo alemão.

Além da evidência obtida da experiência com pacientes que tornaria essa hipótese justificável, temos a evidência proporcionada pelos próprios medos e atitudes de Hitler. Na parte IV, discutimos isso em detalhes. O medo de ser assassinado, o medo de envenenamento, o medo de morte prematura, e assim por diante, tratam do problema da morte de forma não camuflada. Naturalmente, alguém pode sustentar que, em vista de seu cargo, todos esses medos são mais ou menos justificados. Com certeza, há alguma verdade nessa alegação, mas também notamos que, com o passar do tempo, esses medos se intensificaram bastante e agora chegaram ao ponto em que as precauções tomadas para sua própria segurança excedem em muito as de qualquer um de seus antecessores. Desde que conseguisse realizar um plebiscito ocasionalmente e assegurar que o povo alemão o amava e o queria, ele se sentia melhor. Agora que isso não é mais possível, ele não tem um meio fácil de reprimir o medo, e sua incerteza em relação ao futuro fica maior. Há pouca dúvida a respeito de sua fé nos resultados dos plebiscitos. Ele ficava bastante convencido de que os 98% dos votos que aprovavam suas ações de fato representavam os verdadeiros sentimentos do povo alemão. Hitler acreditava nisso porque, de vez em quando, precisava restaurar sua confiança para continuar com a mente mais ou menos tranquila e manter suas ilusões.

Quando nos voltamos para o seu medo do câncer, não encontramos qualquer justificativa para sua crença, sobretudo tendo em vista que diversos especialistas dessa doença lhe asseguraram de que esse medo não tem fundamento. No entanto, é um de seus medos mais antigos, e ele se mantém fiel a isso, apesar de toda a prova especializada em contrário. Esse medo se torna compreensível quando lembramos que sua mãe morreu depois de uma cirurgia para tratar um câncer de mama. Em conexão com seu medo da morte, não devemos nos esquecer de seus pesadelos aterrorizantes, dos quais ele acorda suando frio e agindo com se estivesse sendo sufocado. Se nossa hipótese estiver correta – ou seja, que o medo da morte é um dos fluxos inconscientes poderosos que impelem Hitler em sua carreira insana –, então podemos esperar que, com o avanço da guerra e à medida que ele fica mais velho, o medo continuará a aumentar. Com o progresso dos acontecimentos ao longo do curso atual, lhe será cada vez mais difícil sentir que sua missão está cumprida e que ele burlou a morte com êxito e alcançou a imortalidade entre o povo alemão. No entanto, podemos esperar que ele vai continuar tentando dar o melhor de si enquanto existir um raio de esperança. O grande perigo é que, se ele sentir que não pode alcançar a imortalidade como o Grande Redentor, ele poderá procurá-la como o Grande Destruidor, que viverá na mente do povo alemão por mil anos. Numa conversa com Rauschning, Hitler insinuou isso, dizendo: "Não vamos nos render. Nunca. Podemos ser destruídos, mas, se formos, arrastaremos o mundo conosco: um mundo em chamas." Com ele, assim como com muitos outros de seu tipo, pode muito bem ser o caso de atingir a imortalidade a qualquer preço.

Desenvolvimento sexual

O desenvolvimento de sua vida sexual está bastante entrelaçado com diversos temas que já foram abordados. Do que sabemos sobre a limpeza e o asseio excessivos de sua mãe, podemos supor que ela empregou medidas bastante rigorosas durante o período em que ensinou os filhos a usar o vaso sanitário. Em geral, nessa área, isso resulta numa tensão residual, encarada pela criança como uma frustração grave que desperta sentimentos de hostilidade. Isso facilita uma aliança com sua agressão infantil, que encontra uma via de expressão em atividades e fantasias anais. Em geral, essas se concentram ao redor de excrementos, humilhação e destruição, formando a base de um caráter sádico.

Aqui, novamente, podemos supor que a experiência foi mais intensa no caso de Hitler do que na média, devido ao forte apego e aos mimos de sua mãe na primeira infância. Desacostumado com pequenas frustrações que a maioria das crianças deve aprender a suportar antes de passar pelo treinamento esfincteriano e aprender a usar o vaso sanitário, ele não estava preparado para lidar com essa experiência, que desempenha um papel importante na vida de todas as crianças pequenas. Mesmo agora, como adulto, Hitler é incapaz de lidar com experiências frustrantes de modo maduro. Uma tensão residual desse período ainda existe em Hitler e fica evidente pela frequência com que ele evoca, em sua fala e em sua escrita, imagens relacionadas a esterco, sujeira e mau cheiro. Alguns exemplos podem ajudar a esclarecer sua preocupação inconsciente com esses assuntos:

> Você não entende: estamos passando um ímã sobre um monte de esterco, e veremos agora quanto ferro estava no esterco e aderiu ao ímã. [Por "monte de esterco", Hitler quis dizer o povo alemão.]

> E quando ele [os judeus] revolver os tesouros em sua mão, eles serão transformados em sujeira e esterco.

> [...] As mãos agarram uma geleia pegajosa; ela desliza entre os dedos apenas para se recompor no momento seguinte.

> Às vezes, a caridade é comparável ao esterco que está espalhado no campo, não por amor, mas por precaução e para o futuro benefício próprio de alguém.

> [...] arrastado para a sujeira e imundície das profundezas mais baixas.

> Mais tarde, o cheiro dessa gente vestindo túnicas me deixou doente. Além disso, havia suas roupas sujas e sua aparência nem um pouco heroica.

> Mais de uma vez, a podridão das condições de paz criadas artificialmente fede até não poder mais.

No entanto, o desenvolvimento libidinal de Hitler não foi interrompido nesse ponto, mas progrediu ao nível genital, no qual o complexo de Édipo já referido se desenvolveu. Esse complexo, como vimos, foi agravado pela gravidez de sua mãe exatamente na idade em que o complexo costuma atingir sua maior intensidade. Além de acentuar o ódio pelo seu pai e afastá-lo de sua mãe, podemos supor que esse acontecimento, naquele momento específico, serviu para gerar uma curiosidade anormal nele. Como todas as crianças dessa idade, ele deve ter se perguntado como o bebê em gestação havia entrado na barriga da mãe e como sairia.

Todas essas três reações desempenharam um papel importante no desenvolvimento psicossexual de Hitler. A partir da evidência, parece que suas fantasias agressivas em relação ao pai chegaram a tal ponto que ele ficou com medo da possibilidade de retaliação se seus desejos secretos fossem descobertos. Provavelmente, a retaliação que ele temia era que seu pai o castrasse ou prejudicasse sua capacidade genital de alguma maneira; um medo depois expresso na forma de sua sifilofobia. Ao longo de *Mein Kampf*, ele retoma o tópico da sífilis repetidas vezes e dedica quase todo um capítulo para descrever seus horrores. Em quase todos os casos, vemos que esse tipo de medo está enraizado no temor de lesão genital durante a infância. Em muitos casos, é um medo tão opressivo que a criança abandona por inteiro sua sexualidade genital e retrocede a estágios anteriores do desenvolvimento libidinal. A fim de manter essas repressões posteriormente, ele usa os horrores da sífilis como justificativa para seu medo inconsciente de que a sexualidade genital lhe seja perigosa, e também como racionalização para sua fuga de situações em que seus desejos mais antigos possam ser despertados.

Ao abandonar o nível genital do desenvolvimento libidinal, o indivíduo torna-se impotente no que diz respeito a relações heterossexuais. A partir das evidências, parece que um processo desse tipo ocorreu durante a primeira infância de Hitler. Enquanto jovem adulto, em Viena, no Exército, em Munique e em Landsberg, nenhum entrevistado relatou um relacionamento heterossexual de Hitler. Na verdade, os entrevistados de todos esses períodos insistem que ele não tinha absolutamente nenhum interesse em mulheres, nem tinha qualquer contato com elas. Desde sua chegada ao poder, seu relacionamento peculiar com as mulheres ficou tão evidente que muitos autores acreditam que ele seja completamente assexuado. Alguns supuseram que Hitler sofreu uma lesão genital durante a última guerra; outros, que ele é homossexual. A primeira hipótese, da qual não há nenhuma evidência real, é quase certamente falsa. Adiante, examinaremos a segunda hipótese.

A difusão do instinto sexual

Quando ocorre uma regressão desse tipo, o instinto sexual geralmente se torna difuso, e muitos órgãos que propiciavam algum estímulo no passado ficam de modo permanente investidos de significado sexual. Por exemplo, os olhos podem se converter num órgão sexual substituto, e, então, a visão assume significado sexual. No caso de Hitler, isso parece ter acontecido, pois diversos entrevistados comentaram a respeito de seu prazer em ver *stripteases* e bailarinas nuas no palco. Nessas ocasiões, ele nunca consegue enxergar o suficiente para satisfazê-lo, ainda que utilize binóculos para observar mais de perto. Com frequência, artistas de *striptease* são convidadas para a Casa Marrom, em Munique, para se apresentar em particular, e há evidências de que ele muitas vezes convida garotas a Berchtesgaden com o propósito de exibir seus corpos. Em suas paredes, há diversos quadros de nus obscenos, que não dissimulam nada, e ele sente um deleite especial ao examinar uma coleção de fotos pornográficas que Hoffmann fez para ele. Também sabemos do grande prazer que Hitler obtém de enormes procissões, espetáculos circenses, óperas e, em especial, filmes os quais ele jamais se cansa de ver. Ele disse aos entrevistados que desistiu de voar não só por causa do perigo envolvido, mas também porque queria ver mais da paisagem do país. Por esse motivo, os deslocamentos com automóvel são sua forma preferida de transporte. De tudo isso, evidencia-se que a visão tem um significado sexual especial para ele. Isso deve explicar seu "olhar hipnótico", que foi tema de comentários de muitos autores. Alguns relataram que, no primeiro encontro, Hitler os encarou como se seu olhar "os atravessasse". Também é interessante que, quando a outra pessoa o encara, Hitler ergue o olhar para o teto e permanece assim durante o encontro. Também não devemos esquecer que, no momento de crise, seu ataque histérico se manifestou como cegueira.

Além dos olhos, a região anal também se tornou muito sexualizada, e tanto as fezes quanto as nádegas viraram objetos sexuais. Devido ao treinamento esfincteriano precoce, estabeleceram-se certas inibições que impedem sua expressão direta. No entanto, encontramos tantos exemplos de evocação de imagens desse tipo, principalmente relacionadas a tópicos sexuais, que devemos supor que essa área assumiu um significado sexual. Vamos considerar a natureza desse significado daqui a pouco.

Aparentemente, a boca também se converteu em zona erógena de grande importância. Poucos autores ou entrevistados se esqueceram de mencionar os hábitos alimentares peculiares de Hitler. Ele consome grandes quantidades de doces, balas, bolos, creme chantilly e similares ao longo do dia, além de sua dieta vegetariana. Por outro lado, recusa-se a consumir carne, beber cerveja ou fumar, o que sugere certas inibições inconscientes nessa área. Também tem medo patológico de envenenamento pela boca e, de vez em quando, mostra preocupação obsessiva com lavagem bucal. Isso tudo sugere uma formação reativa ou defensiva contra uma tendência inaceitável de pôr algo em sua boca ou tirar algo que, de um determinado ponto de vista, pareça ser repugnante. A esse respeito, não devemos nos esquecer de sua decisão de fazer greve de fome após o fracasso do

Putsch da Cervejaria, seu mutismo histérico no fim da última guerra e seu amor por discursar. Vamos considerar a importância dessas ações posteriormente.

Perturbação de relações amorosas

Como segundo efeito da gravidez de sua mãe, Hitler se distanciou dela. O resultado direto disso foi, por um lado, uma idealização do amor, mas sem componente sexual, e por outro, a colocação de uma barreira contra relacionamentos íntimos com outras pessoas, sobretudo mulheres. Tendo se machucado uma vez, Hitler, inconscientemente, resguarda-se contra um sofrimento semelhante no futuro. Em seu relacionamento com a sobrinha, Geli, ele tentou superar essa barreira, mas voltou a ficar desapontado e, desde então, não se expôs a uma relação realmente íntima com um homem ou uma mulher. Hitler se isolou do mundo em que o amor desempenha algum papel por medo de ser ferido, e o amor que ele consegue sentir está fixado num ente abstrato: a Alemanha, que, como vimos, é o símbolo de sua mãe ideal. É um relacionamento amoroso em que o sexo não desempenha nenhum papel direto.

Origens de sua perversão

O terceiro resultado da gravidez de sua mãe foi despertar uma curiosidade excessiva. O grande mistério para crianças dessa idade que se encontram nessa situação é como o bebê em gestação entrou na barriga da mãe e como vai sair. Mesmo nos casos em que as crianças testemunham a relação sexual parental, esse acontecimento raramente é vinculado à gravidez resultante. Já que, em suas limitadas experiências, tudo que entra na barriga entra pela boca e tudo que sai geralmente sai pelo reto, as crianças tendem a acreditar que a fecundação ocorre pela boca e que a criança nascerá pelo ânus. Sem dúvida, Hitler, como criança, aderiu a essa crença, mas isso não satisfez sua curiosidade. Sem dúvida, ele queria ver por si mesmo como saía e o que acontecia exatamente.

A curiosidade assentou a base de sua estranha perversão, que reuniu todas as suas três zonas sexualizadas. Na descrição das experiências sexuais que teve com Hitler, Geli enfatizou o fato de que era de máxima importância para o tio que ela se agachasse sobre ele de maneira que o homem pudesse ver tudo. É interessante que Röhm, num contexto inteiramente distinto, disse:

> Ele [Hitler] está pensando nas garotas camponesas. Quando estão nos campos e se curvam sobre seu trabalho, de modo que você possa ver seus traseiros, é disso que ele gosta, sobretudo quando elas têm grandes nádegas. Essa é a vida sexual de Hitler. Que homem.

Hitler, que estava presente, não moveu um músculo, mas encarou Röhm com os lábios apertados.

Considerando todas as evidências, parece que a perversão de Hitler é tal como Geli a descreveu. Porém, o grande perigo em gratificá-la é que o indivíduo pode receber fezes ou urina em sua boca. É esse perigo que requer que inibições adequadas sejam instituídas.

Retorno ao útero

A esse respeito, apresenta-se outra possibilidade de pensamento infantil. Quando o ambiente familiar é hostil e brutal, como era no caso de Hitler, a criança pequena, com muita frequência, inveja a posição de passividade e segurança de que o bebê em gestação desfruta dentro da mãe. Isso, por sua vez, origina fantasias de encontrar um caminho para o claustro almejado e desalojar o rival, para que o lugar dele possa ser tomado. Em geral, essas fantasias são de curtíssima duração, porque a criança acredita que, se tiver êxito, não terá nada para comer ou beber, exceto fezes e urina. A ideia de tal dieta desperta sentimentos de repugnância, e, portanto, ela abandona suas fantasias a fim de evitar esses sentimentos desagradáveis. No entanto, em diversos psicóticos, essas fantasias continuam e se esforçam para se expressar abertamente. No caso de Hitler, uma evidência importante de que tais fantasias estavam presentes pode ser encontrada no Kehlstein, ou Ninho da Águia, que ele construiu para si perto de Berchtesgaden. Curiosamente, muitas pessoas comentaram que só um louco conceberia tal lugar, quanto mais construí-lo. Do ponto de vista simbólico, pode-se imaginar com facilidade que é a materialização de uma concepção infantil do retorno ao útero. Primero, há um caminho longo e difícil, depois uma entrada bastante protegida, um percurso por um longo túnel a um lugar muito inacessível. Ali, pode-se ficar sozinho, seguro e imperturbado, deleitando-se com as alegrias que a mãe natureza provê. Também é interessante notar que muito poucas pessoas já foram convidadas para visitar o local, e muitos dos colaboradores mais próximos de Hitler não sabem de sua existência ou apenas o viram à distância. Extraordinariamente, François-Poncet é uma das poucas pessoas que já foi convidada a visitá-lo. No livro amarelo francês (uma coletânea de documentos diplomáticos), ele nos oferece uma descrição bastante vívida do lugar, parte da qual vale a pena citar:

> A aproximação é por uma estrada sinuosa, com cerca de quinze quilômetros de extensão, corajosamente recortada na rocha... a estrada chega ao fim diante de uma longa passagem subterrânea que leva às montanhas, fechada por um pesada porta dupla de bronze. No extremo da passagem subterrânea, um elevador espaçoso, revestido com folhas de cobre, espera o visitante. Por um poço vertical de cem metros perfurado na rocha, ele sobe até o nível da morada do chanceler. Ali se atinge um clímax assombroso. O visitante se encontra numa edificação sólida e maciça, contendo uma galeria com colunas romanas, um imenso salão circular com janelas ao redor... Dá a impressão de estar suspensa no espaço, com uma parede de rocha nua quase pendurada se erguendo abruptamente. Toda a construção, banhada pelo crepúsculo da noite outonal, é grandiosa, fantástica, quase alucinante. O visitante se pergunta se está acordado ou sonhando.[5]

Se fosse pedido a alguém que planejasse algo que representasse um retorno ao útero, não seria possível superar Kehlstein. Também é significativo que Hitler, muitas vezes, se refugie nesse lugar estranho enquanto aguarda instruções do rumo que deve seguir.

Vegetarianismo

A partir das defesas psicológicas que Hitler estabeleceu, podemos supor que houve um período em que ele lutou contra essas tendências. Em termos de simbolismo inconsciente, carne é quase sinônimo de fezes, e cerveja, de urina. O fato de existir um tabu severo de ambas indicaria que esses desejos ainda estão presentes, e que apenas se privando de tudo que as simboliza Hitler poderia evitar ansiedades latentes. Rauschning relata que Hitler, seguindo Wagner, atribuiu muito da decadência de nossa civilização ao consumo de carne. Ele acreditava que a decadência "tinha sua origem no abdome: prisão de ventre crônica, envenenamento dos sucos gástricos e os resultados de beber em excesso". Essa asserção sugere que a decadência (contaminação, corrupção, poluição e morte) é resultante da prisão de ventre, isto é, fezes no trato gastrointestinal, e, se esse for o caso, pode-se evitar a decadência tanto pelo não consumo de algo que se assemelhe a fezes quanto pela ingestão de laxantes ou evacuando com a maior frequência possível. Relatou-se que, certa vez, Hitler disse estar confiante de que todos os países chegariam ao ponto em que não se alimentariam mais de animais mortos. É interessante notar que, de acordo com um dos nossos entrevistados mais confiáveis, Hitler só se tornou vegetariano de verdade após a morte de sua sobrinha Geli. Frequentemente, na prática clínica, descobre-se o início do vegetarianismo compulsivo após a morte de um ente amado.

Podemos, portanto, considerar a perversão de Hitler um meio-termo entre tendências psicóticas de comer fezes e beber urina, por um lado, e levar uma vida normal e socialmente ajustada, por outro. No entanto, esse meio-termo não é satisfatório para nenhum lado de sua natureza, e a luta entre essas duas tendências diferentes continua a crescer inconscientemente. Não devemos deduzir que Hitler satisfaça sua estranha perversão com frequência. Pacientes desse tipo raramente o fazem, e, no caso de Hitler, é muito provável que ele tenha se permitido ir tão longe assim apenas com Geli e talvez com Henny Hoffmann. A prática dessa perversão representa uma forma extrema de humilhação masoquista.

Satisfações masoquistas

Na maioria dos pacientes que sofrem dessa perversão, as forças inconscientes só chegam a esse nível de descontrole quando um relacionamento amoroso bastante forte se estabelece, e a sexualidade faz exigências decisivas. Em outros relacionamentos, em que o componente amoroso é menos forte, o indivíduo se contenta com atividades menos degradantes. Isso é trazido à luz claramente no caso da atriz Renate Müller. Zeissler, seu diretor, perguntou-lhe o que estava perturbando-a após passar uma noite na Chancelaria, e ela lhe confidenciou "que na noite passada, estivera com Hitler e tinha certeza de que ele teria relações sexuais com ela; que os dois tinham se despido e aparentemente estavam se preparando para ir para a cama quando Hitler caiu no chão e implorou para ela chutá-lo. Ela hesitou, mas ele lhe implorou, considerou-se indigno, amontoou todos os tipos de acusações contra si e rastejou de maneira angustiante. A cena se tornou intolerável para Renate e, enfim, ela cedeu aos desejos dele e o chutou. Isso o excitou muito. Hitler implorou por mais e mais, sempre dizendo que era ainda melhor do que ele merecia e que ele não era digno de estar no mesmo quarto que ela. Então, ela continuou a chutá-lo e ele ficou cada vez mais excitado".[6] Renate Müller cometeu suicídio logo após essa experiência. Aqui, talvez seja bom notar que Eva Braun, sua atual companheira, tentou se suicidar duas vezes, Geli foi assassinada ou cometeu suicídio e Unity Mitford tentou suicídio. Um histórico bastante incomum para um homem que teve poucos relacionamentos com mulheres.

Hanfstaengl, Strasser, Rauschning e também diversos outros entrevistados relataram que, mesmo na companhia de outras pessoas, quando Hitler está apaixonado por uma garota, tende a rastejar aos pés dela da maneira mais repugnante. Aqui, ele também insiste em dizer para a garota que é indigno de beijar sua mão ou de se sentar ao seu lado e que espera que ela seja gentil e outras coisas do tipo. Em tudo isso, observamos a luta constante contra a completa degradação sempre que algum componente afetivo entra em cena. Agora fica claro que a única maneira pela qual Hitler pode controlar essas tendências coprofágicas ou suas manifestações mais brandas é isolando-se de quaisquer relacionamentos íntimos em que sentimentos acolhedores de afeto ou amor possam se impor. Assim que esses sentimentos são despertados, Hitler se sente obrigado a se humilhar aos olhos do ente amado e a comer seus excrementos figurativamente, quando não literalmente. Essas tendências o repugnam tanto quanto a nós, mas, nessas circunstâncias, elas ficam fora de controle, e ele se despreza e se condena por sua fraqueza. Antes de considerar outros efeitos dessa luta em seu comportamento manifesto, devemos fazer uma pausa por um momento e analisar outro tópico.

Feminilidade

Em todas essas atividades, percebemos que Hitler desempenha o papel passivo. Seu comportamento é masoquista ao extremo, visto que ele obtém prazer sexual da punição infligida ao seu corpo. Há vários motivos para supor que, em seus primeiros anos de vida, em vez de se identificar com o pai, como a maioria dos meninos, identificou-se com a mãe. Talvez isso tenha sido mais fácil para ele do que para a maioria dos meninos, pois, como vimos, há um grande componente feminino em sua constituição física. Sua mãe também deve ter sido uma pessoa muito masoquista, ou jamais teria se envolvido nesse casamento nem teria suportado o tratamento brutal de seu marido. Uma identificação emocional com a mãe, portanto, o levaria na direção de uma forma de ajuste passivo, sentimental, humilhante e submisso. Diversos autores e entrevistados comentaram a respeito de suas características femininas: seu modo de andar, suas mãos, seus maneirismos e sua forma de pensar. Hanfstaengl relata que, quando mostrou ao dr. Jung uma amostra da caligrafia de Hitler, ele de imediato exclamou que era uma mão tipicamente feminina. A escolha de belas-artes como profissão também pode ser interpretada como manifestação de uma identificação feminina básica.

Há indicações claras desses ajustes emocionais posteriormente em sua vida. O mais notável deles é, talvez, seu comportamento em relação aos seus oficiais durante a última guerra. Seus companheiros relatam que, durante os quatro anos em que Hitler esteve na ativa, ele não somente era submisso em excesso em relação a todos os seus oficiais, como também com frequência se oferecia para lavar suas roupas e cuidar delas. Com certeza, isso indicava uma forte tendência a assumir o papel feminino na presença de uma figura masculina sempre que isso fosse factível e pudesse ser devidamente racionalizado. Seu sentimentalismo extremo, sua emotividade, sua suavidade ocasional e seu choro, mesmo depois de se tornar chanceler, podem ser considerados manifestações de um padrão feminino fundamental, que, sem dúvida, teve sua origem no relacionamento com a mãe. Seu persistente medo do câncer, que foi a doença da qual a mãe morreu, também pode ser considerado uma expressão de identificação precoce com ela.

Embora não possamos entrar numa discussão a respeito da frequência desse fenômeno na Alemanha, é interessante notar que há evidências sociológicas que indicam que provavelmente ele é muito comum. Se investigações adicionais do assunto corroborarem essas evidências, isso pode ser de extremo valor para nosso programa de guerra psicológica, visto que nos daria uma chave para a compreensão da natureza básica do caráter masculino alemão e do papel que a organização nazista desempenha em sua vida interior.

Homossexualidade

A grande dificuldade é que essa forma de identificação na infância leva o indivíduo na direção da homossexualidade passiva. Por anos, suspeitou-se de que Hitler era homossexual, embora não haja evidência confiável de que ele tenha realmente se envolvido num relacionamento desse tipo. Rauschning relata ter conhecido dois garotos que afirmaram ser parceiros homossexuais de Hitler, mas o testemunho deles dificilmente pode ser levado a sério. Mais condenatórios seriam os comentários feitos por Forster, *Gauleiter* de Danzig, em conversas com Rauschning. Mesmo nesse caso, porém, os comentários tratam apenas da impotência de Hitler no que diz respeito às relações heterossexuais, sem realmente indicar que ele se entrega à homossexualidade. Provavelmente, é verdade que Hitler chama Forster de "Bubi", que é um apelido comum usado por homossexuais para se dirigir aos seus parceiros. No entanto, isso por si só não é prova suficiente de que Hitler de fato se entregou a práticas homossexuais com Forster, que é sabidamente homossexual.

A crença de que Hitler é homossexual deve ter surgido porque ele exibe muitas características femininas e porque havia muitos homossexuais no Partido nos primeiros anos, e muitos continuam a ocupar cargos importantes. Parece que Hitler se sente muito mais à vontade com homossexuais do que com pessoas heterossexuais, mas isso possivelmente acontece porque todos são proscritos sociais e, portanto, têm uma comunhão de interesses que tende a fazê-los pensar e sentir mais ou menos de maneira similar. A esse respeito, é interessante notar que os homossexuais muitas vezes também se consideram criaturas especiais ou escolhidos, cujo destino é iniciar uma nova ordem. O fato de, em seu íntimo, sentirem-se diferentes e marginalizados dos contatos sociais normais os torna presas fáceis para conversão a uma nova filosofia social que não os discrimine. Por estarem entre os descontentes da civilização, estão sempre dispostos a se arriscar em algo novo, que prometa melhorar sua sorte, mesmo que suas chances de sucesso sejam pequenas e o risco seja grande. Tendo pouco a perder já de início, podem se dar o luxo de correr riscos que outros não correriam. Com certeza, no início, o Partido Nazista tinha muitos membros que podiam ser considerados sob esse prisma. Mesmo hoje, Hitler obtém prazer sexual ao olhar para corpos masculinos e associar-se a homossexuais. Strasser revela que seus guarda-costas são quase sempre homossexuais. Ele também sente considerável prazer estando com a Juventude Hitlerista, e, frequentemente, sua atitude em relação a eles tende a ser mais como a de uma mulher do que a de um homem.

Há a possibilidade de que Hitler tenha participado de um relacionamento homossexual em algum momento de sua vida. A evidência é tal que só podemos afirmar que há uma forte tendência nessa direção, que, além das manifestações já enumeradas, muitas vezes encontra expressão nas imagens evocadas por ele de ser atacado por trás ou de ser apunhalado pelas costas. Seus pesadelos, que frequentemente envolvem Hitler sendo atacado por um homem e sendo asfixiado, também sugerem tendências homossexuais e o medo disso. Dessas indicações, porém, concluiríamos que essas tendências foram bastante reprimidas, o que deporia contra a probabilidade de serem expressas de forma aberta. Por outro lado, às vezes, as pessoas que sofrem de sua perversão se entregam a práticas homossexuais, na expectativa de que possam encontrar alguma satisfação sexual. Mesmo essa perversão seria mais aceitável para elas do que aquela com a qual sofrem.

Primeiros anos escolares

As bases de todos os diversos padrões que analisamos foram assentadas nos primeiros anos de vida de Hitler. Muitos deles, como vimos, devem-se principalmente à estrutura peculiar de seu lar, enquanto outros se desenvolveram a partir de fatores constitucionais ou falsas interpretações de acontecimentos. Quaisquer que tenham sido suas origens, esses padrões criaram tendências e tensões antissociais que perturbaram a criança em alto grau. Desde seus primeiros dias de vida, parece que Hitler sentiu que o mundo era um lugar muito ruim para se viver. Para ele, o mundo devia parecer um lugar cheio de riscos e obstáculos intransponíveis, que o impediam de obter satisfações adequadas, e de perigos que ameaçariam seu bem-estar se tentasse obtê-las de maneira direta. O resultado disso foi que ele sentiu um grau incomum de amargura contra o mundo e contra as pessoas, para a qual não conseguia encontrar escapes adequados. Quando criança, deve ter ficado tomado de sentimentos intensos de inadequação, ansiedade e culpa, que o tornaram uma criança infeliz. No entanto, parece que Hitler conseguiu reprimir a maioria de suas tendências incômodas e se ajustar temporariamente a um ambiente difícil antes de completar 6 anos, porque, nessa época, entrou na escola e, nos anos seguintes, foi um aluno excepcional. Todos os boletins que foram encontrados, desde o momento em que ele ingressou na escola até os 11 anos de idade, mostram uma sucessão quase ininterrupta de notas A em todas as matérias. Aos 11 anos, tudo mudou em relação à sua carreira acadêmica. De repente, de um aluno só com notas A, ele caiu até o ponto em que foi reprovado em quase todas as matérias e teve que repetir de ano. Essa incrível reviravolta só fica compreensível quando nos damos conta de que seu irmão mais novo morreu nessa época. Podemos apenas presumir que esse acontecimento serviu para despertar novamente seus conflitos mais antigos e abalar seu equilíbrio psicológico.

No caso de Hitler, podemos supor que esse acontecimento o afetou de pelo menos duas maneiras importantes. Primeiro, deve ter despertado nele de novo medos da própria morte, o que, por sua vez, fortaleceu ainda mais a convicção de que ele era o "escolhido" e estava sob proteção divina. Segundo, é possível que ele tenha associado a morte do irmão ao pensamento e desejo que tinha a respeito disso. De modo inquestionável, ele odiava esse intruso e com frequência pensava em como seria bom se o irmãozinho fosse retirado de cena. De maneira inconsciente, ou até mesmo consciente, é provável ele ter sentido que a morte do irmão resultou de seu pensamento. Por um lado, isso intensificou seus sentimentos de culpa, e, por outro, reforçou ainda mais sua crença nos poderes especiais de origem divina. Pensar nessas coisas era quase sinônimo de torná-las realidade. Para evitar novos sentimentos de culpa, ele teve que refrear seus processos de pensamento. O resultado dessa inibição no pensamento foi que Hitler passou de bom a péssimo aluno. Ele não só teve que repetir o ano letivo durante o qual o irmão morreu, como seu desempenho acadêmico continuou sendo medíocre, para dizer o mínimo. Quando examinamos seus boletins posteriores, descobrimos que ele só se sai bem em matérias como desenho e ginástica, que não exigem raciocínio. Em todas as outras, como matemática, línguas ou história, que exigem algum raciocínio, seu desempenho está no limite; às vezes, satisfatório, e outras vezes, insatisfatório.

É fácil imaginar que foi durante esse período que a ira do pai despertou e ele começou a pressionar o filho para que se aplicasse em seus deveres escolares, além de ameaçar consequências terríveis caso o menino fracassasse. A partir da evidência sociológica, parece que é nessa idade que a maioria dos pais alemães começa a se interessar pela educação dos filhos. Se o pai de Hitler seguiu esse padrão geral, podemos supor que ele tinha motivo para ficar irado com o desempenho do filho. A luta constante entre Hitler e seu pai, que ele descreve em *Mein Kampf*, é provavelmente verdadeira, embora as motivações por trás de suas ações fossem muito diferentes daquelas que ele descreve. Hitler estava se aproximando da adolescência, e isso, junto com a morte de seu irmão mais novo, serviu para trazer muitas atitudes adormecidas para mais perto da superfície da consciência.

Muitas dessas atitudes agora encontram expressão no relacionamento entre pai e filho. Enumeradas de maneira resumida, seriam: (1) rejeição do pai como modelo; (2) inibição contra seguir uma carreira que exigisse raciocínio; (3) tendências anais que encontram uma forma de expressão no ato de sujar; (4) tendências passivas, femininas; e (5) tendências masoquistas e o desejo de ser dominado por uma figura masculina forte. No entanto, Hitler não estava pronto para rebelar-se abertamente, pois ele relata, em sua autobiografia, acreditar que resistência passiva e obstinação eram o melhor caminho, e que se as seguisse por tempo suficiente seu pai acabaria cedendo e permitiria que ele deixasse a escola e seguisse uma carreira artística. Na realidade, em 1930, antes que o mito Hitler ficasse bem estabelecido, seu irmão, Alois, relatou que seu pai nunca teve nenhuma objeção quanto a Adolf se tornar um artista, mas exigia que o filho se saísse bem na escola. A partir disso, podemos supor que o atrito entre o pai e Adolf não foi determinado por sua escolha de carreira, mas por demandas inconscientes que obtinham satisfação com o antagonismo.

Vida escolar posterior

Hitler transportou o mesmo padrão para as escolas, onde estava sempre despertando a inimizade de professores e outros garotos. Ele tentou criar a impressão de que era um líder entre os colegas de classe, o que é quase certamente falso. Evidências mais confiáveis indicam que ele era impopular entre os colegas de classe e também entre os professores, que o consideravam indolente, não cooperativo e encrenqueiro. Durante esses anos, o único professor com quem ele conseguiu se entender foi Ludwig Pötsch, fervoroso nacionalista alemão. Seria um erro, porém, deduzir que Pötsch inculcou esses sentimentos nacionalistas em Hitler. É muito mais lógico supor que todos esses sentimentos estavam presentes nele antes de entrar em contato com Pötsch, e que seus ensinamentos nacionalistas só ofereceram a Hitler um novo escape para a expressão de suas emoções reprimidas. Foi provavelmente nesse período que Hitler descobriu a semelhança entre o jovem Estado alemão e sua mãe, e entre a antiga monarquia austríaca e seu pai. Com essa descoberta, ele logo se juntou ao grupo nacionalista de estudantes que desafiavam a autoridade do Estado austríaco. Dessa maneira, foi capaz de proclamar abertamente o amor pela mãe e defender a morte do pai. Eram sentimentos que ele tivera durante muito tempo, mas não pôde expressar. A partir de então, conseguia obter satisfação parcial por meio do uso de símbolos.

A morte de seu pai

Podemos supor que isso serviu para intensificar o atrito entre pai e filho, pois, apesar do que Hitler afirma, as melhores evidências parecem indicar que o pai era antialemão em seus sentimentos. Isso novamente colocou pai e filho em lados opostos, e lhes deu novo motivo para hostilidade. Não há como saber como isso teria se desenrolado a longo prazo, pois, quando a luta entre os dois estava no auge, o pai caiu morto na rua. As repercussões desse acontecimento devem ter sido graves e reforçaram todos aqueles sentimentos que descrevemos em relação à morte do irmão. Mais uma vez, deve ter parecido a realização de um desejo, e, de novo, deve ter havido sentimentos graves de culpa, com maior inibição dos processos de pensamento.

Seu desempenho acadêmico continuou a declinar, e parece que, para evitar outro fracasso completo, Hitler foi tirado da escola em Linz e enviado para a escola em Steyr. Mesmo assim, ele conseguiu passar de ano, com notas pouco mais do que satisfatórias. Foi nessa época que um médico disse-lhe que ele tinha uma doença da qual jamais se recuperaria. Sua reação foi intensa, já que isso trouxe a possibilidade de sua morte ao primeiro plano e agravou todos os seus temores infantis. O resultado foi que ele não voltou para a escola para terminar seu curso, mas ficou em casa, onde levava uma vida que era marcada pela passividade. Ele nem estudava, nem trabalhava, passando a maior parte do tempo na cama, e foi mimado por sua mãe, que satisfazia todas as necessidades dele, apesar de sua difícil situação financeira.

Alguém pode supor que isso foi a materialização da concepção de Hitler do que seria o Paraíso, porque restabeleceu uma situação da primeira infância da qual ele sempre sentiu saudade. No entanto, de acordo com seu próprio relato, parece que as coisas não correram tão bem, pois ele escreve em *Mein Kampf*:

> Aos 14 anos, quando o jovem é dispensado da escola, é difícil dizer o que é pior: sua inacreditável ignorância no que tange a conhecimentos e habilidades ou a mordaz audácia de seu comportamento combinado com uma imoralidade que deixa o cabelo em pé… O menino de 3 anos agora virou um jovem de 15, que despreza toda autoridade… Agora, ele vagabundeia por aí, e só Deus sabe quando ele volta para casa.

Podemos imaginar que a morte do irmão e do pai em rápida sucessão o encheu de tanta culpa que ele não foi capaz de desfrutar por completo dessa situação idílica. Talvez a situação tenha despertado desejos que ele não conseguia mais encarar em nível consciente, e só podia mantê-los sob controle ficando na cama e desempenhando o papel de criança desamparada ou se ausentando da situação por completo. Em todo caso, ele deve ter sido um problema considerável para sua mãe, que morreu quatro anos depois de seu pai. O dr. Bloch relata que a grande preocupação dela ao morrer era: "O que vai ser do pobre Adolf; ele ainda é tão novo." Naquele momento, Adolf tinha 18 anos. Ele fracassara na escola e não trabalhava. Nessa época, ele se descreve como um maricas, o que, sem dúvida, ele era.

Exame de admissão para a Academia de Belas Artes

Dois meses antes da morte da mãe, Hitler tinha ido para Viena para fazer o exame de admissão para a Academia de Belas Artes. Naquele momento, ele sabia que a mãe estava em condição crítica e que a morte ocorreria em poucos meses. Sabia, portanto, que sua existência tranquila em casa logo chegaria ao fim e que ele teria que encarar o mundo inóspito e insensível por sua própria conta. De vez em quando, é incrível como os acontecimentos na vida de uma pessoa se encaixam. No exame de admissão, a tarefa do primeiro dia envolvia fazer um desenho retratando a "Expulsão do Paraíso". Para ele, deve ter parecido que o destino havia escolhido esse tópico para condizer com sua situação pessoal. No segundo dia, ele deve ter sentido que o destino estava o provocando quando descobriu que a tarefa seria fazer uma pintura retratando "Um episódio do Dilúvio". Em sua situação, esses tópicos específicos devem ter despertado reações emocionais tão intensas que dificilmente se poderia esperar que ele desse o melhor de si. Os críticos de arte parecem achar que ele tinha algum talento artístico, ainda que não fosse fora de série. O comentário dos examinadores foi: "Muito pouco inspirado." Podemos entender isso sob o ponto de vista das circunstâncias em que Hitler prestou o exame.

A vida em Viena

Adolf voltou para casa logo depois dos exames. Ele ajudou a cuidar da mãe, que estava perdendo as forças rápido e sentindo muitas dores. Ela morreu em 21 de dezembro de 1907 e foi enterrada na véspera do Natal. Ele ficou arrasado e permaneceu durante muito tempo junto à sua sepultura depois que o resto da família deixou o cemitério. Seu mundo tinha chegado ao fim. Partiu para Viena não muito tempo depois do funeral. Ali, ele parece ter sumido de vista por um tempo. O próximo fato de que ficamos sabendo é que, em outubro, após a morte de sua mãe, ele foi novamente reprovado no exame de admissão para a Academia de Belas Artes e, em seguida, rejeitado pela Escola de Arquitetura. O que aconteceu durante essa permanência de dez meses em Viena é um mistério completo que a história não esclarece. É possível que isso se deva ao fato geralmente aceito de que sua mãe tenha morrido em dezembro de 1908, e não de 1907. Com base nisso, considerou-se que Adolf ficou em casa até essa época.

Como não foi o que aconteceu, seria interessante saber onde, com quem e como ele viveu esses dez primeiros meses em Viena. Sabemos que ele tinha pouco dinheiro quando deixou Linz, com certeza não o suficiente para viver por quase um ano sem trabalhar ou conseguir sustento adicional de alguma fonte externa. Não há evidências de que ele tenha trabalhado durante esse período. Parece que, em vez disso, ele passou o tempo pintando e se preparando para o exame de admissão em outubro. Como isso foi possível? Não sabemos. É claro que há uma possibilidade de que a distorção do ano da morte de sua mãe não tenha sido acidental. Às vezes, as datas são deliberadamente alteradas para encobrir certos acontecimentos. Isso pode ter ocorrido nesse caso. Pode ser que os padrinhos judeus de Hitler, que estavam morando em Viena nessa época, tenham o hospedado em sua casa e o apoiado enquanto ele se preparava para o exame da Academia. Quando Hitler foi reprovado pela segunda vez, e tendo se familiarizado com seus hábitos de trabalho, eles podem ter achado que aquele homem era um investimento equivocado e o expulsaram e o mandaram ganhar seu próprio sustento. Há um indício que favorece essa hipótese. Em seu livro, Hanisch menciona brevemente que, quando Hitler e ele estavam bastante desamparados, foram procurar ajuda de um judeu próspero, que Hitler dizia ser seu pai. É bastante provável que Hanisch tenha confundido "pai" com "padrinho". Isso faria sentido e indicaria que Hitler teve contato prévio com os padrinhos judeus, e que eles estavam fartos dele e se recusaram a lhe dar qualquer ajuda adicional. Em todo caso, depois dessa segunda rejeição pela Academia de Belas Artes, Hitler foi trabalhar. No entanto, foi malsucedido em manter um emprego por muito tempo. Gradualmente, ele afundou cada vez mais na escala social, até que, enfim, foi obrigado a viver com a gentalha.

Quando Hitler escreve a respeito dessas experiências em *Mein Kampf*, temos a impressão de que foi uma luta terrível contra adversidades enormes. Do que agora sabemos de Adolf Hitler, parece mais provável que essa existência tenha lhe propiciado considerável satisfação, apesar das provações. A partir do que Hanisch escreve, fica perfeitamente claro que, com muito pouco esforço, Hitler poderia se sustentar e melhorar sua condição por meio da pintura de aquarelas. Porém, ele se recusou a fazer esse esforço e preferiu viver na imundície e na pobreza que o rodeavam. Devia haver algo nisso de que ele gostava, consciente ou inconscientemente. Quando examinamos o livro de Hanisch com atenção, encontramos a resposta. A vida de Hitler em Viena era de extrema passividade, em que a atividade era mantida no nível mais baixo para garantir a sobrevivência. Ele parecia gostar de ficar sujo e até imundo na aparência e no asseio pessoal. Do ponto de vista psicológico, isso só pode significar uma coisa: sua perversão estava em processo de amadurecimento e estava encontrando satisfação de forma mais ou menos simbólica. Durante esse período, sua atitude pode ser resumida nos seguintes termos: "Não há nada de que eu goste mais do que ficar por aí, enquanto o mundo defeca sobre mim." E ele devia sentir prazer em ficar coberto de sujeira, o que era uma prova tangível dessa noção. Mesmo nessa época, ele vivia numa pensão conhecida por ser habitada por homens que se entregavam a práticas homossexuais, e foi provavelmente por esse motivo que foi fichado pela polícia de Viena como "pervertido sexual".

Ninguém nunca explicou por que Hitler ficou em Viena por mais de cinco anos se sua vida ali era tão desagradável e se a cidade o repugnava com a intensidade que ele alega em sua autobiografia. Era livre para partir para onde quisesse e poderia ter ido para sua amada Alemanha anos antes, se tivesse desejado. A verdade é que ele provavelmente obteve grande satisfação masoquista de sua vida miserável em Viena, e só quando sua perversão amadureceu por completo que percebeu suas implicações e fugiu para Munique, no início de 1913.

Projeção

O impressionante mecanismo de defesa de Hitler é comumente chamado de *projeção*. É uma técnica pela qual o ego de uma pessoa se defende contra impulsos, tendências ou características desagradáveis, negando sua existência em si mesmo enquanto as atribui aos outros. Diversos exemplos desse mecanismo podem ser citados no caso de Hitler, mas alguns bastarão para propósitos de exemplificação:

> Nos últimos seis anos, tive que suportar coisas intoleráveis de Estados como a Polônia.

> Deve ser possível que a nação alemã possa levar sua vida... sem ser constantemente molestada.

> A social democracia... direciona um bombardeio de mentiras e calúnias contra o adversário que parecia mais perigoso, até que finalmente os nervos daqueles que foram atacados se esgotam, e eles, em prol da paz, submetem-se ao inimigo odiado.

> Por essa minha proposta de paz, fui atacado e pessoalmente insultado. De fato, o sr. Chamberlain cuspiu em mim diante dos olhos do mundo.
>
> Foi de acordo com nossa própria inocuidade que a Inglaterra tomou a liberdade de, um dia, enfrentar nossa atividade pacífica com a brutalidade do egoísta violento.
>
> As características mais importantes do caráter polonês eram a crueldade e a falta de contenção moral.

Do ponto de vista psicológico, não é muito improvável deduzir que, à medida que a perversão se desenvolveu e ficou mais desagradável ao ego de Hitler, suas exigências foram repudiadas e projetadas sobre o judeu. Nesse processo, o judeu se tornou o símbolo de tudo que Hitler odiava em si mesmo. De novo, seus problemas e conflitos pessoais foram transferidos de dentro de si mesmo para o mundo externo, onde assumiram as proporções de conflitos raciais e nacionais. Esquecendo-se totalmente de que, durante anos, ele não só pareceu um judeu pobre, como também era tão sujo quanto a pessoa mais suja e tão proscrito quanto um pária social, ele então começou a ver o judeu como a fonte de todo o mal. Os ensinamentos de Von Schönerer e Lueger ajudaram a consolidar e racionalizar seus sentimentos e convicções íntimas. Cada vez mais, ele se convenceu de que o judeu era o grande parasita da humanidade, que sugava seu sangue vital, e, para uma nação se tornar grande, ela deveria se livrar dessa pestilência. Traduzido em termos pessoais, isso poderia ser lido da seguinte maneira: "Minha perversão é um parasita que suga meu sangue vital, e, para me tornar grande, devo me livrar dessa pestilência." Quando vemos a ligação entre sua perversão sexual e o antissemitismo, podemos entender outro aspecto de sua constante conexão entre sífilis e os judeus. A sífilis é uma doença que destrói nações tal como uma perversão ou infecção destrói um indivíduo.

Quanto maiores as exigências de sua perversão se tornaram, mais ele odiou os judeus e mais falou contra eles. Tudo que era ruim era atribuído a eles. Naquele momento, era sua carreira política num estado embrionário. Ele agora passava a maior parte do tempo lendo livros, acompanhando palestras políticas e lendo jornais em cafés. O próprio Hitler praticamente admite que apenas passava os olhos nesse material e só aproveitava as partes que lhe eram úteis. Em outras palavras, ele não lia nem ouvia a fim de se instruir o suficiente para formar um juízo racional do problema. Isso teria sido uma violação de sua inibição anterior sobre o raciocínio. Ele só lia com o propósito de encontrar justificativa adicional para seus sentimentos e convicções íntimas e para racionalizar suas projeções. Manteve essa técnica até o momento atual. Ele lê muito sobre diversos assuntos, mas nunca forma uma opinião racional à luz da informação, e só presta atenção naquelas partes que o convencem de que tem razão.

De noite, Hitler voltava para sua pensão e fazia discursos políticos e antissemitas inflamados, até que se tornou uma piada. Isso, porém, não o perturbou muito. Ao contrário, pareceu agir como um estimulante para novas leituras e a coleta de mais argumentos para provar seu ponto de vista. Era como se, ao tentar convencer os outros dos perigos da dominação judaica, ele estivesse tentando convencer a si mesmo dos perigos de ser dominado por sua perversão. Talvez Hitler esteja se referindo à sua perversão quando escreve: "Durante os longos anos de paz anteriores à guerra, certas características patológicas certamente apareceram... Houve muitos sinais de decadência, que devem ter estimulado séria reflexão."[7] O mesmo pode valer também quando ele afirma:

> Por que os instintos políticos do povo alemão ficaram tão mórbidos? A questão envolvida aqui não era a de um sintoma único, mas exemplos de decadência que irrompiam agora em grande número... que, como úlceras tóxicas, corroíam a nação ora aqui, ora ali. Parecia que um fluxo contínuo de veneno era conduzido aos vasos sanguíneos mais distantes desse corpo heroico de outrora por um poder misterioso, de modo

> a levar a uma paralisia ainda mais grave da razão sadia e do simples instinto de autopreservação.[8]

Com o passar do tempo, o estímulo sexual do ambiente vienense pareceu agravar as exigências de sua perversão. De repente, Hitler ficou estupefato com o papel que o sexo desempenha na vida das classes baixas e dos judeus. Para ele, Viena se tornou "o símbolo do incesto", e, subitamente, ele a deixou e buscou refúgio em sua mãe ideal: a Alemanha. No entanto, seus dias anteriores à guerra em Munique não foram diferentes daqueles deixados para trás em Viena. Sua vida ainda era de extrema passividade, e embora saibamos pouco a respeito disso, podemos supor que aqueles dias eram repletos de aflições internas.

A Primeira Guerra Mundial

Nessas circunstâncias, compreendemos por que Hitler agradeceu a Deus pela Primeira Guerra Mundial. Para ele, representou a oportunidade de abrir mão da guerra individual contra si mesmo em troca de uma guerra nacional, em que ele teria a ajuda dos outros. Também representou para ele, num nível inconsciente, a oportunidade de redimir sua mãe e assumir um papel masculino para si. Mesmo nessa época, podemos deduzir que ele já suspeitava de que estava destinado a ser um Grande Redentor. Não era apenas sua mãe que ele iria redimir, mas também a si mesmo.

De fato, seu ingresso no Exército alemão foi o primeiro passo na tentativa de se redimir como ser humano social. Ele não mais seria um pobre coitado, pois estava juntando forças com aqueles que estavam determinados a conquistar e se tornar grandes. Em grande medida, a atividade substituiu sua passividade anterior. A sujeira, a imundície e a pobreza foram abandonadas, e ele podia se misturar em pé de igualdade com o povo escolhido. Para Hitler, porém, isso não era suficiente. Como assinalamos na parte anterior, ele não estava satisfeito de ser tão limpo quanto o soldado comum. Tinha de ir para o outro extremo e se tornar excessivamente limpo. Sempre que voltava do *front*, logo se sentava e removia, de forma meticulosa, cada mancha de lama do corpo, para o divertimento de seus companheiros. Mend, seu companheiro nesse período, relata uma experiência no *front* em que Hitler repreendeu um dos outros homens por não se manter limpo e o chamou de "monte de esterco", o que parece muito com a memória de si mesmo em Viena.

Nesse período, como mencionado antes, suas tendências femininas passivas encontravam escape em sua conduta humilhante em relação aos superiores. Parece que ele não tinha progredido o suficiente na conquista de si mesmo a ponto de manter um papel completamente masculino. No entanto, com a ajuda de outros e a orientação de seus respeitados oficiais, ele fazia algum progresso no que parecia ser um ajuste social. A derrota final da Alemanha, no entanto, perturbou seus melhores planos e destruiu suas esperanças e ambições.

A derrota da Alemanha

No entanto, foi esse acontecimento que provou ser o ponto decisivo de sua vida e determinou que ele seria um sucesso extraordinário, e não um fracasso total. Naquele momento, forças inconscientes, algumas das quais adormecidas durante anos, despertaram novamente e perturbaram todo o seu equilíbrio psicológico. Sua reação a esse acontecimento foi um ataque histérico, que se manifestou em cegueira e mutismo. Embora a cegueira histérica tenha salvado Hitler de testemunhar o que ele considerava um espetáculo intolerável, não o salvou das violentas reações emocionais que foram despertadas. Essas emoções, podemos supor, eram semelhantes àquelas que ele experimentou quando criança, quando testemunhou seus pais em relação sexual. Parece lógico deduzir que, naquela ocasião, Hitler sentiu que sua mãe estava sendo maculada diante de seus olhos, mas devido ao poder e à brutalidade de seu pai, ele se sentiu totalmente impotente para redimir a honra dela ou salvá-la de futuros ataques. Se isso é verdade, podemos supor que ele secretamente jurou vingança contra seu pai, e, como foi mostrado, há evidências nesse sentido.

A mesma coisa voltava a acontecer, mas, em vez de sua mãe real, era sua mãe ideal, a Alemanha, que estava sendo traída, corrompida e humilhada, e Hitler era mais uma vez incapaz de salvá-la. Uma profunda depressão tomou conta dele, a respeito da qual ele escreve: "O que se seguiu foram dias terríveis e noites ainda piores. Agora sabia que tudo estava perdido... Nessas noites, meu ódio despertou, o ódio contra os criadores dessa ação." Mas, novamente, ele se sentia fraco e impotente: um cego aleijado internado num hospital. Ele enfrentou o problema: "Como nossa nação se libertará dos grilhões desse abraço venenoso?" É possível que, quanto mais ele pensava nisso, mais seu intelecto lhe dizia que tudo estava perdido. É provável que Hitler tenha se desprezado e se condenado por sua fraqueza, e como seu ódio continuou a aumentar em face dessa experiência frustrante, ele jurou naquele momento: "Nem descanso nem paz até que os criminosos de novembro tenham sido derrotados..."

Sem dúvida, suas emoções foram violentas ao extremo e serviriam como motivo poderoso para boa parte da retaliação que se tornou tão notável em seu comportamento posterior. No entanto, há muitas formas de retaliação que não envolvem uma revolução completa e uma transformação de caráter como a que encontramos em Hitler nessa ocasião.

De nossas experiências com pacientes, sabemos que transformações completas desse tipo geralmente ocorrem apenas sob circunstâncias de extrema pressão, que demonstram para o indivíduo que sua estrutura de caráter atual não é mais sustentável. Claro que não sabemos ao certo o que se passava na mente de Hitler nesse período ou como ele encarava sua própria posição. Porém, sabemos que, nessas circunstâncias, pensamentos e fantasias muito estranhas passam pelas mentes de pessoas relativamente normais, e que, no caso de neuróticos, sobretudo quando têm fortes tendências masoquistas, essas fantasias podem se tornar bastante absurdas. Independentemente da natureza que podem ter tido essas fantasias, podemos ter razoável certeza de que envolvem sua própria segurança ou bem-estar. Em geral, apenas um perigo dessa magnitude faria um indivíduo abandonar ou revolucionar sua estrutura de caráter.

Pode ser que seus pesadelos forneçam uma pista. Podemos recordar que os pesadelos de Hitler giram em torno de ele ser atacado ou submetido a indignidades por outro homem. Não é sua mãe que está sendo atacada, mas ele mesmo. Quando desperta desses pesadelos, age como se estivesse sufocando. Fica sem fôlego e sua frio. Só com muita dificuldade Hitler consegue ser tranquilizado, porque muitas vezes há um efeito colateral alucinatório e ele vê o homem em seu quarto.

Em circunstâncias normais, estaríamos inclinados a interpretar isso como resultado de um desejo inconsciente por relações homossexuais, junto com uma repulsa do ego contra a tendência latente. Essa interpretação também pode se aplicar a Hitler, pois, até certo ponto, parece que ele reagiu à derrota da Alemanha como se fosse um estupro de si mesmo e também de sua mãe simbólica. Além disso, enquanto ele estava internado, impotente, no hospital, incapaz de ver ou falar, pode ter se considerado um alvo fácil para um ataque homossexual. Porém, quando lembramos que, durante anos, ele escolheu viver numa pensão de Viena que era conhecida por ser habitada por muitos homossexuais e depois associou-se com diversos homossexuais notórios, como Hess e Röhm, não podemos achar que essa forma de ataque sozinha seria suficiente para ameaçar sua integridade a tal ponto que ele repudiaria seu antigo eu.

Um indício adicional em relação a seus pensamentos durante esse período pode ser encontrado em sua grande preocupação com a propaganda, que, nas imagens que ele evoca, é quase sinônimo de veneno.

> Choviam slogans sobre o nosso povo.
>
> [...] o *front* ficou inundado com esse veneno.
>
> [...] pois o efeito de sua linguagem sobre mim era como o de um ataque espiritual. [...] às vezes, tive de combater a raiva que crescia em mim por causa dessa solução concentrada de mentiras.

Provavelmente, esse tipo de imagem tem um duplo significado. Há considerável evidência para mostrar que, quando criança, Hitler acreditava que, durante a relação sexual, o homem injetava veneno na mulher, que aos poucos a destruía por dentro até causar sua morte. Na infância, essa não é uma crença incomum, e devido ao fato de sua mãe ter morrido de câncer de mama após ficar doente por um longo período, a crença pode ter sido mais realista e persistido por mais tempo em Hitler do que na maioria das crianças. Por outro lado, a importância do veneno em relação à sua perversão já foi considerada. Sabemos de suas inibições contra ingerir certas substâncias pela boca. Não estavam presentes nos primeiros anos de sua carreira, mas se desenvolveram mais tarde, relacionadas ao seu caráter transformado.

Em vista de tudo isso, pode não ser improvável deduzir que, enquanto Hitler fantasiava sobre o que os vencedores fariam com os derrotados quando chegassem, suas tendências masoquistas e perversas invocaram o pensamento de que eles poderiam atacá-lo e forçá-lo a comer fezes e beber urina (uma prática que, dizem, é bastante comum nos campos de concentração nazistas). Curiosamente, essa ideia está incorporada na expressão coloquial "comer a merda dos vencedores". E, em seu estado debilitado e impotente, ele não seria capaz de repelir tal ataque. Essa hipótese ganha crédito quando examinamos o comportamento das tropas nazistas no papel de conquistadores.

Transformação do caráter

Embora um pensamento desse tipo tivesse certos aspectos prazerosos para uma pessoa masoquista, também despertaria medo das consequências, junto com sentimentos violentos de culpa e repugnância. Se o pensamento continuasse se repetindo em intervalos frequentes e se recusasse a ser suprimido, podemos facilmente imaginar que isso talvez levasse uma pessoa a um desespero tão profundo que a morte pareceria a única solução. O medo de Hitler da morte já foi analisado, e é possível que tenha sido essa alternativa que o tenha afastado de seu antigo eu. É certo que, em suas declarações públicas, e também em suas ações, ele atribui poderes extraordinários ao medo da morte.

"Espalharei o terror pelo emprego de surpresa das minhas medidas. O importante é o súbito choque de um esmagador medo da morte." E, em *Mein Kampf*, ele afirma que:

> No fim das contas, apenas o desejo da autopreservação será eternamente bem-sucedido. Sob sua pressão, a assim chamada "humanidade", como expressão de uma mistura de estupidez, covardia e inteligência superior imaginária, derreterá como a neve sob o sol de março.

Sentimentos desse tipo sugerem fortemente que ele se viu frente a frente com a perspectiva de sua própria morte, e que, para se salvar, teve que se livrar de uma má consciência e também dos ditames do intelecto. As citações a seguir ilustram sua atitude em relação à consciência e à necessidade de inativá-la:

> Só quando chegar a hora em que a raça não seja mais eclipsada pela consciência de sua própria culpa, ela encontrará paz interior e energia externa para eliminar, de forma indiferente e brutal, os brotos selvagens e arrancar as ervas daninhas.
>
> Consciência é uma invenção judaica. É uma deformidade como a circuncisão.
>
> Estou libertando os homens das restrições de uma inteligência que assumiu o controle; das modificações sujas e degradantes de uma quimera denominada consciência e moralidade...

E, a respeito do intelecto, Hitler afirma:

> O intelecto se tornou autocrático e virou uma doença da vida.
>
> Devemos suspeitar da inteligência e da consciência e devemos ter fé em nossos instintos.

Tendo repudiado essas duas funções humanas importantes, Hitler foi deixado quase inteiramente à mercê de suas paixões, instintos e desejos inconscientes. No momento crucial, essas forças vieram à tona sob a forma de uma alucinação, em que uma voz interior lhe informou que ele estava destinado a redimir o povo alemão e conduzi-lo à grandeza. Para ele, isso era uma nova visão da vida. Abriu-lhe novas perspectivas, sobretudo em relação a si mesmo. Não só confirmava o sentimento vago que ele tivera desde a infância – de que era o "Escolhido" e estava sob a proteção da Providência –, mas também revelava que fora salvo para uma missão divina. Essa revelação serviu para consolidar sua personalidade num novo padrão. Ele escreve:

> Nas horas de aflição, quando os outros se desesperam, de crianças aparentemente inocentes surgem, de repente, heróis com determinação desafiadora da morte e frieza glacial de reflexão. Se essa hora de julgamento nunca tivesse chegado, dificilmente alguém teria sido capaz de imaginar que um jovem herói estava escondido no garoto imberbe. Quase sempre esse ímpeto é necessário para acionar o gênio. O golpe de martelo do destino, que joga um no chão, de repente descobre o aço em outro e, enquanto agora a casca da vida cotidiana está quebrada, o núcleo de outrora se abre aos olhos do mundo estupefato.

Em outro lugar, Hitler escreve: "Um fogo foi aceso, e, de suas chamas, estava fadada a chegar algum dia a espada que recuperaria a liberdade do Siegfried germânico e a vida da nação alemã."

Alguém pode perguntar: como era possível que uma pessoa com o passado e as tendências anormais de Hitler levasse isso a sério? A resposta é relativamente simples. Ele acreditou porque quis acreditar; na verdade, teve que acreditar para se salvar. Todos os dissabores do passado, ele os interpretou como parte de um grande desígnio. Da mesma forma que o destino ordenou que ele deveria nascer do lado austríaco da fronteira, foi o destino que o enviou a Viena para sofrer provações, a fim de "eliminar o covarde que existia nele, dando-lhe a Dama Aflição como mãe substituta", e que "o manteve no *front*, onde qualquer negro poderia abatê-lo, quando ele poderia ter prestado um serviço muito mais valioso em outro lugar". Provavelmente, também foi o destino que decretou seu drama atual. Essas eram as cruzes que ele tinha que carregar para provar sua determinação. Ele talvez estivesse falando de si mesmo quando disse sobre a Alemanha:

> [...] se essa batalha não vier, nunca a Alemanha ganhará paz. A Alemanha declinaria e, na melhor das hipóteses, afundaria para a ruína como um cadáver em putrefação. Mas esse não é o nosso destino. Não acreditamos que esse infortúnio que hoje o nosso Deus envia contra a Alemanha não tenha sentido: é com certeza o flagelo que deverá nos conduzir à nova grandeza, a um novo poder e glória...

Porém, antes que essa nova grandeza, poder e glória pudessem ser alcançados, era necessário vencer o infortúnio. No caso de Hitler, ele provavelmente pensava que o infortúnio era a identificação emocional com a mãe na infância. Ele usou isso como pedra angular para sua personalidade, sendo responsável por sua "humanidade". No entanto, também continha em si uma forma passiva e masoquista de ajuste, que, em vez de conduzir à grandeza que ele esperava, levou-o à beira da degradação, humilhação e autodestruição. Expôs Hitler a incontáveis perigos que não eram mais compatíveis com a autopreservação. Portanto, para sobreviver, ele deveria se livrar não só da consciência e do intelecto, mas também de todas as características associadas à falsa "humanidade". Em seu lugar, deveria estabelecer uma personalidade que estava de acordo com a "Lei da Natureza". Só depois que ele alcançasse essa transformação, poderia se sentir seguro contra o ataque. Superar sua fraqueza e se tornar forte converteram-se na motivação dominante de sua vida.

> [...] sente a obrigação, de acordo com a vontade eterna que domina o universo, de promover a vitória do melhor e do mais forte e de exigir a submissão do pior e do mais fraco.

> Uma geração mais forte expulsará os fracos, porque, em sua forma suprema, a ânsia de viver romperá repetidas vezes os grilhões ridículos da suposta "humanidade" do indivíduo, de modo que seu lugar será ocupado pela "humanidade da natureza", que destrói a fraqueza para dar lugar à força.

Se nossa hipótese a respeito dos processos mentais de Hitler durante sua internação no hospital de Pasewalk estiver correta, podemos supor que, para tranquilizar seus medos, ele às vezes se imaginou como uma pessoa que superou largamente seus inimigos em todas as qualidades "viris". Nessas circunstâncias, ele poderia conquistar seus inimigos e fazer com eles o que agora temia que fizessem com ele. Isso é puro autoengano, mas, evidentemente, esse jogo de imagens rendeu-lhe tanto prazer e subjugou tanto seu medo que ele, inconscientemente, se identificou com essa imagem de super-homem. Poderíamos supor que foi no momento em que esse mecanismo, conhecido como "identificação com o agressor", foi posto em ação que a alucinação mencionada anteriormente foi criada. Ele não era mais o indivíduo fraco e insignificante que estava exposto a todos os tipos de ataque e indignidades. Pelo contrário: ele era basicamente mais poderoso do que todos os outros. Em vez de sentir medo deles, eles deveriam sentir medo de Hitler. Sem dúvida, a imagem do "agressor" era aquela de seu pai, tal como ele o imaginou na primeira infância.

A imagem que Hitler criou foi uma forma de compensação para suas próprias inferioridades, inseguranças e culpas. Portanto, a imagem negou todas as suas características anteriores e as converteu em seus opostos, e no mesmo grau. Todas as qualidades humanas de amor, piedade, simpatia e compaixão foram interpretadas como fraquezas e desapareceram na transformação.

> Toda a passividade, toda a inércia... [tornaram-se] sem sentido, hostis à vida.

> O credo judaico-cristão com sua ética de compaixão efeminada.

> Se você não estiver preparado para ser impiedoso, não chegará a lugar algum.

Em seu lugar, encontramos o que a mente pervertida de Hitler concebeu como sendo o supermasculino:

> [...] se um povo quiser se tornar livre, precisará de orgulho, força de vontade, provocação, ódio, ódio e, de novo, ódio.
>
> A brutalidade é respeitada. A brutalidade e a força física. O homem comum só respeita a força bruta e a brutalidade.
>
> Queremos ser os defensores da ditadura da razão nacional, da energia nacional, da brutalidade e determinação nacionais.

Significado do antissemitismo de Hitler

No entanto, quando o mecanismo da "identificação com o agressor" é utilizado, não há luta consciente dentro da personalidade, então a nova personalidade gradualmente supera a antiga. A identificação acontece fora do âmbito da consciência, e, de repente, o indivíduo sente que é essa nova pessoa. Não há processo de integração ou assimilação. A antiga personalidade é automaticamente suprimida, e suas características são projetadas sobre algum objeto externo contra o qual a nova personalidade pode levar a luta adiante. No caso de Hitler, todas as suas características indesejáveis foram projetadas sobre o judeu. Para ele, o judeu se tornou a encarnação do mal e responsável por todas as dificuldades do mundo, da mesma forma que a feminilidade anterior de Hitler passou a lhe parecer a fonte de todas as suas dificuldades pessoais. Essa projeção foi relativamente fácil para ele, visto que, durante sua temporada em Viena, o judeu tornou-se para ele o símbolo do sexo, da doença e de sua perversão. Agora, outra carga de características indesejáveis foi despejada sobre sua cabeça, com o efeito que Hitler agora odiava e desprezava o judeu com a mesma intensidade com que odiava seu antigo eu.

É evidente que ele não podia racionalizar sua projeção enquanto permanecesse sozinho como um único indivíduo nem poderia combater o judeu sem ajuda. Para isso, precisava de um grupo grande, que se encaixasse na imagem que criou. Encontrou isso na Alemanha derrotada em geral. No fim da guerra, o país estava numa posição quase idêntica àquela em que Hitler estava antes da ocorrência da transformação. Também estava fraco e exposto a novos ataques e humilhações. Também tinha que estar preparado para comer a merda dos vencedores, e, durante o período da hiperinflação, também ficou perplexo, passivo e impotente. Portanto, o país representava um excelente símbolo do antigo eu de Hitler, e ele voltou a transferir seus problemas pessoais para uma escala nacional e racial, em que poderia lidar com isso de maneira mais objetiva. A Providência lhe "deu" a faísca que o transformou de um dia para o outro. Sua missão agora era transformar o restante do povo alemão, convencendo-os de sua visão da vida e da Nova Ordem. Os judeus agora desempenhavam, na vida da Alemanha, o mesmo papel que seu ajuste efeminado, masoquista e perverso havia desempenhado em sua própria vida. Naquele momento, ele resolveu se tornar um político.

Segundo diversos autores, o antissemitismo de Hitler é motivado principalmente por seu grande valor de propaganda. Sem dúvida, o antissemitismo é a arma mais poderosa de seu arsenal de propaganda, e Hitler tem plena consciência disso. Em várias ocasiões, ele até expressou a opinião de que os judeus tornariam a Alemanha rica. Contudo, todos os nossos entrevistados que o conhecem bem concordam que isso é superficial, e que, no fundo, ele nutre um verdadeiro ódio pelos judeus e por tudo que é judaico. Isso está em completa concordância com a nossa hipótese. Não negamos que ele com frequência utiliza o antissemitismo em sua propaganda quando isso convém ao seu propósito. Porém, mantemos que, por trás de sua motivação superficial, existe uma muito mais profunda, que é em grande medida inconsciente. Da mesma forma que Hitler precisou exterminar seu antigo eu para alcançar o sentimento de ser grande e forte, a

Alemanha deve exterminar os judeus se está decidida a alcançar sua nova glória. Ambos são venenos que lentamente destroem os respectivos corpos e provocam a morte.

> Todas as grandes culturas do passado pereceram só porque a raça originalmente criativa morreu por meio do envenenamento sanguíneo.
>
> [...] a perda da pureza do sangue por si só destrói para sempre a felicidade interior; ela eternamente rebaixa o homem, e suas consequências nunca mais podem ser removidas do corpo e da mente.

Nessas citações, o simbolismo é óbvio, e a frequência pela qual se repete na fala e na escrita de Hitler confirma sua grande importância em seus processos de pensar e sentir. Parece que, inconscientemente, ele sentiu que, se conseguisse se livrar de seu veneno pessoal, suas tendências efeminadas e perversas, tal como simbolizadas no judeu, ele alcançaria a imortalidade pessoal.

Em sua abordagem em relação aos judeus, vemos o mecanismo da "identificação com a agressor" em ação. Hitler está, agora, praticando contra os judeus, na vida real, o que ele temia que os vencedores fizessem contra ele em fantasia. Ele obtém uma satisfação múltipla disso. Primeiro, proporciona-lhe a oportunidade de aparecer diante do mundo como o bruto impiedoso que ele imagina ser; segundo, proporciona-lhe a oportunidade de provar a si mesmo que ele é tão cruel e brutal quanto quer ser (que ele realmente consegue suportar); terceiro, ao eliminar os judeus, ele de modo inconsciente sente que está libertando a si mesmo e a Alemanha do veneno responsável por todas as dificuldades; quarto, como o masoquista que ele realmente é, sente prazer indireto com o sofrimento de pessoas em quem consegue enxergar a si mesmo; quinto, ele pode dar vazão ao seu ódio amargo e desprezo pelo mundo em geral usando o judeu como bode expiatório; e sexto, isso paga grande dividendos materiais e de propaganda.

Carreira política inicial

Munido dessa nova visão da vida, Hitler procurou oportunidades para pôr em prática sua decisão de se tornar um político e começar o longo caminho que redimiria a Alemanha e a levaria à nova grandeza e glória. Isso não era fácil na Alemanha do pós-guerra, que estava envolvida em conflitos internos violentos. Ele permaneceu na reserva militar por um tempo, onde se envolveu em sua "primeira atividade política": espionar seus companheiros. Entre seus deveres, incluía-se se misturar com os homens em seus alojamentos e envolvê-los em discussões políticas. Ele denunciava aos superiores aqueles que expressavam opiniões de tom comunista. Depois, quando os infratores eram levados a julgamento, seu trabalho era dar o testemunho que enviaria esses companheiros à morte. Era um teste difícil para seu novo caráter, mas ele o levou a cabo de maneira ousada e resoluta. Deve ter lhe dado muita satisfação descobrir que ele conseguia desempenhar esse novo papel de forma tão admirável. Não muito tempo depois, foi descoberto que Hitler era talentoso na oratória, e ele foi recompensado por seus serviços sendo promovido a instrutor. O novo Hitler, o Führer embrionário, estava começando a pagar dividendos.

Na melhor das hipóteses, a "identificação com o agressor" é uma forma instável de ajuste. A pessoa sempre tem a vaga sensação de que algo não está exatamente como deveria estar, embora não tenha consciência de suas origens. Ainda assim, sente-se insegura em seu novo papel, e para se livrar desse desconforto deve provar a si mesma, repetidas vezes, que é de fato o tipo de pessoa que acredita ser. O resultado é um efeito "bola de neve". Toda brutalidade deve ser seguida por uma brutalidade maior; toda a violência, por uma violência maior; toda atrocidade, por uma atrocidade maior; todo ganho de poder, por um ganho de poder maior; e assim por diante. A menos que isso seja alcançado com sucesso, o indivíduo começa a se sentir inseguro, e as dúvidas a respeito de seu caráter "emprestado" começam a se insinuar, junto com sentimentos de culpa referentes às suas falhas. Essa é a chave para um entendimento das ações de Hitler desde o início de suas atividades políticas até os dias de hoje. Esse efeito não deixou de chamar atenção de observadores não psicológicos. Por exemplo, François-Poncet escreve no livro amarelo francês:

> O chanceler se aborrece contra todas essas decepções com indignada impaciência. Longe de levá-lo à moderação, esses obstáculos o irritam. Ele tem consciência do enorme erro que foram as perseguições antijudaicas de novembro passado. No entanto, por uma contradição que é parte da constituição psicológica do ditador, dizem que ele esta se preparando para iniciar uma luta implacável contra a Igreja e o catolicismo. Talvez ele deseje, assim, apagar a memória da violência passada com nova violência...[9]

O mecanismo se autoalimenta e deve continuar a crescer para se manter. Como não tem bases reais para apoiá-lo, o indivíduo nunca consegue se convencer de que está seguro e não tem mais nada a temer. O resultado é que ele não pode tolerar atrasos, devendo se lançar em sua insana carreira.

A carreira política de Hitler exibe essas tendências em grau acentuado. Mal ele se associara ao grupo que fundou o Partido, conspirou para obter seu controle. Então, seguiu-se uma rápida expansão de filiações, a introdução do terror, uma série de promessas quebradas, intrigas e traições. Toda essa sequência trouxe-lhe novos ganhos e novos poderes, mas o ritmo ainda era lento demais para satisfazê-lo. Em 1923, ele acreditou que estava forte o suficiente para empreender um golpe de Estado e tomar as rédeas do governo. O Putsch fracassou, e a conduta de Hitler foi objeto de muitos comentários. Há diversas versões sobre o que aconteceu. Alguns relatam que, quando a tropa disparou contra os conspiradores, Hitler caiu no chão e rastejou por um beco que o levou a um lugar seguro, enquanto Ludendorff, Röhm e Göring marcharam adiante. Alguns afirmam que Hitler tropeçou; outros dizem que ele foi derrubado por seu guarda-costas, que foi morto. A versão nazista é que ele parou para pegar uma criança que tinha corrido para a rua e sido derrubada. Anos depois, apareceram com uma criança no aniversário do acontecimento para provar a história!

Do ponto de vista psicológico, parece que Hitler se acovardou nessa ocasião e caiu e rastejou para longe do palco da ação. Embora ele tenha usurpado poder considerável e tivesse motivos para ter alguma fé em seu novo caráter, parece improvável que fosse suficiente para ele realmente se envolver em combate físico com a autoridade reconhecida. Sua atitude em relação aos superiores reconhecidos e à autoridade em geral tornaria improvável um ataque tão direto. Além disso, suas reações após a fuga parecem indicar que seu novo papel falhou temporariamente. Ele entrou em depressão profunda e foi impedido de cometer suicídio apenas por meio de reafirmações constantes. Quando foi levado para a prisão de Landsberg, entrou em greve de fome e se recusou a comer por três semanas. Foi sua resposta ao ser colocado de novo na posição de vencido. Talvez as lembranças de suas fantasias no hospital estivessem voltando para molestá-lo! Só depois de descobrir que seus carcereiros não estavam mal-intencionados em relação a ele que Hitler se permitiu ser convencido a se alimentar.

Em sua permanência em Landsberg, Hitler ficou muito mais calmo. Ludecke afirma: "Landsberg fez muito bem para ele. A intensidade nervosa, que anteriormente era sua característica mais desagradável, desapareceu de seu comportamento."[10] Nesse período, ele escreveu *Mein Kampf*, e podemos supor que seu fracasso no Putsch o obrigou a fazer um novo balanço geral e integrar seu novo caráter com mais firmeza. Nessa ocasião, decidiu não tentar outro Putsch no futuro, mas conquistar o poder apenas por meios legais. Em outras palavras, não participaria novamente de um conflito aberto com a autoridade reconhecida.

Sua ascensão ao poder

É quase desnecessário traçarmos a história de sua ascensão ao poder e suas ações após alcançá-lo. Tudo segue o mesmo padrão geral que delineamos. Cada etapa bem-sucedida servia para convencê-lo de que ele era quem acreditava ser, mas não trazia nenhum senso de segurança real. Para conseguir isso, ele tinha de subir um degrau e dar prova adicional de que não estava se iludindo. A cada avanço, o terror, a violência e a brutalidade cresciam, e toda virtude reconhecida era transformada em vício: um sinal de fraqueza. Mesmo depois de se tornar o líder indiscutível da nação, Hitler não conseguiu descansar em paz. Ele projetava suas inseguranças nos Estados vizinhos e, então, exigia que eles se submetessem ao seu poder. Enquanto existissem nações, ou uma combinação delas, mais poderosas que a Alemanha, Hitler jamais poderia encontrar a paz e a segurança que almejava. Era inevitável que esse curso levasse à guerra, porque só assim ele poderia esmagar a ameaça e provar a si mesmo que não precisava mais ter medo. Também era inevitável que a guerra fosse tão brutal e impiedosa quanto possível, pois só assim ele poderia provar a si mesmo que não estava enfraquecendo em seu caminho escolhido, mas que era feito daquilo que condizia com sua concepção do que um vencedor deveria ser.

Acessos de fúria

Embora o espaço não permita uma análise em detalhes do funcionamento de diversos fluxos psicológicos que enumeramos na determinação do comportamento diário de Hitler, alguns despertaram suficiente especulação para garantir um lugar em nosso estudo. Um dos mais importantes envolve seus acessos de fúria. A maioria dos autores os considerou ataques de raiva, uma reação de Hitler a frustrações e privações insignificantes. Aparentemente, parecem ser dessa natureza, mas, quando estudamos seu comportamento com atenção, descobrimos que quando ele é confrontado por uma frustração ou privação real, como o fracasso na eleição para a presidência ou a recusa para a chancelaria, seu comportamento é exatamente o oposto. Ele fica muito sereno e tranquilo. Fica desapontado, mas não furioso. Em vez de se comportar com uma criança mimada, ele começa imediatamente a conceber planos para um novo ataque. Heiden, seu biógrafo, descreve esse padrão característico da seguinte maneira:

> Enquanto outros, depois de uma derrota, voltam para casa desanimados, consolando-se com a reflexão filosófica de que não adianta brigar contra circunstâncias adversas, Hitler realiza um segundo e terceiro ataques com ousadia soturna. Enquanto outros, depois de um sucesso, se tornam mais cautelosos, porque não ousam pôr a sorte à prova com muita frequência para não exauri-la, Hitler persiste e faz uma aposta maior contra o destino em cada jogada.[11]

Isso não descreve uma pessoa que explode de raiva por pouca coisa. No entanto, sabemos que Hitler explode de raiva e se lança em diatribes com a menor provocação. Se examinarmos as causas dessas explosões, quase invariavelmente descobrimos que o gatilho que as deflagra é algo que ele considera um desafio contra sua personalidade de super-homem. Pode ser uma contradição, uma crítica ou até uma dúvida referente a verdade ou sabedoria de algo que ele disse ou fez, ou pode ser uma leve oposição ou uma expectativa de oposição. Mesmo que o assunto seja insignificante, ou o desafio seja apenas por insinuação ou totalmente imaginado, ele se sente convocado a mostrar seu caráter primitivo. François-Poncet também detectou e descreveu essa reação. Ele escreve:

> Aqueles que o rodeiam são os primeiros a admitir que ele agora se acha infalível e invencível. Isso explica o motivo pelo qual ele não consegue mais suportar críticas ou contradições. Aos seus olhos, contradizê-lo é crime de lesa-majestade; a oposição aos seus planos, de qualquer lado que possa vir, é um claro sacrilégio, para o qual a única resposta é uma exibição imediata e impressionante de sua onipotência.[12]

Assim que sua exibição serviu ao seu propósito e intimidou seus ouvintes, desaparece tão subitamente quanto apareceu. Quão grande é a insegurança que exige essa constante vigilância e apreensão!

Medo de dominação

Encontramos essa mesma insegurança em ação quando Hitler conhece novas pessoas, em especial aquelas às quais ele secretamente se sente inferior. Já tivemos oportunidade de assinalar aqui que seus olhos assumiram uma função sexual difusa. Quando ele encontra pessoas pela primeira vez, fixa seus olhos nelas como se as atravessasse. Nessas ocasiões, há um brilho particular neles, que muitos interpretaram como sendo uma qualidade hipnótica. Sem dúvida, Hitler utiliza-os dessa maneira e tenta dominar a outra pessoa com eles. Se a pessoa desvia o olhar, Hitler mantém o seu fixado diretamente nela, mas, se a outra pessoa o encara, ele desvia o olhar e olha para o teto enquanto o encontro continua. É como se estivesse comparando seu poder com o da pessoa. Se tem êxito em subjugar a outra pessoa, de modo arrogante dá seguimento à sua vantagem. No entanto, se a outra pessoa se recusa a se sujeitar ao seu olhar, ele evita a possibilidade de sucumbir ao dela.

Da mesma forma, Hitler é incapaz de competir com outra pessoa numa discussão objetiva. Ele expressará sua opinião em detalhes, mas não a defenderá numa base lógica. Strasser diz: "Hitler tem medo da lógica. Como uma mulher, ele dá respostas evasivas, jogando em sua cara um argumento totalmente distante do que você estava falando." Podemos suspeitar de que, mesmo nesse território, Hitler não pode se expor a uma possível derrota que estragaria a imagem que ele tem de si mesmo. De fato, ele é incapaz de encarar oposição real de qualquer tipo. Não consegue falar a um grupo em que percebe oposição, mas abandona sua plateia. Ele fugiu de reuniões com Ludendorff, Gregor Strasser, industriais bávaros e muitos outros porque não podia correr o risco de se mostrar inferior ou se expor a uma possível dominação por outra pessoa. Há motivos para supor que sua procrastinação não é tanto uma questão de preguiça, mas sim de medo de enfrentar um problema difícil. Portanto, ele evita isso o máximo de tempo possível e, somente quando a situação se torna perigosa e o desastre está à frente, sua "voz interior" ou intuição se comunica com ele e lhe informa o caminho a seguir. A maior parte de seu pensamento se dá de forma subconsciente, o que provavelmente explica sua habilidade para entender problemas difíceis e calcular seus movimentos. As experiências psicológicas nesse campo parecem indicar que, nesse nível, o indivíduo é capaz de solucionar problemas muito complexos, que são impossíveis para ele no nível consciente. Sempre que nos entregamos a estudar os padrões de comportamento de Hitler, encontramos o espectro da possível derrota e humilhação como uma de suas motivações dominantes.

Monumentos

Sua paixão por construir edifícios imensos, estádios, pontes, estradas e similares só pode ser interpretada como uma tentativa de compensar sua falta de confiança. São provas tangíveis de sua grandeza que são projetadas para impressionar a si próprio e também aos outros. Da mesma forma que Hitler deve ser o maior homem do mundo, ele tem a tendência de construir o maior e melhor de tudo. Ele considera a maioria das estruturas que ergueu construções temporárias. Em seu modo de pensar, estão no mesmo nível dos comuns mortais. Ele planeja fazer as construções permanentes posteriormente. Serão muito maiores e serão projetadas para durar ao menos mil anos. Em outras palavras, são monumentos condizentes dedicados a ele, que planeja governar o povo alemão por esse período de tempo com sua nova visão da vida.

Também é interessante notar a frequência com que utiliza pilares gigantes em todas as suas construções. A maioria das construções é quase cercada por eles, e ele os coloca em todos os lugares concebíveis. Como pilares desse tipo são quase universalmente considerados símbolos fálicos, podemos encarar o tamanho e a frequência como uma tentativa inconsciente de mostrar ao mundo, em forma simbólica ao menos, não só a masculinidade de suas projeções visionárias, mas também sua potência. Seu amor por desfiles e grandes eventos talvez sirva a um propósito subconsciente similar.

Oratória

Nenhum estudo de Hitler estará completo sem mencionar seus talentos de oratória. Seu dom extraordinário para influenciar grandes plateias contribuiu, talvez mais do que qualquer outro fator isolado, para seu sucesso e a realização parcial de seu sonho. Para entender o poder de seu apelo, devemos ter consciência do fato de que, para ele, as massas têm características basicamente femininas. Para Hanfstaengl e outros entrevistados, ele muitas vezes disse: "As massas são como uma mulher", e, em *Mein Kampf*, ele escreve que "em sua maioria esmagadora, o povo é tão feminino em sua natureza e atitude que suas atividades e seus pensamentos são motivados menos pela reflexão equilibrada do que pela emoção e pelo sentimento". Em outras palavras, seu sistema de referência inconsciente, quando se dirige a uma grande plateia, é basicamente o de discursar para uma mulher.

Apesar disso, suas inseguranças se impõem. Hitler nunca é o primeiro orador do programa. Deve sempre existir um orador que o precede e aquece a plateia para ele. Mesmo assim, ele fica nervoso e agitado quando se levanta para falar. Frequentemente, tem dificuldade para encontrar as palavras para começar. Fica tentando captar o clima da plateia. Se o clima parecer favorável, começa de maneira cautelosa. Seu tom de voz é bastante normal, e ele lida com seu material de maneira bastante objetiva. Porém, à medida que prossegue, sua voz começa a se erguer e seu ritmo se acelera. Se a resposta da plateia for boa, sua voz ficará cada vez mais alta e seu ritmo cada vez mais rápido. A essa altura, toda a objetividade desapareceu, e a paixão se apossou dele todo. A boca que nunca pode proferir uma blasfêmia da tribuna do orador agora verte um verdadeiro fluxo de xingamentos, palavrões, difamações e ódio. Hanfstaengl compara o desenvolvimento de um discurso hitlerista com o desenvolvimento de um tema wagneriano, o que pode explicar o amor de Hitler pela música wagneriana e a inspiração que obtém dela.

Esse fluxo constante de sujeiras continua a jorrar até que Hitler e a plateia estejam em frenesi. Quando ele para, está à beira da exaustão. Ele respira de modo ofegante e descontrolado e está molhado de suor. Diversos autores comentaram a respeito dos componentes sexuais de sua oratória, e alguns descreveram o clímax como um verdadeiro orgasmo. Heyst escreve:

> Em seus discursos, ouvimos a voz reprimida da paixão e do galanteio, que é retirada da linguagem do amor. Ele deixa escapar um grito de ódio e volúpia, um espasmo de violência e crueldade. Todos esses tons e sons são extraídos das partes mais remotas dos instintos. Eles nos lembram dos impulsos sombrios reprimidos há muito tempo.[13]

E o próprio Hitler afirma: "Somente a paixão dará a ele, que é escolhido por ela, as palavras que, como as batidas de um martelo, são capazes de abrir as portas para o coração de um povo." Sem dúvida, ele utiliza o discurso como um meio de falar no papel de super-homem e de viver o papel de "identificação com o agressor". Com cuidado, ele constrói inimigos imponentes – judeus, bolcheviques, capitalistas e democracias – para demoli-los sem piedade (em sua maneira de pensar, tudo isso são invenções dos judeus e, portanto, ao atacar qualquer um deles, ele está basicamente atacando os judeus). Nessas circunstâncias, ele se mostra para o ouvinte ingênuo e simplório como o Grande Redentor da Alemanha.

Mas esse é apenas um lado da situação. Do outro lado, temos o ataque sexual, que, em seu caso, é de natureza perversa. Encontra expressão em sua fala, mas, devido à transformação do caráter, tudo aparece no sentido inverso. O fluxo constante de sujeiras que ele despeja sobre as cabeças de sua plateia "feminina" é o inverso de sua perversão masoquista, que encontra satisfação em ter mulheres despejando suas "sujeiras" sobre ele. Até mesmo a função dos órgãos físicos é invertida. A boca, que, sob circunstâncias normais, é um órgão de ingestão e está rodeado de inibições e proibições, torna-se o órgão pelo qual a sujeira é expelida. A fala de Hitler foi apropriadamente descrita como "diarreia verbal". Rauschning a descreve como um enema oral. Provavelmente, é esse elemento sexual inconsciente de sua fala que exerce tanto fascínio sobre muitas pessoas.

Seu apelo

Algo mais pode ser acrescentado em relação ao conteúdo de seus discursos. Strasser resumiu isso de forma muito concisa:

> Hitler reage à vibração do coração humano com a sensibilidade de um sismógrafo, permitindo-lhe, com uma certeza da qual nenhum dom consciente poderia dotá-lo, agir como um alto-falante proclamando os desejos mais secretos, os instintos menos permissíveis, os sofrimentos e as revoltas pessoais de todo um país.

Estamos agora em condição de entender como isso é possível para ele. Ao considerar sua plateia basicamente feminina em caráter, seu apelo é direcionado a uma parte reprimida de suas personalidades. Em muitos homens alemães, parece haver uma forte tendência feminina-masoquista, que, em geral, é encoberta por características mais "viris", mas que encontra satisfação parcial num comportamento submisso, disciplina, sacrifício e assim por diante. No entanto, isso parece perturbá-los, e eles tentam compensar indo para o outro extremo de coragem, truculência e determinação. A maioria dos alemães não tem consciência dessa parte oculta de suas personalidades e negaria com veemência que ela existe caso uma insinuação desse tipo fosse feita. Hitler, porém, apela para isso diretamente, e está numa posição excelente para saber o que se passa nessa região, porque, nele, esse lado de sua personalidade não só era consciente, como também era dominante ao longo de seu passado. Além disso, essas tendências eram muito mais intensas nele do que numa pessoa comum, e ele teve uma oportunidade melhor de observar seu funcionamento. Ao discursar em público dessa maneira, Hitler só precisa se concentrar nos anseios, ambições, esperanças e desejos de seu passado para despertar essas tendências ocultas em seus ouvintes. Ele o faz com habilidade incomum. Assim, é capaz de despertar em seus ouvintes as mesmas atitudes e emoções que experimentou no passado e consegue redirecioná-las para os canais que achou úteis.

Dessa forma, Hitler pode conquistá-los para sua nova visão da vida, que valoriza sobretudo a brutalidade, a crueldade, a dominação e a determinação e rejeita todas as qualidades humanas estabelecidas. A chave é sempre se esforçar para ser o que você não é e fazer o melhor possível para aniquilar o que você é. O comportamento dos exércitos alemães tem sido uma manifestação incrível dessa contradição. Para o psicólogo, parece que a brutalidade expressa em relação aos povos dos países ocupados é motivada não só pelo desejo de provar a si mesmos que eles são o que não são, mas também por uma satisfação masoquista indireta, obtida por uma identificação com suas vítimas. Em geral, pode-se dizer de muitas tropas alemãs o que Rauschning disse sobre Hitler:

> [...] por trás da ênfase de Hitler na brutalidade e na crueldade, está a desolação de uma desumanidade forçada e artificial, e não a amoralidade do verdadeiro bruto, que, afinal, tem algo da potência de uma força da natureza.

É a capacidade de Hitler de jogar com as tendências inconscientes do povo alemão e de agir como seu porta-voz que lhe permitiu mobilizar suas energias e direcioná-las para os mesmos canais por meio dos quais ele acreditava ter encontrado uma solução para seus conflitos pessoais. O resultado foi uma semelhança extraordinária no pensar, sentir e agir do povo alemão. É como se Hitler tivesse paralisado as funções críticas dos alemães e tomado esse papel para si mesmo. Portanto, ele foi incorporado como parte das personalidades de seus partidários individuais e é capaz de dominar seus processos mentais. Esse fenômeno se situa na própria raiz do vínculo peculiar que existe entre Hitler, como pessoa, e o povo alemão, e o coloca além do controle de qualquer apelo puramente racional, lógico ou intelectual. Na luta por Hitler, essas pessoas estão agora lutando inconscientemente pelo que lhes parecer ser sua própria integridade psicológica.

Tudo isso lança uma luz muito interessante sobre a psicologia subjacente de grande parte do povo alemão, tanto na guerra quanto na paz, e somos forçados a suspeitar de que mudanças fundamentais dentro da própria cultura alemã devem ser efetuadas antes que o povo alemão esteja pronto para desempenhar um papel construtivo numa família de nações. No entanto, a consideração desses aspectos do problema está além do escopo do presente estudo.

Parte VI
Seu provável comportamento no futuro

À medida que a maré da guerra vira contra Hitler, pode ser útil considerar brevemente as possibilidades de seu futuro comportamento e o efeito que cada uma teria sobre o povo alemão e também sobre nós mesmos.

1. *Hitler pode morrer de causas naturais.* É apenas uma possibilidade remota, pois, pelo que sabemos, ele está com a saúde bastante boa, exceto por sua doença estomacal, que deve ser um distúrbio psicossomático. O efeito que esse acontecimento teria sobre o povo alemão dependeria da natureza da doença que ocasionaria sua morte. Se ele morresse de coqueluche, caxumba ou alguma outra doença trivial, isso ajudaria, de modo importante, a quebrar o mito de suas origens sobrenaturais.

2. *Hitler pode pedir asilo político num país neutro.* Isso é bem improvável, em vista de sua grande preocupação com sua imortalidade. Nada destruiria o mito de maneira mais efetiva do que o líder fugir no momento crítico. Hitler sabe disso e frequentemente condenou o Kaiser por sua fuga para a Holanda no fim da última guerra. Ele talvez queira escapar como escapou de outras situações desagradáveis, mas parece quase certo que ele se conteria.

3. *Hitler pode morrer em batalha.* Essa é uma possibilidade real. Quando ele se convencer de que não pode ganhar a guerra, poderá liderar suas tropas na batalha e se expor como líder destemido e fanático. Do nosso ponto de vista, isso seria o mais indesejável, porque sua morte serviria de exemplo para seus seguidores lutarem com determinação fanática e desafiando a morte até o amargo fim. Isso seria o que Hitler ia querer, pois ele previu que:

> Não vamos nos render… Nunca. Podemos ser destruídos, mas se formos, arrastaremos o mundo conosco… Um mundo em chamas.
>
> Mas mesmo se não pudermos conquistá-los, vamos arrastar meio mundo para a destruição e não deixar ninguém triunfar sobre a Alemanha. Não vai haver outro 1918.

A certa altura, ele poderia fazer mais para alcançar esse objetivo morrendo heroicamente do que ficando vivo. Além disso, uma morte dessa natureza ligaria o povo alemão à lenda de Hitler e asseguraria sua imortalidade mais do que qualquer outro caminho que ele pudesse seguir.

4. *Hitler pode ser assassinado*. Embora Hitler seja muito bem protegido, há a possibilidade de que alguém consiga assassiná-lo. Hitler tem medo dessa possibilidade e expressou a opinião de que:

> Certo dia, seus próprios amigos o apunhalariam mortalmente pelas costas… E seria pouco antes da última e maior vitória, no momento de tensão suprema. De novo, Hagen assassinaria Siegfried. De novo, Armínio, o Libertador, seria morto pelos próprios parentes. O destino eterno da nação alemã deve ser cumprido novamente, pela última vez.

Do nosso ponto de vista, essa possibilidade também seria indesejável, porque o tornaria um mártir e fortaleceria a lenda.

Seria ainda mais indesejável se o assassino fosse um judeu, pois isso convenceria o povo alemão da infalibilidade de Hitler e reforçaria o fanatismo das tropas e do povo alemão. Obviamente, depois ocorreria o extermínio completo de todos os judeus da Alemanha e dos países ocupados.

5. *Hitler pode enlouquecer*. Hitler apresenta muitas características que beiram a esquizofrenia. É possível que, quando confrontado com a derrota, sua estrutura psicológica possa entrar em colapso e deixá-lo à mercê de suas forças inconscientes. As possibilidades de tal

resultado diminuem à medida que ele envelhece, mas não devem ser inteiramente excluídas. Do nosso ponto de vista, não seria uma eventualidade indesejável, já que prejudicaria bastante a lenda de Hitler nas mentes do povo alemão.

6. *Os militares alemães podem se revoltar e prendê-lo*. Isso parece improvável em vista da posição única que Hitler mantém na mente do povo alemão. A partir de todas as evidências, parece que Hitler sozinho é capaz de incitar as tropas, e também o povo, a fazer maiores esforços; à medida que o caminho ficar mais difícil, isso deve ser um fator importante. No entanto, podemos imaginar que, com a aproximação da derrota, o comportamento de Hitler pode se tornar cada vez mais neurótico e alcançar um ponto em que seria bom que os militares o confinassem. Nesse caso, contudo, o povo alemão provavelmente nunca ficaria sabendo disso. Se descobrissem, seria um fim desejável do nosso ponto de vista, porque arruinaria o mito do líder amado e invencível.

Nesse contexto, a única outra possibilidade seria os militares alemães decidirem, em face da derrota, que seria mais sensato destronar Hitler e criar um governo-fantoche para negociar a paz. Provavelmente, isso provocaria grande conflito interno na Alemanha. Qual seria o desenlace final dependeria em grande medida da maneira pela qual isso seria tratado e do que seria feito com Hitler. Atualmente, a possibilidade parece bastante remota.

7. *Hitler pode cair em nossas mãos*. Essa é a possibilidade mais improvável de todas. Sabendo do medo de Hitler de ser colocado no papel de vencido, podemos imaginar que ele faria o máximo para evitar tal destino. No entanto, deveria se considerar uma possibilidade, já que temos precedente para tal comportamento no caso de Jan Bockelson. Sua infância, seu caráter e sua carreira guardam semelhança extraordinária com a vida de Hitler. Nos estágios finais de sua carreira insana, suas tendências masoquistas assumiram o controle e ele se rendeu aos inimigos, propondo-lhes que o prendessem numa jaula e o exibissem por todo o país, para que as pessoas, mediante um ingresso simbólico, pudessem observá-lo e expressar seu desprezo. No caso de Hitler, tal desenlace parece remoto, mas é difícil avaliar

até que ponto um masoquista extremo iria para satisfazer essas tendências. Do nosso ponto de vista, seria muito desejável que Hitler caísse em nossas mãos, e, no longo prazo, isso provavelmente também seria benéfico para o povo alemão.

8. *Hitler pode se suicidar.* Esse é o desenlace mais plausível. Não só ele muitas vezes ameaçou se suicidar, bem como, do que sabemos de sua psicologia, é a possibilidade com mais chances de acontecer. É provável que ele tenha um medo exagerado da morte, mas, sendo um psicopata, poderia, sem dúvida, preparar o personagem do super-homem para o pior e realizar a ação. É quase certo, porém, que não seria um suicídio simples. Hitler é teatral demais para isso, e como a imortalidade é uma de suas intenções dominantes, podemos imaginar que ele encenaria a morte mais dramática e eficaz que fosse capaz de pensar. Hitler sabe como vincular as pessoas a ele, e, se não puder ter o vínculo em vida, com certeza fará o máximo para alcançar isso na morte. Ele pode até empregar algum outro fanático para realizar o assassinato às suas ordens.

Hitler já imaginou uma morte desse tipo, pois disse a Rauschning: "Sim, na hora do perigo supremo, devo me sacrificar pelo povo." Do nosso ponto de vista, isso seria extremamente indesejável, porque, se feito com inteligência, fixaria a lenda de Hitler tão vigorosamente na mente do povo alemão que poderia levar gerações para erradicá-la.

Seja o que for que aconteça, podemos ter razoável certeza de que, à medida que a Alemanha sofrer sucessivas derrotas, Hitler se tornará cada vez mais neurótico. Cada derrota abalará ainda mais sua confiança e limitará suas chances de provar sua grandeza para si mesmo. Em consequência, ele se sentirá cada vez mais vulnerável ao ataque de seus colaboradores, e seus acessos de fúria serão mais frequentes. Provavelmente, tentará compensar sua vulnerabilidade acentuando de modo contínuo sua brutalidade e crueldade.

Suas aparições públicas se reduzirão mais e mais, pois, como vimos, Hitler é incapaz de encarar uma plateia crítica. É bem possível que busque conforto em seu Ninho da Águia, na montanha Kehlstein, perto de Berchtesgaden. Ali, entre os picos cobertos de neve, esperará sua "voz interior" guiá-lo. Enquanto isso, seus pesadelos se tornarão mais regulares e intensos, levando-o mais perto de um colapso nervoso. Não é totalmente improvável que, no fim, ele se tranque em seu útero simbólico e desafie o mundo a buscá-lo.

Em todo caso, sua condição mental continuará a se deteriorar. Hitler lutará o máximo que puder com qualquer arma ou técnica que possa ser invocada para enfrentar a emergência. Quase certamente, o caminho que ele seguirá será aquele que parece ser o mais seguro para a imortalidade, e que, ao mesmo tempo, acarrete a maior vingança contra um mundo que ele despreza.

A mãe, Klara Hitler (Pölzl, sobrenome de solteira), 23 anos mais nova que seu marido. O pai, Alois Hitler, filho bastardo de Maria Anna Schicklgruber.

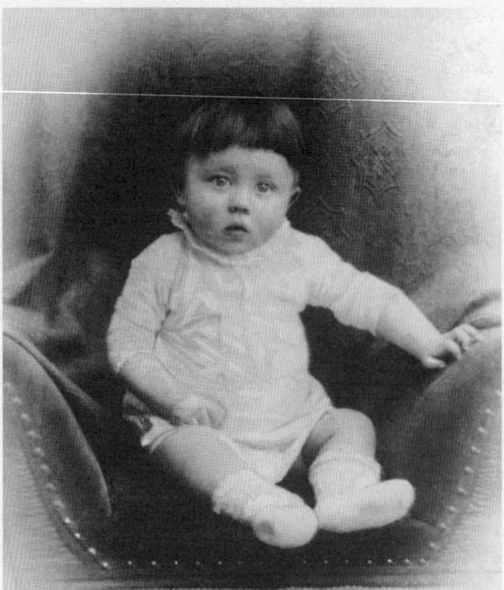

Hitler quando bebê.

Com os companheiros do tempo de guerra (ele está na extrema esquerda, primeira fila).

Hitler, Ludendorff e outros conspiradores do fracassado Putsch da Cervejaria de 1923.

Hitler em traje de camponês bávaro.

Na prisão de Landsberg, após o fracasso do Putsch.

Com sua meia-irmã Angela, "a única parente viva que Hitler mencionou alguma vez".

Com as estrelas de cinema favoritas. Da esquerda para a direita: Else Elster, Leni Marenbach, Hitler, Lilian Harvey, Karin Hardt, Dinah Grace, Willi Fritsch, Leni Riefenstahl e a irmã de Dinah Grace.

Hitler num de seus acalorados discursos.

Passando em revista um desfile da SA.

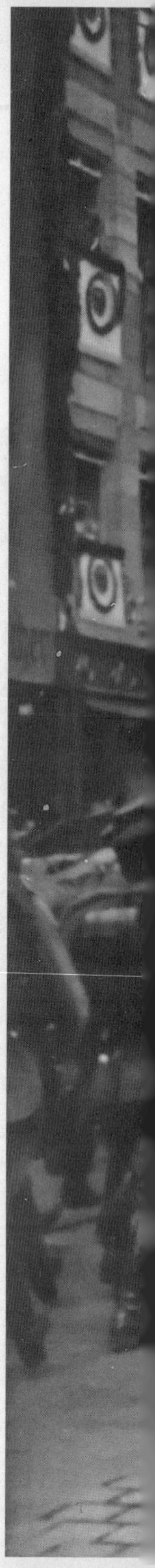

Com o presidente Hindenburg, nas cerimônias que marcaram a abertura do *Reichstag*, em Potsdam.

IIA 19357

Notas

Os números entre colchetes referem-se às páginas do *The Hitler Source-Book*, no qual o material pode ser encontrado. O *Source-Book* está disponível no National Archives.

Parte I: Como ele acredita ser

1. Hermann Rauschning. *Gespräche mit Hitler* (New York: Europa Verlag, 1940), p. 161. [717]
2. Otto Strasser, *Hitler and l* (Boston: Houghton 1940), p. 67. [378]
3. Frederick Oechsner, *This Is the Enemy* (Boston: Little, Brown, 1942), p. 73. [699]
4. Rauschning, *Gespräche mit Hitler*, p. 16. [701]
5. George Ward Price, *I Know These Dictators* (London: Harrap, 1937), p. 144. [255]
6. Adolf Hitler, *My New Order*.
7. François-Poncet, embaixador francês em Berlim, para Georges Bonnet, ministro das Relações Exteriores, Berlim, 20 de outubro de 1938, *The French Yellow Book – Diplomatic Documents, 1938-1939*, n. 18. [945]
8. Sir Neville Henderson, *Failure of a Mission* (New York: Putnam's, 1940), p. 177. [129]
9. Departamento de Estado dos Estados Unidos, 18 de janeiro de 1940. Memorando confidencial a respeito de Hitler elaborado pela missão diplomática holandesa em Berlim para o secretário de Relações Exteriores, Haia. [654]
10. Karl von Wiegand, "Hitler Foresees His End", *Cosmopolitan* (abril de 1939), p. 28. [490]

11. Pierre J. Huss, *The Foe We Face* (New York: Doubleday, 1942), p. 281. [413]
12. Rauschning, *Gespräche*. [714]
13. Hans Mend, *Adolf Hitler im Felde* (Diessen: Huber Verlag, 1931), p. 172. [208]
14. George Ward Price, *I Know These Dictators* (London: Harrap, 1937), p. 40. [241]
15. Citado em *Pariser Tages Zeitung*, "Vom Wahne Besessen", n. 1212 (23 de janeiro de 1940). [429]
16. Informação obtida de Ernst Hanfstaengl.
17. Ibid. [903]
18. Hitler, *My New Order*, p. 26.
19. W. C. White, "Hail Hitler", *Scribner 9* (abril de 1932): pp. 229-231. [664]
20. Karl von Wiegand, "Hitler Foresees His End", *Cosmopolitan*, abril de 1939, pp. 28 ff., maio de 1939, pp. 48 ff. [493]
21. S. Haffner, *Germany: Jekyll and Hyde* (New York: Dutton, 1941) [418]; Huss, *The Foe We Face* [401]; Ludwig Wagner, *Hitler, Man of Strife* (New York: Norton, 1942). [489]
22. Huss, *The Foe We Face*, p. 210 [410]
23. Ibid., p. 212 [410]
24. Entrevista com Friedelinde Wagner em Nova York. [936]
25. Will D. Bayles, *Caesars in Goose Step* (New York: Harper Bros., 1940). [3]
26. Citado em Rauschning, *Gespräche*, p. 144. [715]
27. Dr. E. Bloch, como relatado para J. D. Ratcliffe, "My Patient, Hitler", *Collier's*, 15 de março de 1941. [146]
28. Howard K. Smith, *Last Train from Berlin* (New York: 1942), p. 59. [290]

Parte II: Como o povo alemão o conhece

1. William L. Shirer, *Berlin Diary* (New York: Knopf, 1941), p. 13. [279]
2. Karl Trossman, *Hitler und Rom* (Nuremberg: Sebaldus Verlag, 1931), p. 152. [483]
3. Edgar Ansell Mowrer, *Germany Puts the Clock Back* (London: Penguin, 1938), pp. 193-194. [642]
4. Dorothy Thompson, "Good Bye to Germany", *Harper's Magazine*, dezembro de 1934, pp. 12-14. [307]

5. Howard K. Smith, *Last Train from Berlin* (New York: 1942), pp. 29-31. [289]
6. Emil Ludwig, *Three Portraits: Hitler, Mussolini, Stalin* (New York: 1940), p. 11. [575]
7. Bella Fromm, *Blood and Banquets* (New York: Harper Bros., 1942), p. 36. [369]
8. Hermann Rauschning, *The Voice of Destruction*, p. 12. É o mesmo que *Gespräche mit Hitler*. [257]
9. Karl Tschuppik, "Hitler spricht", *Das Tagebuch*, 8, n. 13 (26 de março de 1927): pp. 498-500. [317]
10. Otto Strasser, *Hitler and I* (Boston: Houghton, 1940), p. 62. [376]
11. Konrad Heiden, *Adolf Hitler* (Zurich: Europa Verlag, 1936), p. 100. [499]
12. George Ward Price, *I Know These Dictators* (London: Harrap, 1937), pp. 39-40. [241]
13. *Newsweek*, "Cocksure Dictator Takes Timid Soul Precautions", 5 (6 de abril de 1935): p. 16. [572]
14. Janet Flanner, *An American in Paris* (New York: Simon & Schuster, 1940), pp. 414-415. [558]
15. F. Yeates-Brown, "A Tory Looks at Hitler", *Living Age*, agosto de 1938, pp. 512-514. [592]
16. Lilian T. Mowrer, *Rip Tide of Aggression* (New York: Morrow, 1942), p. 179. [216]
17. Michael Fry, *Hitler's Wonderland* (London: Murray, 1934). p. 106. [577]
18. Kurt Georg W. Ludecke, *I Knew Hitler* (New York: Scribner's, 1937), p. 13. [164]
19. Stanley High, "The Man Who Leads Germany", *Literary Digest*, 21 de outubro de 1933, p. 42. [453]
20. Otto Strasser, *Flight from Terror*, pp. 24-25. [295]
21. Karl von Wiegand, "Hitler Foresees His End", *Cosmopolitan*, maio de 1939, p. 158. [494]
22. Price, *I Know These Dictators*, pp. 222-223. [236]
23. Ignatius Phayre, "Holiday with Hitler", *Current History*, julho de 1936, pp. 50-58. [225]
24. Pierre J. Huss, *The Foe We Face* (New York: Doubleday, 1942). [405]
25. Frederick Oechsner, *This Is the Enemy* (Boston: Little, Brown, 1942), p. 69. [668]

26. Henry Albert Phillips, *Germany Today and Tomorrow* (New York: Dodd), pp. 40-41. [868]
27. Erich Czech-Jochberg, *Adolf Hitler und sein Stab* (Oldenburg: G. Stalling, 1933), pp. 30-34. [861]
28. Heinrich Hoffman, *Hitler, wie ihn keiner kennt* (Berlin: 1932), pp. x-xiv. [899]
29. Phillips, *Germany Today and Tomorrow*, pp. 40-41. [868]
30. High, "The Man Who Leads Germany", p. 43 [453]
31. Patsy Ziemer, *2010 Days of Hitler* (New York: Harper Bros., 1940). p. 84. [763]
32. Stephen H. Roberts, *The House That Hitler Built* (New York: 1938), p. 11. [876]
33. William Teeling, *Know Thy Enemy!* (London: Nicholson, 1939), pp. 2, 7, 28. [565]
34. Hermann Rauschning, *Revolution of Nihilism* (New York: Alliance Book Corp. 1939). [552]
35. Reveille Thomas, *The Spoil of Europe*. [550]
36. Hans Kerri, citado em Emily D. Lorrimer, *What Hitler Wants* (London: Penguin, 1939), p. 6. [749]
37. Thompson, "Good Bye to Germany", p. 46. [568]

Parte III: Como seus colaboradores o conhecem

1. William Russell, Berlin Embassy, 1941, p. 283. [747]
2. Adolf Hitler, *Mein Kampf*.
3. Informação obtida de Ernst Hanfstaengl. [902]
4. Hitler, *Mein Kampf*, p. 237.
5. Ibid., p. 222.
6. Ibid., p. 223.
7. Louis P. Lochner, *What about Germany?* (New York: Dodd, 1942), p. 99. [157]
8. Informação obtida de Ernst Hanfstaengl. [899]
9. Kurt Georg W. Ludecke, *I Knew Hitler* (New York: Scribner's, 1937), p. 97. [169]
10. Joseph Goebbels, *Vom Kaiserhof zur Reichskanzlei* (Munich: NSDAP, 1934), p. 27. [385]

11. R. Billing, *Rund um Hitler* (Munich: B. Funck, 1931), p. 69. [588]
12. Ludecke, *I Knew Hitler*, p. 96. [168]
13. Ibid., p. 97. [168]
14. Shirer, *Berlin Diary* (New York: Knopf, 1941), p. 247. [280]
15. Hermann Rauschning, *The Voice of Destruction*, p. 261. [275]
16. Ludecke, *I Knew Hitler*, p. 58. [165]
17. Informação obtida de Hanfstaengl. [899]
18. Departamento de Estado dos Estados Unidos, 18 de janeiro de 1940. Memorando confidencial a respeito de Hitler elaborado pela missão diplomática holandesa em Berlim para o secretário de Relações Exteriores, Haia. [656]
19. Rauschning, The *Voice of Destruction*, pp. 183-184. [269]
20. Ibid., p. 260. [275]
21. Ernst Röhm, citado em Ludecke, *I Knew Hitler*, p. 287. [176]
22. Rauschning, *The Voice of Destruction*, p. 181. [268]
23. Departamento de Estado, Relatório da missão diplomática holandesa. [654]
24. Ibid. [654]
25. Otto Strasser, *Flight from Terror*. [297]
26. Röhm, citado em Ludecke, *I Knew Hitler*, p. 287. [176]
27. Louis P. Lochner, *What about Germany?* (New York: Dodd, 1942), p. 47. [154]
28. Shirer, *Berlin Diary*, p. 137. [279]
29. Departamento de Estado, Relatório da missão diplomática holandesa.
30. Hermann Rauschning, *Gespräche mit Hitler* (New York: Europa Verlag, 1940), p. 80. [710]
31. Karl von Wiegand, "Hitler Foresees His End", *Cosmopolitan*, maio de 1939, p. 48. [492]
32. F. A. Voigt, *Unto Caesar* (New York: Putnam, 1938), p. 261, n. 50. [591]
33. Rauschning, *The Voice of Destruction*, pp. 66-67. [261]
34. Otto Strasser, *Hitler and l* (Boston: Houghton, 1940), pp. 66-67. [377]
35. Will D. Bayles, *Caesars in Goose Step* (New York: Harper Bros., 1940). [2]
36. Strasser, *Hitler and I*, p. 68. [378]
37. Konrad Heiden, *Adolf Hitler* (Zurich: Europa Verlag, 1936), pp. 347-348. [527]
38. Rudolf Olden, *Hitler* (Amsterdam: Querido, 1935), p. 168. [611]
39. Rauschning, *The Voice of Destruction*, p. 163. [267]

40. Strasser, *Hitler and I*, p. 105. [381]
41. Heiden, *Adolf Hitler*, p. 280. [280]
42. George Ward Price, I *Know These Dictators* (London: Harrap, 1937), p. 79. [253]
43. Strasser, *Flight from Terror*, p. 134. [302]
44. Heiden, *Adolf Hitler*, pp. 279-280. [98]
45. Friedelinde Wagner, original inédito. [630]
46. Price, *I Know These Dictators*, pp. 119-120 [255]
47. Reinhold Hanisch, "I Was Hitler's Buddy", *The New Republic*, 5 de abril de 1939, p. 240. [64]
48. Hans Mend, *Adolf Hitler im Felde* (Diessen: Huber Verlag, 1931), p. 79. [199]
49. Otto Strasser, *Flight from Terror*, p. 134. [302]
50. Interview with Friedelinde Wagner, New York City. [937]
51. Rauschning, *Gespräche*, pp. 159-160. [716]
52. Ludecke, *I Knew Hitler*, p. 81. [166]
53. Bella Fromm, *Blood and Banquets* (New York: Harper Bros., 1942), pp. 96-97. [371]
54. Pierre J. Huss, *The Foe We Face* (New York: Doubleday, 1942). [406]
55. Harry W. Flannery, *Assignment to Berlin* (New York: 1942), p. 96. [698]
56. Informação obtida de Ernst Hanfstaengl. [902]
57. Leo Lania, *Today We Are Brothers* (New York: Putnam's, 1940), p. 234. [149]
58. Fromm, *Blood and Banquets*, p. 75. [369]
59. Sir Neville Henderson, *Failure of a Mission* (New York: Putnam's, 1940), p. 42. [124]
60. Frederick Oechsner, *This Is the Enemy* (Boston: Little, Brown, 1942), p. 59. [665]
61. Ludwig Wagner, *Hitler, Man of Strife* (New York: Norton, 1942), p. 59. [487]
62. Ludecke, *I Knew Hitler*, pp. 489-490. [180]
63. Michael Fry, *Hitler's Wonderland* (London: Murray, 1934), p. 107. [577]
64. Strasser, *Flight from Terror*, pp. 43-44. [297]
65. Informação obtida de Ernst Hanfstaengl. [898]
66. George Ward Price, *I Know These Dictators* (London: Harrap, 1937), p. 5. [230]
67. Informação obtida de Ernst Hanfstaengl. [914]
68. Rauschning, *The Voice of Destruction*, pp. 135-136. [266]

69. Röhm, citado em Ludecke, *I Knew Hitler*, p. 287. [176]
70. Rauschning, The *Voice of Destruction*, pp. 135-136. [266]
71. Axel Heyst, *After Hitler* (London: Minerva Publishing Co., 1940), p. 53. [600]
72. Von Wiegand, "Hitler Foresees His End", pp. 48, 151. [492]
73. Huss, *The Foe We Face*, p. 104. [408]
74. Informação obtida de Ernst Hanfstaengl. [910]
75. Friedelinde Wagner, original inédito. [632]
76. Strasser, *Flight from Terror*. [301]
77. Entrevista com Friedelinde Wagner, em Nova York. [939]
78. Informação obtida de Ernst Hanfstaengl. [904]
79. Entrevista com Friedelinde Wagner em Nova York. [939]
80. Janet Flanner, *An American in Paris* (New York: Simon & Schuster, 1940), pp. 382-383. [554]
81. Ludecke, *I Knew Hitler*, p. 419. [177]
82. Ibid., pp. 476-477. [178]
83. R. Norburt, "Is Hitler Married?", *Saturday Evening Post*, 16 de dezembro de 1939, pp. 14-15. [605]
84. Lochner, *What about Germany?*, p. 94. [157]
85. Ludecke, *I Knew Hitler*, pp. 477-478. [179]
86. Rauschning, *The Voice of Destruction*, pp. 91-92. [264]
87. Rudolf Olden, *Hitler* (Amsterdam: Querido, 1935), pp. 180-181. [614]
88. Hermann Rauschning, *The Voice of Destruction*, p. 263. [276]
89. Entrevista com a princesa Stephanie von Hohenlohe no campo de detenção para estrangeiros em Seagoville, Texas, em 28 de junho de 1943 [658]; e Rauschning, ibid., p. 60. [261]
90. Oechsner, *This Is the Enemy*, pp. 86-87. [675]
91. Informação obtida de Ernst Hanfstaengl. [895]
92. Ernest Pope, *Munich Playground* (New York: Putnam's 1941), pp. 5-9. [229]
93. Rauschning, *Gespräche*, p. 207. [718]
94. Entrevista com a princesa Stephanie von Hohenlohe. [661]
95. S. Morrell, "Hitler's Hiding Place", *Living* Age, n. 352 (agosto de 1937), pp. 486-488. [462]
96. Entrevista com Friedelinde Wagner em Nova York. [934]
97. Lochner, *What about Germany?*, p. 77. [156]

Parte IV: Como ele se conhece

1. Hermann Rauschning, *The Voice of Destruction*, p. 255. [273] É o mesmo que *Gespräche*.
2. E. Bloch, como relatado para J. D. Ratcliffe, "My Patient Hitler", *The New Republic*, 5 de abril de 1939, p. 240. [29]
3. Resumo da entrevista com Dr. Eduard Bloch, 5 de março de 1943. [21]
4. Reinhold Hanisch, "I Was Hitler's Buddy", *The New Republic*, 5 de abril de 1939, p. 240. [64]
5. Ibid., p. 241. [65]
6. Ibid., 12 de abril de 1939, p. 272. [73]
7. Andre Simone, *Men of Europe* (New York: Modern Age, 1941), p. 46. [467]
8. Hanisch, "I Was Hitler's Buddy", 5 de abril de 1939, p. 241. [66]
9. Adolf Hitler, *Mein Kampf*.
10. Ibid., p. 30.
11. Entrevista com Hermann Rauschning em Hollywood, Califórnia, em 24 de junho de 1943. [947]
12. Hans Mend, *Adolf Hitler im Felde* (Diessen: Huber Verlag, 1931), p. 179. [209]
13. Karl Trossman, *Hitler und Rom* (Nuremberg: Sebaldus Verlag, 1931), p. 158. [483]
14. William Russell, *Berlin Embassy*, 1941, pp. 276-277. [746]
15. Kurt Georg W. Ludecke, *I Knew Hitler* (New York: Scribner's, 1937), p. 91. [166]
16. Rauschning, *The Voice of Destruction*, p. 85. [263]
17. Sisley Huddleston, *In My Time* (London: J. Cape, 1938). [759]
18. F. A. Voigt, *Unto Caesar* (New York: Putnam's, 1938), p. 261, n. 50. [591]
19. Rauschning, The *Voice of Destruction*, p. 173. [268]
20. Ibid., p. 216. [269]
21. Ibid., p. 78. [262]
22. F. Thyssen, *I Paid Hitler* (New York: Farrar, 1931), pp. 137-138. [308]
23. Departamento de Estado, 11 de novembro de 1942, relato de Frank. [652]
24. Rauschning, *The Voice of Destruction*, pp. 256-257. [274]
25. Entrevista com A. Zeissler em Hollywood, Califórnia, em 24 de junho de 1943. [923]

26. Informação obtida de Ernst Hanfstaengl. [914]
27. Michael Fry, *Hitler's Wonderland* (London: Murray, 1934), p. 107. [577]
28. Karl von Wiegand, "Hitler Foresees His End", *Cosmopolitan*, abril de 1939, p. 154. [491]
29. Entrevista com Otto Strasser em Montreal, Canadá, em 13 de maio de 1943. [919] Ver também a entrevista com a sra. Shephard Morgan em Nova York [939] e a entrevista com o dr. Raymond de Saussure, 11 de setembro de 1943, em Nova York. [932]

Parte V: Análise e reconstrução psicológica

1. Adolf Hitler, *Mein Kampf*.
2. Ibid.
3. Ibid., p. 38.
4. Ibid., p. 43.
5. François-Poncet, embaixador francês em Berlim, para Georges Bonnet, ministro das Relações Exteriores, Berlim, 20 de outubro de 1938, *The French Yellow Book – Diplomatic Documents, 1938-1939*, n. 18, pp. 20-22. [943]
6. Entrevista com A. Zeissler em Hollywood, Califórnia, 24 de junho de 1943. [921]
7. Hitler, *Mein Kampf*, p. 315.
8. Ibid., p. 201.
9. François-Poncet, *The Yellow Book*, p. 49. [946]
10. Kurt Georg W. Ludecke, *l Knew Hitler* (New York: Scribner's, 1937), pp. 233-234. [173]
11. Konrad Heiden, *Adolf Hitler* (Zurich: Europa Verlag, 1936), p. 106. [89]
12. François-Poncet, *The Yellow Book*, p. 49. [945-946]
13. Axel Heyst, *After Hitler* (London: Minerva Publishing Co., 1940), pp. 78-80.

Referências bibliográficas

Abel, Theodor. *Why Hitler Came into Power?* Englewood Cliffs, N.J.: Prentice-Hall, 1938.

Adam, Adela M. *Philip alias Hitler*. Oxford: Oxford University Press, 1941. 10: pp. 105-113.

Agha Khan. "Faith in Hitler". *Living Age* 355 (1938): pp. 299-302.

Albert, E. "Hitler and Mussolini". *Contemporary Review* 159 (1941): pp. 155-161.

Allard, Paul. *Quand Hitler espionne la France*. Paris: Les editions de France, 1939.

Allen, J. "Directors of Destiny". *Good Housekeeping* 109 (1939): pp. 30-31.

Anacker, H. "Ritter Ted und Teufel". *Nationalsozialistische Monatshefte* 5, n. 46.34:2.

Andemach, Andreas. *Hitler ohne Maske*. Munich: Der Antifascist, 1932.

Arbuerster, Martin. *Adolf Hitler, Blut oder Geist*. Zurich: Reso Verlag, 1936. Kulturpolit. Schriften, n. 7.

Bade, Wilfred. *Der Weg des dritten Reichs*. 4 Bande Lubeck Coleman, 1933-1938, je 150 Seiten.

Bainville, Jacques. *Histoire de deux peuples, continuée jusqu'à Hitler*. Paris: Flammarion, 1938.

Baker, J. E. "Carlyle Rules the Reich". *Saturday Review of Literature* 10 (1933): pp. 291.

Balk, Ernst Wilhelm. *Mein Führer*. Berlin: P. Schmidt, 1933.

Bavarian State Police. *Report to the Bavarian State Ministry of the Interior Re: Conditional Parole of Adolf Hitler*.

Bayles, Will D. *Caesars in Goose Step*. New York: Harper Bros., 1940.

Baynes, Helton Godwin. *Germany Possessed*. London: J. Cape, 1941.
Bedel, Maurice. *Monsieur Hitler*. Paris: Gallimard, 1937.
Belgium. The *Official Account of What Happened, 1939-40*, Belgium. New York, 1941.
Berchthold, Josef. *Hitler über Deutschland*. Munich: F. Eher, 1932.
Bereitschaft für Adolf Hitler. Vienna, 1932.
Berliner Illustrierte Zeitung. "Militarpass Adolf Hitlers", n. 32 (agosto de 1939).
Berliner Tageblatt. "Putschprozess Hitlers Vernehmung", 27 de fevereiro de 1924, pp. 10-26.
______________. "Hitler als Zeuge im Leipziger Reichswehrprozess", 6 de setembro de 1930.
Bertrand, Louis, M. E. ... *Hitler*. Paris: Fayard & Cie, 1936.
Billing, R. *Rund um Hitler*. Munich: B. Funck, 1931.
Billinger, Karl (pseud.). *Hitler Is No Fool*, New York: Modern Age Books, 1939.
Binsse, H. L. "Complete Hitler". *Commonweal* 29 (1939): pp. 625-626.
______________. "Hitler, German Hypnotist". *Outlook* 256 (1931): p. 156.
Blake, Leonard. *Hitler's Last Year of Power*. London: A. Daker's Ltd., 1939.
Blank, Herbert. *Adolf Hitler, Wilhelm III*. Berlin: Rowohlt, 1931.
Bloch, E. "My Patient Hitler". *Collier's* 107 (1941): pp. 11, 69-70.
Borne, L. "27 J. Zu diesem Hitler". *Weltbühne* (1931), p. 45.
Bouhler, Philipp. Adolf Hitler, *das Werden einer Volksbewegung*. Colemans K. Biogr., n. 11, 1935.
______________. Adolf Hitler, *A Short Sketch of His Life*. Terramare Office, 1938.
Brady, Robert A. *The Spirit and Structure of German Fascism*. New York, 1937.
Braun, Otto. *Von Weimar zu Hitler*. New York: Europa Verlag, 1940.
Bredow, Klaus. *Hitler rast. Der 30. Juni*. Saarbrucken, 1934.
Brentano, Bernard. *Der Beginn der Barbarei in Deutschland*. Berlin: Rowohlt, 1930.
British War Bluebook. 1939.

Brooks, Robert Clarkson. ... *Deliver Us from Dictators*. Philadelphia: University of Pennsylvania Press, 1935.

Buch, Walter. "Der Führer." *Nationalsozialistische Monatschefte* Jehrgang 327, 4 (n. 39.33): pp. 248-251.

Bülow, Paul. *Adolf Hitler und der Bayreuther Kulturkreis*. Leipzig, 1933. Aus Deutschlands Werden, n. 9, pp. 1-16.

Caballero, G. E. "Das geheimniste Nationalsozialismus". *Nationalsozialistische Monatshefte* 3 (n. 32.32): pp. 511-513.

Cahen, Max. *Man against Hitler*. New York: Dobbs & Merrill, 1939.

Chateaubriant, Alphonse de. ... *La gerbe des forces*. Nouvelle Allemagne. 1937.

Chelius, Fritz Heinz. *Aus Hitlers Jugendland und Jugendzeit*. Leipzig: Schaufuss, 1933.

Christian Century. "Comedy Has Its Limits: Chaplinized Hitler", 57 (1940): pp. 816-817.

______________. "How Seriously Must Hitler Be Taken", 53 (1936): 1277.

Churchill, W. "Dictators Are Dynamite". *Collier's* 102 (1938): pp. 16-17.

Ciarlatini, Franco. *Hitler e il Fascismo*. Florence: R. Bemporad, 1933.

Citron, B. "Geldgeber der Nazis". *Weltbühne* 2 (1931): p. 72.

Clatchie, S. M. "Germany Awake". *Forum* 85 (1931): pp. 217-224.

Clinchy, Everett R. "I Saw Hitler, Too". *Christian Century* 49 (1932): pp. 1131-1133.

______________. "The Strange Case of Herr Hitler", John Day Pamphlets, n. 24, 1933.

Collier's. "Is Hitler Crazy?" 103 (1939): p. 82.

Commonweal. "Quandaries of Herr Hitler" 16 (1932): p. 419.

Contemporary Review. "Adolf Hitler" 140 (1931): pp. 726-732.

______________. "The Advent of Herr Hitler" 143 (1933): pp. 366-368.

______________. "Der Fuehrer Spricht" 155 (1939): pp. 357-368.

______________. "Excerpt. R. of Rs" 85 (1932): pp. 56-57.

______________. "Hitler's Age of Heroism" 143 (1933): pp. 532-541.

______________. "Hitler's Cards. Germanicus" 154 (1938): pp. 190-196.

Crabits, P. "Masterstroke of Psychology". *Catholic World* 148 (1938): pp. 190-197.

Crabits, P. e Huddleston, S. "Hitler the Orator". *Catholic World* 149 (1939): pp. 229-230.

Crain, Maurice. *Rulers of the World*. New York, 1940.

Current History. "Ascetic Adolf; Hitler's Income" 52 (1941): pp. 27-28.

______________. "Hitler's Escape" 51 (1939): p. 12.

______________. "I Was Hitler's Boss" 52 (1941): pp. 193-199.

______________. "Mr. Hitler" 48 (1938): pp. 74-75.

______________. "Prosecuted by Hitler, an Unbiased Account of a Real Experience" 44 (1936): pp. 83-90.

______________. "Stranger in Paris" 51 (1940): p. 54.

Czech-Jochberg, Erich. *Adolf Hitler und sein Stab*. Oldenburg: G. Stalling, 1933.

______________. *Hitler, eine Deutsche Bewegung*. Oldenburg: G. Stalling, 1936.

D' Abernon, Edgar Vincent. *Diary of an Ambassador*, 1920-26. New York: Doubleday.

Denny, C. "France and the German Counter-Revolution". *Nation* 116 (1923): pp. 295-297.

Descaves, Pierre. *Hitler*. Paris: Dencl & Steele, 1936.

Deuel, Wallace R. *People under Hitler*. New York: Harcourt, 1942.

Deutsche Juristenzeitung. "Münchener Hochverratsprozess. Graf au Dohna", v. 330 (outubro de 1924).

Deutsche Republik. "Das Schutzserum gegen die Hitlerei" 5: pp. 358-364.

______________. "Figuren aus dem 'Dritten Reich'" 4: pp. 1476-1481.

Diebow, Hans. *Hitler, eine Biographie*. W. Kolk, 1931.

Dietrich, Otto. *Mit Hitler in die Macht*. Munich: F Eher, 1934.

Dobert, Eitel Wolf. *Convert to Freedom*. New York: Putnam's, 1940.

Dodd, Ambassador. *Diary, 1933-38*. New York: Harcourt, 1939.

Dodd, Martha. *Through Embassy Eyes*. New York: Harcourt, 1939.

Doerr, Eugen. *Mussolini, Hitler*... Leipzig: S. Schnurpfeil Verlag, 1931.

Dokumente der Deutschen Politik. Berlin: Junker & Dunnhaupt Verlag, 1935-1939.

Duhamel, Georges. *Memoriel de la Guerre Blanche*, 1938. Paris, 1939.

Dutch, Oswald (pseud.). *Hitler's 12 Apostles*. London: E. Arnold & Co., 1939.

Dzelepy, E. N. *Hitler contre la France?* Paris: Editions Excelsior, 1933.

______________. *Le vrai "combat" de Hitler*. Paris: L. Vogel, 1936.

Eckart, Dietrich. *Der Bolschewismus von Moses bis Lenin*, Munich, 1925.

Eichen, Carl von. "Hitler's Throat". *Time Magazine*, 14 de novembro de 1938.

Einzig, Paul. *Hitler's "New Order" in Europe*, London: MacMillan, 1941.

Emsen, Kurt von. *Adolf Hitler und die Kommenden*. Leipzig: W. R. Lindner, 1932.

Ensor, Robert Charles K. "Herr Hitler's Self Disclosure in 'Mein Kampf'". Oxford Pamphlets n. 3 (1938).

______________. "Who Hitler Is." Oxford Pamphlets n. 20 (1939).

Erckner, S. *Hitler's Conspiracy against Peace*. London: Gollanz, 1937.

Ermarth, Fritz. *The New Germany*. Washington, D.C., 1936.

Fairweather, N. "Hitler and Hitlerism". *Atlantic Monthly* 149 (1932): pp. 380-387, 509-516.

______________. "A Man of Destiny". *Atlantic Monthly* 149 (1932): pp. 380-387.

Feder, Gottried. *Was will Adolf Hitler?* Munich: F. Eher, 1931.

Femsworth, Lawrence. *Dictators and Democrats*. New York: McBride, 1941.

Ficke, Karl. *Auf dem Wege nach Canossa*. Klausthal: Selbstverlag, 1931.

Flanner, Janet. *An American in Paris*. New York: Simon & Schuster, 1940.

Flannery, Harry W. *Assignment to Berlin*. New York, 1942.

Fodor, M. W. *Plot and Counterplot in Central Europe*. Boston: Houghton, 1937.

Francois, Jean. *L'affaire Rohm-Hitler*. Paris: Les Oeuvres Libres, 1938. 209: pp. 5-142.

Frateco (pseud.). *M. Hitler, dictateur. Trad. de l'allemand sur le manuscript, indit*. Paris: L'Eglantine, 1933.

Fried, Hans Ernest. *The Guilt of the German Army*. New York: Macmillan, 1942.

Friters, G. "Who Are the German Fascists?" *Current History* 35 (1932): pp. 532-536.

Frommer, *Blood and Banquets*. New York: Harper Bros., 1942.

Fry, Michael. *Hitler's Wonderland*. London: Murray, 1934.

Fuchs, Martin. *Showdown in Vienna*. New York: Putnam's, 1939.

Der Führer. "In 100 Büchern. Wir lesen", maio de 1939, pp. 1-16.

Ganzer, Karl Richard. "Vom Ringen Hitlers urn das Reich, 1924-33". *Zeitgeschichte Verlag*. Berlin, 1935.

Gavit, J. P. "Much Ado about Hitler". *Survey* 68: p. 239.

Gehl, Walter. *Der Deutsche Aufbruch*. Breslau: Hirt, 1938.

Georges-Anquetil. *Hitler conduit le bal*. Paris: Les editions de Lutece, 1939.

Gerlach, H. V. "Hitlers Vorlaufer". *Weltbühne* (1931), pp. 814-817.

German Foreign Office. *The German White Paper*, 23 de junho de 1940.

Gerstorff, K. L. "Ulusionen über Hitler". *Weltbühne* (1931), pp. 950-954.

Gillis, J. M. "Austrian Phaeton". *Catholic World* 151 (1940): pp. 257-265.

Goebbels, Joseph. *Kampf um Berlin*. Munich: NSDAP, 1934.

______________. *Vom Kaiserhof zur Reichskanzlei*. Munich: NSDAP, 1934.

Goetz, F. "Ein Offizier Hitlers erzählt." *Vorwaerts*, 2 de março de 1924.

______________. "How Hitler Failed". *Living Age* 320 (1924): pp. 595-599.

______________. "Report on Putsch Prozess". *Vorwärts*, 26 de fevereiro de 1924.

Golding, Louis. *Hitler through the Ages*. London: Sovereign Books Ltd., 1940.

Gollomb, Joseph. *Armies of Spies*. New York: Macmillan, 1939.

Gorel, Michael. *Hitler sans masque*.

Graach, Henrich. *Freiheitskampf... Saarlouis*. Hansen Verlag, 1935.

Greenwood, H. "Hitler's First Year", Spectator booklet n. 5. London, 1934.

Grimm, Alfred Max. *Horoscope Hitler*. Toelz: Selbstverlag, 1925.

Gritzbach, Erich. *Hermann Göring*. London, 1939.

Gross, Felix. *Hitler's Girls, Guns and Gangsters*. London: Hurst, 1941.

Grunsky, Karl. *Warum Hitler?...* Der Aufschwung, Deutsche Reihe, 1933.

Grzesinski, Albert. *Inside Germany*. New York: Dutton, 1939.

Gumbel, Emil Julius. *Les crimes politiques en Allemagne, 1919-1929*. Paris: Gallimard, 1931.

______________. Zwei Jehre Mord (Kapp Putsch). Berlin: Verlag Neuess Vaterland, 1921.

Gunther, John. *The High Cost of Hitler*. London: Hamilton, 1939.

______________. "Hitler". *Harper's Magazine* 172 (1936): pp. 148-159.

______________. *Inside Europe*. New York: Harper Bros., 1936.

Haake, Heinz. *Das Ehrenbuch des Führers*. NSDAP, 1933.

Hadamowsky, Eugen. *Hitler kämpft um den Frieden Europas*. NSDAP, 1936.

Hadeln, Hajo Freiherr von. *Vom Wesen einer Nationalsozialistischen Weltgeschichte*. Frankfurt: A. M. Osterrieth, 1935.

Haffner, S. *Germany: Jekyll and Hyde*. New York: Dutton, 1941.

Hagen, Paul. *Will Germany Crack?* New York, 1942.

Hambloch, Ernest. *Germany Rampant*. London: Duckworth, 1939.

Hanfstaengl, Ernst Franz. *Hitler in der Karrikatur der Welt*. Berlin: Verlag Braune Bucher, 1933. (Neue Folge: Tat gegen Tinte. Berlin. O. Rentsch, 1934).

______________. "My Leader". *Collier's* 94 (1934): pp. 7-9.

Hanisch, Reinhold. "I Was Hitler's Buddy". *New Republic*, 5 de abril de 1939, pp. 239-242; 12 de abril de 1939, pp. 270-272; 19 de abril de 1939, pp. 297-300.

Hansen, Heinrich. *Der Schlussel zum Frieden*. Berlin: Klieber, 1938.

______________. Hitler, Mussolini... Dresden: Raumbild Verlag, 1938.

Harsch, Joseph C. *Pattern of Conquest*. New York: Doubleday, 1941.

Hauptmann, R. "An den Pranger mit Hitler!..." *Weltkampf* 8 (1931): pp. 154-163.

Hauser, Heinrich. *Hitler vs. Germany*. London: Jarrold, 1940.

______________. *Time Was: Death of a Junker*. New York, Reynal, 1942.

Hauteoloque, Xavier de. *A L'hombre de la croix gammée*. Paris: Les editions de France, 1933.

Heiden, Konrad. "Adolf at School". *Living Age* 351 (1936): pp. 227-229.

______________. *Adolf Hitler*. Zurich: Europa Verlag, 1936.

______________. *Ein Mann gegen Europa*. Zurich: Europa Verlag, 1937.

______________. "Hitler klagt". *Das Tagebuch* 10 (1929): 816.

______________. *Les vêpres Hitleriennes*. Paris: Sorlot, 1939.

Heiner, Einar Henrik. *Adolf Hitler... Torekas*. Schweden: Selbstverlag, 1937.

Heinz, Heinz A. *Germany's Hitler*. London: Hurst, 1934.

Henderson, Sir Neville. *Failure of a Mission*. New York: Putnam's, 1940.

Henry, Ernst (pseud.). *Hitler over Europe*. London: Dent, 1934.

______________. "The Man behind Hitler". *Living Age* 345 (1933): p. 117.

Heuss, Theodor. *Hitlers Weg*. Union Deutsche Verlags Anstalt, 1932.

Heyst, Axel. *After Hitler*. London: Minerva Publ. Co., 1940.

High, Stanley. "Hitler and the New Germany". *Literary Digest*, 7 de outubro de 1933.

______________. "The Man Who Leads Germany". *Literary Digest* 116 (1933): p. 5.

Hinkel, Hans e Bley, Wulf. *Kabinet Hitler*. Berlin: Verlag Deutsche Kulturwacht, 1933.

Hitler, Adolf. "To Victory and Freedom, National Socialism, Labor Party". *Living Age* 342 (1932): pp. 24-25.

Hitler: Acquarelle. NSDAP, 1936.

Hitler against the World. New York: Worker's Library Publ., 1935.

Hitler Calls This Living. London, 1939.

Hitler in Hamburg. Hamburg, 1939.

Hitler: Ja, aber – was sagt Hitler selbst? Eine Auswahl v. H. Passow, 1931.

Hitler: The Man. London: Friends of Europe Publ., 1936. n. 34, pp. 1-21.

"Hitler: und die Deutsche Aufgabe". *Zeit- und Streitfragen*, n. 1 (1933).

Höper, Wilhelm. *Adolf Hitler, der Erzieher der Deutschen*. Breslau: Hirt Verlag, 1934.

Hoffmann, Heinrich. *Deutschlands Erwachen*. 1924.

____________. *Hitler Abseits vom Alltag*. Berlin: Zeitgeschichte Verlag, 1937.

____________. *Hitler baut Grossdeutschland*. 1938.

____________. *Hitler befreit Sudetendeutschland*. Berlin: Zeitgeschichte Verlag, 1938.

____________. *Hitler in Böhmen*. Berlin: Zeitgeschichte Verlag, 1939.

____________. *Hitler in Italien*. Munich: verlag Heinrich Hoffmann, 1938.

____________. *Hitler in Polen*. Berlin: Zeitgeschichte Verlag, 1939.

____________. *Hitler in seinen Bergen*. Berlin: Zeitgeschichte Verlag, 1935.

____________. *Hitler in seiner Heimat*. Berlin: Zeitgeschichte Verlag, 1938.

____________. *Hitler, wie ihn Keiner Kennt*. Berlin, 1932.

Holbeck, K. Kaiser, *Kanzler, Kämpfer*. Leipzig: A. Hoffmann, 1933.

Holt, John G. *Under the Swastika*. Chapel Hill: University of North Carolina Press, 1936.

Honrighausen, E. G. "Hitler and German Religion". *Christian Century* 50 (1933): pp. 418-420.

Hoover, Calvin B. *Germany Enters the Third Reich*. New York, 1933.

Horle, W. H. "Ten Years of Hitler, Hundred of Goethe", *Nation* 134 (1932): pp. 307-308.

Huddleston, Sisley. *In My Time*. London: J. Cape, 1938.

Huss, Pierre J. *The Foe We Face*. New York: Doubleday, 1942.

Hutchinson, P. "Portent of Hitler". *Christian Century* 50 (1933): pp. 1299-1301.

Hutton, Graham. *Survey after Munich*. Boston, 1939.

II Popolo D'ltalia. "Hitler: Un processo intentato", 5 de julho de 1929.

____________. "I diffamatori... condannati", 15 de maio 1929.

Indian Revue. "Chancellor Hitler" 34: p. 246.

Jacob, Hans. "Hitler's Ear and Tongue". *Who* 1 (1941): pp. 37-38.

Jastrow, J. "Dictatorial Complex: Psychologist Analyzes the Mental Pattern of Europe's Strongest Strong Men". *Current History* 49 (1938): p. 40.

Jaszi, O. "Hitler Myth, a Forecast". *Nation* 136 (1933): pp. 553-554.

Jones, Ernest J. *Hitler, the Jews, and Communists*. Sydney, 1933.

Josephson, Matthew. "Making of a Demagogue". *Saturday Review of Literature* 10 (1933): pp. 213-214.

______________. "Nazi Culture". John Day Pamphlets, 1933.

Kemp, C. D. Jr. *Adolf Hitler and the Nazis*. New York: Cook, 1933.

Keman, Thomas. *France on Berlin Time*. New York: Lippincott, 1941.

King, Joseph. *The German Revolution*. London, 1933.

Klotz, Hermut. *The Berlin Diaries*. London, 1935.

Knickerbocker, H. R. *Is Tomorrow Hitler's?* New York: Reynal, 1941.

Koehler, Hansjurgen. *Inside Information*. London: Pallas Publ., 1940.

______________. *Inside the Gestapo. Hitler's Shadows over the World*. London: Pallas Publ., 1940.

Koehler, Pauline. *The Women Who Lived in Hitler's House*. Sheridan House.

Koerber, Adolf-Victor von. *Adolf Hitler, sein Leben und seine Reden*. Munich: E. Boepple, 1923.

Korney. "The Man Who Made Hitler Rich". *Living Age* 355 (1938): pp. 337-341.

Krauss, Helene. *Des Führers Jugendstatten*. Vienna: Kuhne, 1938.

Krebs, Hans. *Sudetendeutschland Marschiert*. Berlin: Osmer, 1939.

______________. *Wir Sudetendeutsche*. Berlin: Runge, 1937.

Krueger, Kurt. *Inside Hitler*. New York: Avalon Press, 1941.

Ladies' Home Journal. "Story of the Two Mustaches" 57 (1940): p. 18.

Landau, Rom. *Hitler's Paradise*. London: Faber, 1941.

Lang, T. "Hitler as Wotan… Retreat High Bavarian Alps". *Current History* 51 (1940): p. 50.

Lania, L. "Hitler-Prozess". *Weltbühne* 20 (1924): pp. 298-301.

______________. *Today We Are Brothers*. New York, 1942.

Laswell, H. D. "Hitler Rose to Power Because He Felt Personally Insecure". *Science News Letter* 33 (1938): p. 195.

_____________. "Psychology of Hitlerism". *Political Quarterly* 4: pp. 373-384.

Laurie, Arthur Pillans. *The Case for Germany*. Berlin, 1939.

Le Bourdais, D. M. "Crackpot Chancellor". *Canadian Monthly* 91 (1939): pp. 20-22.

Lee, John Alexander. *Hitler*. Auckland Service Print., 1940.

Leers, Johann v. *Adolf Hitler*. Leipzig, 1932. (Manner und Machte.)

Lefêbvre, Henry. *Hitler au pouvoir*. Paris: Bureau d'Uditions, 1938.

LeGrix, Francois. *20 jours chez Hitler*. Paris: Grasse, 1923.

Lengyel, Emil. *Hitler*. New York, 1932.

_____________. "Hitler and the French Press" *Nation* 138 (1934): pp. 216-217.

Leske, Gottfried. *I Was a Nazi Flier*. New York: Dial Press, 1941.

Lewis, Wyndham. *Hitler*. London: Chatto & Windus, 1931.

_____________. *The Hitler Cult*. London, 1939.

Lichtenberger, Henri. *The Third Reich*. New York, 1937.

Life. "Adolf Hitler's Rise to Power" 9 (1940): pp. 61-67.

Linke. "Wie der Modies den Hitler zum Schweigen brachte". *Nationalsozialistische Monatshefte* 6, n. 55: pp. 954-958.

Literary Digest. "Abbe Dinnet Gives His Views of Two Dictators" 118 (1934): p. 18.

_____________. "Adolf Hitler States His Case" 111 (1931): p. 15.

_____________. "Bewildering Magic of Fuehrer Hitler" 115 (1933): pp. 10-11.

_____________. "Chancellor-Reichsfuhrer. Watching His Step" 118 (1934): p. 12.

_____________. "Comic Aspects of Hitler's Career" 116 (1933): p. 13.

_____________. "Dangerous Days in Europe" 107 (1930): pp. 14-15.

_____________. "Freud's Fears of Hitler" 113 (1932): p. 15.

_____________. "Gregor Strasser, Big Hitlerite Rebel" 115 (1933): p. 13.

_____________. "Handsome Adolf, the Man without a Country" 107 (1930): p. 34.

_____________. "Hitler, Germany's Would-be Mussolini" 107 (1930): pp. 15-16.

_____________. "Hitler's Astounding Outburst" 111 (1931): p. 10.

______________. "Hitler's Shattered Dream of Dictatorship" 114 (1932): pp. 13-14.

______________. "Hitler's Star Still in the Ascendant" 113 (1932): pp. 12-13.

______________. "Misfire of the German Mussolini" 76 (1923): p. 23.

______________. "They Stood Out from the Crowd in 1934" 118 (1934): p. 7.

______________. "Transformation of Adolf Hitler" 112 (1932): pp. 13-14.

______________. "When Hitler Hit the Ceiling" 115 (1933): p. 30.

Litten, Irmgard. *Beyond Tears*. New York: Alliance Book Corp., 1940.

Living Age. "From Six to Six Millions" 339 (1930): pp. 243-245.

______________. "Hitler at 50" 356 (1939): pp. 451-453.

______________. "Hitler and His Gang" 344 (1933): pp. 419-422.

______________. "Hitler Speaks" 344 (1933): pp. 114-116.

______________. "Hitler's Palace in the Clouds on the Top of the Kehlstein" 356 (1939): pp. 32-33.

______________. "Hitler's Private Rabbit Warren. Reichschancellery" 360 (1941): p. 321.

______________. "Hitler's Salad Days" 345 (1933): pp. 44-48.

______________. "Men Whom Hitler Obeys" 356 (1939): pp. 142-145.

Lochner, Louis P. *What about Germany?* New York: Dodd, 1942.

Loewenstein, Hubert Prinz zu. *On Borrowed Peace*. New York, 1942.

Loewenstein, Karl. *Hitler's Germany*. New York: Macmillan, 1936.

Lorant, Stefan. *I Was Hitler's Prisoner*. London: Gollancz, 1935.

Lorimer, Emily D. *What Hitler Wants*. London: Penguin Books, 1939.

Lorre, L. "Hitler's Bid for German Power." *Current History*, May 1932.

Lucchini, Pierre (Pierre Dominic pseud.). *Deux jours chez Ludendorff*. Paris, 1924.

Ludecke, Kurt George W. *I Knew Hitler*. New York: Scribner's, 1937.

Ludwig, Emil. *The Germans*. Boston: Little, 1941.

______________. *Three Portraits: Hitler, Mussolini, Stalin*. New York, 1940.

Lurker, Otto. *Hitler hinter Festungsmauern*. Berlin: Mittler, 1933.

McKelway, St. C. "Who Was Hitler?" *Saturday Evening Post* 213 (1940): pp. 12-13.

Mann, H. "A German View of Hitler". *Saturday Review* (London) 153 (1932): pp. 314-315.

Mann, K. "Cowboy Mentor of the Fuehrer, Karl May", *Living Age* 359 (1940): pp. 217-222.

Marion, Paul. *Leur combat... Hitler*. Paris: Favard 1939.

Mason, John Brown. *Hitler's First Foes*. Minneapolis 1936.

Massis, Henry. *Chefs*. Paris: Plon., 1939.

Maugham, Fred Herbert. *Lies as Allies*. New York: Oxford University Press, 1941.

Maupas, Jacques. *Le Chancellier Hitler et les élections allemandes* (Correspondent, 1933, N.S. v. 294, pp. 836-853).

Maxwell, N. "Hitler's He-Men and the Gash". *Saturday Review* (London) 156 (1933): p. 142.

Mehring, Walter. "Begrüssung Hitlers auf literarischen Gebiet". Weltbühne, p. 507.

Melville, Cecil F. *The Truth about the New Party*. London: Wishart, 1931.

Mend, Hans. *Adolf Hitler im Felde*. Dressen: Huber Verlag, 1931.

Meyer, Adolf. *Mit Hitler im Bayerischen Infanterie Regt*. Neustadt: Aupperle Verlag, 1934.

Miller, Douglas. *You Can't Do Business with Hitler*! Boston: Little, 1941.

Miltenberg, W. von. "Handsome Adolf". *Living Age* 304 (1931): pp. 14-15.

Mitteilungen des Deutschvolkischen Tumvereins Urfahr. *Adolf Hitler in Urfahr*. Felge 67: p. 12. Jehrgang (Austria).

Moeller van den Brack. *Das Dritte Reich*. Hamburg: Manseatisce Verlags Anstalt, 1931.

Morell, S. "Hitler's Hiding Place". *Living Age* 352 (1937): pp. 486-488.

Morus. "Hitler und Kirdirf". *Weltbühne*. 26.J.II.245.

Morvilliers, Roger. ... *Face à Hitler et à Mein Kampf. Serves en vente chez l'auteur*. 1939.

Mowrer, Edgar Ansell. *Germany Puts the Clock Back*. New York, 1933. (London: Penguin Books, 1938)

Mowrer, Lilian. *Rip Tide of Aggression*. New York: Morrow, 1942.

Muhlen, Norbert. *Hitler's Magician: Schacht*. London 1938.

Muhsam, E. "Aktive Abwehr gegen Hitler". *Weltbühne* (1931), p. 880.

Murphy, James Bumgardner. *Adolf Hitler, the Drama of His Career*. London: Chapman, 1934.

Naab, Ingbert. *Ist Hitler ein Christ?* Munich: Zeichenring Verlag, 1931.

Nation. "Can Hitler Be Trusted?" 140 (1935): p. 645.

_____________. "Hitler Goes to Rome" 146 (1938): p. 520.

Nationalsozialismus. Das wahre Gesicht des. Bund deutscher Kriegsteilnehmer. Magdeburg.

Nationalsozialistische Monatshefte. "Adolf Hitler 1925 in Gera" 5, n. 54: pp. 848-849.

_____________. "Geschichten aus der Kampfzeit". v. 5, n. 54.

Nazi Primer, the Official Handbook. New York: Harper, 1938.

Neumann, Franz L. *Behemoth*. New York: Oxford University Press, 1942.

New Republic. "Is Hitler Crazy?" 97 (1938): pp. 2-3.

_____________. (Medicus) "A Psychiatrist Looks at Hitler" 98 (1939): pp. 326-328.

Newsweek. "Adolf Hitler's Double" 13 (1939): p. 43.

_____________. "Adolf Hitler's Roman Holiday" 11 (1938): pp. 15-16.

_____________. "Cocksure Dictator Takes Timid-Soul Precautions" 5 (1935): p. 16.

_____________. "Hitler at Bavarian Retreat" 5 (1935): pp. 12-13.

_____________. "Hitler Enthroned" 13 (1939): p. 21.

_____________. "Hitler and Mussolini Put Their Heads Together" 10 (1937): pp. 11-13.

_____________. "Hitler Tells How He Directed Merciless Bloodstroke" 4 (1934): pp. 10-11.

_____________. "Hitler's First Great Crisis" 3 (1934): pp. 3-4.

_____________ . "Nazis Protest Use of Baby Snapshot" 3 (1934): p. 31.

______________. "Phony Fuehrer, Impersonator Dryden" 20 (1942): pp. 61-62.

______________. "Reichfuehrer... What Hitler Is..." 7 (1936): p. 27.

______________. "To the Fuehrer, Hitler Is Terrific" 19 (1942): p. 42.

______________. "When Hitler Started" 13 (1939): p. 22.

New Yorker Staatszeitung. Allerhand Merkwurdiges aus Privatleben, janeiro de 1941.

______________. *Staatszeitung und Herold*, Various Articles, abril de 1939; dezembro de 1940.

New York Times. "Rise as Idol", 21 de novembro de 1922, p. 1.

______________. "Mrs. Andre Elendt Aids Cause", 14 de dezembro de 1922, p. 7.

______________. "Hitler Wins Libel Suit in Munich", 19 de maio de 1929, p. 8.

______________. "Interview", 15 de outubro de 1930.

______________. "Sincerity, Praised by V. F. Ridder", 2 de maio de 1933, p. 4.

______________. "Hitler Stories Told in Vienna", 3 de dezembro de 1933.

______________. "Gives Rides and Overcoats to Hitchhikers", 26 de dezembro de 1933.

______________. "Personality and Private Life", 11 de março de 1934. (*ver* Tolischus)

______________. 12 de agosto de 1934, p. 7.

______________. "Interviewed by Lord Allen of Hurtwood", 28 de janeiro de 1935, p. 3.

______________. "Alois Hitler Opens Tea Room in Berlin", 17 de setembro de 1937, p. 4.

______________. "Portrait Adolf Hitler", 19 de setembro de 1937, p. 3.

______________. "Gruenscheder Says He Is Older than Record Shows", 16 de abril de 1938, p. 3.

______________. "Relatives Visit U.S.: William Patrick", 31 de março de 1939, p. 3.

______________. "Miss Daniels Interviews on Her Dance Performance before Him", 6 de outubro de 1939, p. 4.

_____________. "Reports about Arrival of U. Freeman Mitford--Illness in England", 3, 4, 7 de janeiro de 1940, pp. 1, 2, 6.

_____________. "Report to Have Sought Dr. Stekel to Interpret Dream of Undisclosed Nature", 17 de novembro de 1940, p. 4.

_____________. "German Official Asks Honduran Foreign Office to Ban Book 'I Was Hitler's Waitress'", 16 de janeiro de 1941, p. 2.

_____________. "Reports about William Patrick and Mrs. Bridget Arrivals, Activities in Canada and U.S.", 25 e 30 de junho de 1941, pp. 3.

Niekisch, Ernst. *Hitler – Ein Deutsches Verhängnis*. Berlin: Widerstands Verlag, 1932.

Norburt, R. "Is Hitler Married?", *Saturday Evening Post* 212 (1939): pp. 14-15.

North American Revue. "Herr Hitler Comes to Bat" 234 (1932): pp. 104-109.

Oechsner, F. "Portable Lair: Führerhauptquartier". *Collier's* 110 (1942): p. 26.

_____________. *This is the Enemy*. Boston: Little, 1942.

Oehme, Walter. *Kommt das Dritte Reich?*. Berlin-Rowohlt, 1930.

Olden, Rudolf. *Hitler*. Amsterdam: Querido, 1935.

Ossietzky, C. V. "Brutus schlaft". *Weltbühne* (1931), pp. 157-160.

_____________. "Grossreinemachen bei Hitler". *Weltbühne* (1931), p. 483.

_____________. "Hitler. Winterkonig". *Weltbühne* (1931), pp. 235--237.

_____________. "Hitler's Horoskop". *Weltbühne* (1931) pp. 607--611.

_____________. "Kommt Hitler doch?" *Weltbühne* (1931), pp. 875--880.

Otto, Carl A. G. *Der Krieg ohne Waffen. Wird Hitler Deutschlands Mussolini*. Senitas Verlag, 1930.

Ottwalt, Ernst. *Deutschland Erwachel*. Vienna: Hess & Co., 1932.

Owne, Frank. *The Three Dictators... Hitler*. London: Allen, 1940.

Panton, S. "Hitler's New Hiding Place". *Current History* 50 (1939):71-72.

Pariser Tages Zeitung. "*Das Ratsel um Hitlers, E.K.I.*", 20 de abril de 1937.

______________. "Der Prozess der Brigitte Hitler", 28 de janeiro de 1939.

______________. Article about the Iron Cross, 29 de setembro de 1939.

______________. "Vom Wahne besessen", 23 de janeiro de 1940.

Pascal, Roy. *The Nazi Dictatorship*. London, 1934.

Pauli, Ernst. *Die Sendung Adolf Hitlers*. Verlag für Volkskunst, 1934.

Pauls, Eilhard Erich. *Ein Jahr Volkskanzler*. Aus Deutschlands Werden, n. 21-22 (1934).

Pendell, E. H. "Adolf Alias 666". *Christian Century* 50 (1933): p. 759.

______________. "Discussion", *Christian Century* 50 (1933): pp. 819, 849.

Pernot, Maurice. *L'Allemagne de Hitler*. Paris, 1933.

Peters, C. B. "In Hitler's Chalet". *New York Times Magazine*, 16 de março de 1941, p. 9.

Phayre, I. "Holiday with Hitler". *Current History* 44 (1936): pp. 50-58.

Phillips, Henry Albert. *Germany Today and Tomorrow*. New York: Dodd.

Plessmayr, Hermann. *Der Nationalsozialismus*. Stuttgart: Mahler, 1933.

Pollock, James Kerr. *The Government of Greater Germany*. New York: Nostrand, 1938.

Pope, Ernest R. *Munich Playground*. New York: Putnam's, 1941.

Poppelreuter, Walther. *Hitler*. Langensalza, 1934. (Heft, 1931, v. Friedr. Mann' padagog. Magazin, pp. 1-41)

Pottmann, Karl. *Hitler – Entwicklungsmöglichkeiten*. Oxford: Blackfriars, 1933. 14: pp. 450-454.

Price, George Ward. *I Know These Dictators*. London: Harrap, 1937.

Radek, K. "Hitler". *Nation* 134 (1932): pp. 462-464.

Radziwill, C. e Zierkursch, T.v. "Three Women Behind the Demagogue". *Pictorial Review* 34 (1933): p. 7.

Raleigh, John McCutcheon. *Behind the Nazi Front*. New York: Dodd, 1940.

Ramsdell, F. T. "Hitler Adored and Hated". *Christian Century* 51 (1934): p. 971.

Rauschning, Anna. *No Retreat*. New York: Bobbs Merrill, 1942.

Rauschning, Hermann. *The Beast from the Abyss*. London: Heinemann, 1941.

______________. The Conservative Revolution. New York: Putnam's, 1941.

______________. Gespräche mit Hitler (*Voice of Destruction*). New York: Europa Verlag, 1940.

______________. *Hitler and the War*. American Council on Public Affairs, 1940.

______________. *Men of Chaos*. New York: Putnam's, 1942.

______________. *The Revolution of Nihilism*. New York: Alliance Book Corp., 1939.

Reich, Albert. *Aus Adolf Hitlers Heimat*. 1933.

Reveille, Thomas (pseud.). *The Spoil of Europe*. New York: Norton, 1941.

Reynolds, Bernard Talbot. *Prelude to Hitler*. London: J. Cape, 1933.

Ribbentrop, Manfred v. *Um den Führer*. Volkische Reihe im Winterverlag, n. 1 (1933).

Riess, Curt. *The Self-Betrayed*. New York: Putnam's, 1942.

Riesse, G. "Hitler und die Armee". *Deutsche Republik*, v. 4 (1930).

Ritter, Walther. *Adolf Hitler*. Leipzig: Verlag Nationalsoz Front, 1933.

Robert, Karl (pseud.). *Hitler's Counterfeit Reich*. New York: Alliance Book Corp., 1941.

Roberts, Stephen H. *The House That Hitler Built*. New York, 1938.

______________. "Riddle of Hitler", *Harper's Magazine* 176 (1938): pp. 246-254.

Roch, Hans. "Gott segne den Kanzler". Rundfunkrede, 20 de abril de 1933.

Röhm, Ernst. *Die Geschichte eines Hochverraters*. Munich: F. Eher, 1933.

Rogge, Heinrich. *Hitlers Friedenspolitik*. Berlin: Schlieffen, 1935.

Roper, Edith e Leiser, Clara. *Skeleton of Justice*. New York: Dutton, 1941.

Rothe, M. "Siegesallee II (A. Hitler)". *Die Tat* 21: pp. 780-784.

Santoro, Cesare. *Hitler Deutschland...* Berlin: inter. Nat. Verlag, 1938.

_____________. *Vier Jahre Hitlerdeutschland...* 1937.

Schacher, Gerhard. *He Wanted to Sleep in the Kremlin*. New York, 1942.

Scharping, K. "Why I Like Hitler", *Living Age* 349 (1935): pp. 303-306.

Scheffer, P. "Hitler Phenomenon and Portent". *Foreign Affairs* 10 (1932): pp. 382-390.

Scheid, O. *Les memoires de Hitler*. Paris: Perrin, 1933.

Scher, Pet. "Hitlergesandter bei Ford", *Das Tagebuch* 7 (1928): 628.

Schirach, Baldur V. *Die Pioniere des Dritten Reichs*. Essen, 1933.

Schmidt-Pauli, Edgar v. *Adolf Hitler*. Berlin: De Vo Verlag, 1934.

_____________. *Hitlers Kampf um die Macht*. Berlin, 1933.

_____________. *Die Männer um Hitler*. Berlin: Verlag für Kulturpolitik, 1932 (Neue organzte Ausgabe, 1935).

Scholastic. "Hitler Crushes Foes..." 25 (1934): p. 15.

Schott, Georg. *Das Volksbuch vom Hitler*. Munich: F. Eher, 1933.

Schrader, Fred Franklin. *The New Germany*. New York: Deutscher Weckruf & Beobachter, 1937.

Schroeder, Amo. *Hitler geht auf die Dörfer*. National Soz. Verlag, 1938.

Schultze-Pfaelzer, Gerhard. *Hindenburg und Hitler*. Berlin: Stollberg, 1933.

Schulze, Kurt. *Adolf Hitler*. London: Harrap, 1935.

Schumann, Frederick Lewis. *Hitler and the Nazi Dictatorship*. London, 1936.

Schwarzschild, Leopold. "Ave Adolf", *Das Tagebuch* 12 (1931): p. 1808.

_____________. World in Trance. New York, 1942.

Science News Letter. "Hitler's Personality Called: Paranoid, Infantile, Sadistic" 34 (1938): pp. 227-228.

Scyler, J. P. *Hitler et son troisième empire*. Paris: L'Eglantine, 1933.

Seehofer, Herbert. *Mit dem Führer unterwegs!*. NSDAP, 1939.

Sender, Toni. *A Fighter for Peace*. New York: Vanguard, 1939.

Shirer, William L. *Berlin Diary*. New York: Knopf, 1941.

Shuster, George N. *Strong Man Rules*. New York, 1934.

Siebart, Werner. *Hitler's Wollen*. NSDAP, 1935.

Simone, Andre. *Men of Europe*. New York: Modern Age, 1941.

Smith, Howard K. *Last Train from Berlin*. New York, 1942.

Snyder, Louis (Nordicus, pseud.). *Hitlerism*. New York: Mohawk Press, 1932.

Sondern, F. Jr. "Schuschnigg's Terrible Two Hours". *Saturday Evening Post* 211 (1938): p. 23.

Spencer, Franz. *Battles of a Bystander*. New York: Liveright, 1941.

Spiwak, J. L. "Hitler's Racketeers". *Reader's Digest* 28 (1936): pp. 52-54.

Starhemberg, Ernst e Rudiger, Prinz. *Between Hitler and Mussolini*. London: Hodder, 1942.

Stark, Johannes. *Adolf Hitler Ziele...* Deutscher Volksverlag, 1930.

Statist. "Hitler's Day" 123 (1934): p. 161.

Steed, Henry Wickham. *Hitler Whence and Whither?* London: Nisbet, 1934.

Steel, Johannes. *Hitler als Frankenstein*. London, 1933.

Stem-Rubarth, E. "Heinrich Himmler, Hitler's Fouche, Head of Gestapo". *Contemporary Review* 158 (1940): pp. 641-645.

Steyrer Zeitung. "Adolf Hitler als Schüler in Steyr", 17 de abril de 1938.

Stoddard, Lothrop. *Into the Darkness*. New York: Duell 1940.

Strasser, Otto. *Aufbau des deutschen Sozialismus*. Prag. i., Heinrich Grunow, 1936.

______________. *Die deutsche Bartholomäusnacht*. Zurich: Reso Verlag, 1935.

______________. *Flight from Terror*.

______________. *Free Germany against Hitler*. Brooklyn, N.Y., 1941.

______________. *Hitler and I. Boston*: Houghton, 1940.

Stresemann, Gustav. *Letters and Diaries*. London: MacMillan, 1935-1940.

Tacitus Redivivus (pseud.). *Die Grosse Trommel*.

Taylor, Edmond. *The Strategy of Terror*. Boston: Houghton, 1940. rev. ed., 1942.

Teeling, William. *Know Thy Enemy!* London: Nicholson, 1939.

Tennant, E. W. D. "Herr Hitler and His Policy". *English Review* 56 (1933): pp. 362-375.

Tesson, Francois de. *Voici Adolf Hitler*. Paris: Flammarion, 1936.

Thompson, Dorothy. "Good bye to Germany", *Harper's Magazine*, dezembro de 1934.

Thyssen, F. "I Made a Mistake When I Backed Hitler", *American Magazine* 130 (1940): pp. 16-17.

______________. I Paid Hitler. New York: Farrar, 1941.

______________. I Saw Hitler. New York, 1932.

Time. "Aggrandizer's Anniversary" 33 (1939): pp. 23-24.

______________. "Critic Hitler" 30 (1937): pp. 32-A2.

______________. "Dictator's Hour" 37 (1941): pp. 26-28.

______________. "Eleven Minutes: Hitler's Narrow Escape" 34 (1939): pp. 21-22.

______________. "Fuehrer's Next" 33 (1939): p. 22.

______________. "Happy Birthday" 37 (1941): pp. 22-23.

______________. "Happy Hitler" 36 (1940): p. 18.

______________. "Hitler Comes Home" 31 (1938): pp. 18-22.

______________. "Hitler's Throat" 32 (1938): p. 55.

______________. "Hitler Takes a Trip" 36 (1940): p. 28.

______________. "Hitler vs. Hitler" 33 (1939): p. 20.

______________. "Inside Hitler" 39 (1942): p. 43.

______________. "Let's Be Friends" 27 (1936): pp. 21-22.

______________. "Man of the Year" 33 (1939): pp. 11-14.

______________. "Mississippi Frontier, K. H. v. Wiegand's Interview" 35 (1940): pp. 37-38.

______________. "Office and Official Residence" 33 (1939): pp. 17-18.

______________. "Orator Hitler" 37 (1941): p. 19.

______________. "Two Diagnoses" 33 (1939): p. 22.

Tolischus, Otto D. "Portrait of a Revolutionary", *New York Times Magazine*. 19 de maio de 1940, p. 3.

______________. *They Wanted War*. New York: Reynolds, 1940.

Toller, E. "Reichskanzler Hitler". *Weltbühne*, p. 537.

Tourley, Robert e Lvovsky, Z. *Hitler*. Paris: Editions du siècle, 1932.

Trossman, Karl. *Hitler und Rom*. Nuremberg: Sebaldus Verlag, 1931.

Trotzky, Leon. "How Long Can Hitler Stay?", *American Mercury* 31 (1934): pp. 1-17.

____________. *What Hitler Wants*. New York: John Day Co., 1933.

Tschuppik, Karl. "Hitler spricht". *Das Tagebuch*, v. 498 (1927).

Turner, James. *Hitler and the Empire*. London, 1937.

Ullstein, H. "We Blundered Hitler into Power". *Saturday Evening Post* 213 (1940): pp. 12-13.

Umbell, H. D. "Dept of Brief Biography. Reply to Emil Ludwig". *Forum* 98 (suppl., 1937): pp. 10-11.

Unruh, Fritz v. "Hitler in Action", *Living Age*, agosto de 1931, p. 551.

Verges, Femi. *El Pangermanisme abans de Hitler*. Revista de Catalunya, 15 de junho de 1938, pp. 213-225.

Vie des Peuples. *Adolf Hitler*. Anneée 4. Paris, 1923: pp. 536-544.

Villard, O. G. "Folly of Adolf Hitler". *Nation* 136 (1933): p. 392.

____________. "Hitler's Me and Gott". *Nation* 139 (1934): p. 119.

____________. "Issues and Men". *Nation* 143 (1936): p. 395.

____________. "Nazi Child-Mind". *Nation* 137 (1933): p. 614.

Voight, F. A. *Unto Caesar.* New York: Purtnam's, 1938.

Wagner, Ludwig. *Hitler, Man of Strife*. New York: Norton, 1942.

Waldeck, Countess. "Girls Did Well under Hitler", *Saturday Evening Post* 215 (1942): p. 18.

Wallach, Sidney. *Hitler, Menace to Mankind*. Emerson Books, 1933.

Weltbuehne. "Hitler und die Japaner" 22 (1926): p. 672.

____________. "Mit Gott für Hitler und Vaterland" 21 (1925): p. 720.

Wendel, Friedrich. *Der Gendarm von Hildburghausen*. Berlin: Dietz, 1932.

What Hitler Did Not Want the English Speaking Countries to Know. Paris: Centre d'Information documentaire. Pamphlets 5.

Wheeler-Bennett, John. *The Wooden Titan.* 1936.

White, W. C. "Hail Hitler: M." *Scribner* 9 (1932): pp. 229-231.

Whittlesey, Derwent. *German Strategy of World Conquest*. New York, 1942.

Wiegand, Karl von. "Hitlers Fliegerei". *Weltbühne* (1931): pp. 918-920.

____________. "Hitler Foresees His End". *Cosmopolitan,* abril de 1939, pp. 28 ff.; maio de 1939, pp. 48 ff.

Wild, Alfons. *Hitler und das Christentum*. Augsburg: Hass., 1931.

Wilson, Sir Arnold. *Nineteenth Century,* outubro de 1936: pp. 503-512.

Wir fliegen mit Hitler. Berlin: Deutsche Kulturwacht, 1934.

Wistinghausen R. von. "Handsome Adolf, Reply". *Living Age* 341 (1931): pp. 185-186.

Wolf, John. *Nazi Germany*. London, 1934.

Wyl, Hans von. *Ein Schweizer erlebt Deutschland*. Zurich: Europa Verlag, 1938.

Ybarra, T. R. "Hitler". *Collier's* 94 (1934): p. 50.

____________. "Hitler Changes His Clothes". *Collier's* 95 (1935): pp. 12-13.

____________. Hitler on High." *Collier's* 100 (1937): pp. 21-22.

____________. "Says Hitler, Interview". *Colliers* 29 (1933): p. 17.

Yeats-Brown, F. "A Tory Looks at Hitler". *Living Age* 354 (1938): pp. 512-514.

Young, William Russel. *Berlin Embassy*. 1941.

Ziemer, Gregor. *Education for Death*. New York: Oxford University Press, 1941.

Ziemer, Patsy. *2010 Days of Hitler*. New York: Harper, 1940.

Índice

ESTE LIVRO FOI COMPOSTO EM SABON E ALTERNATEGOTHIC2 BT,

CORPO 11PT, PARA A EDITORA LEYA BRASIL.